PROFESSOR IN DE POËZIE

D0783896

Van Grace McCleen verscheen eerder

Het Land van Melk en Honing

GRACE MCCLEEN

PROFESSOR IN DE POËZIE

Vertaald door Harry Pallemans

Roman

Uitgeverij Atlas Contact
Amsterdam/Antwerpen

De vertaler ontving voor deze vertaling een werkbeurs van het
Nederlands Letterenfonds

© 2013 Grace McCleen
© 2014 Nederlandse vertaling Harry Pallemans
Oorspronkelijke titel *The Professor of Poetry*
Oorspronkelijke uitgave Sceptre, Londen
Omslagontwerp en typografie binnenwerk Zeno
Omslagbeeld © Jon Bower/Superstock, Oxford, Engeland
Foto auteur Tom York
Drukkerij Koninklijke Wöhrmann, Zutphen

ISBN 978 90 254 4232 3
D/2014/0108/720
NUR 302

www.atlascontact.nl

'"Soms," zegt Père de Grandmaison, "bij het beschouwen van een kunstwerk, of bij het luisteren naar een melodie, verslapt de inspanning om te begrijpen, en vindt de ziel eenvoudigweg genot in de schoonheid die ze gewaarwordt... of niet meer dan een herinnering, een woord, een regel uit Dante of Racine schiet omhoog uit de duistere diepten van onze ziel, pakt ons beet, 'her-vormt' zich en doordringt ons. Na deze ervaring weten we niet meer dan daarvoor, maar we hebben de indruk dat we iets kleins begrijpen waar we tot dan toe amper van wisten, dat we een vrucht hebben geproefd waaraan we tot dan toe nauwelijks hadden geknabbeld, en dan nog alleen aan de schil." Een dergelijke ervaring is een voorbeeld van die "wereldlijke gemoedstoestanden waarin we de grootse regels al kunnen ontcijferen, en het beeld en de ruwe schets van de mystieke staten van de ziel kunnen onderscheiden..."'

– Henri Brémond, *Prière et poésie*

'Sommigen hebben uit het geloof in Pure Klank afgeleid dat de betekenis van de woorden die eruit voortvloeit niet gekend hoeft te worden, dat het volstaat om de betekenis van de woorden op zichzelf te kennen en genoeg van hun syntaxis om ze correct hardop te lezen. Tot op zekere hoogte klopt dat vaak, maar deze toestand van beperkte kennis kan het best beschouwd worden als een gecompliceerde toestand van besluiteloosheid waarbij veel kansberekening komt kijken, en is meer het ordelijke opschorten van een oordeel dan onwetendheid… een akkoord in de muziek is een directe gewaarwording, maar niettemin zelfs op het moment van gewaarworden in zijn afzonderlijke noten te ontleden. Het kan met het hart of het hoofd worden ervaren; die twee manieren zijn vergelijkbaar maar verschillend; en het vergt oefening om ze te combineren.'

– William Empson, *Seven Types of Ambiguity*

BOEK I

'If all time is eternally present
All time is unredeemable.'

*

'Burnt Norton'
Four Quartets, 1936

HET DISSIDENTE CORPUS

Het was niet, om weer te beginnen, wat ze had gedacht. Ze wachtte nu al een maand op de uitslag van een scan om te zien of haar verraderlijke hersencellen, die laat waren betrapt bij hun spel van incestueuze vermenigvuldiging, waren uitgeroeid, en wist dat de kans op een gunstige uitkomst klein was: dat had dokter Robertson, een grijzende, energieke bonenstaak van een man, tegen haar gezegd. Het gezwel was van aanzienlijke omvang geweest, en bij de operatie was er minder weggesneden dan was gehoopt. Onder zulke omstandigheden was wat je van chemotherapie mocht verwachten beperkt. Maar daar zat de arts, die nog energieker oogde dan normaal, en gaf haar een vel papier en deelde haar mee dat de rebelse cellen niet alleen ontbonden waren, maar dat ze sinds het begin van de ellende ruim een jaar geleden niet meer zoveel witte bloedlichaampjes had gehad.

Ze tuurde over de rand van haar bril alsof ze naar een bedrieger keek. Na een korte stilte zei ze: 'Weet u wel zeker dat dit mijn gegevens zijn?'

'Uw naam staat er toch op?' zei Robertson. 'U bent eigenlijk weer beter, mevrouw Stone. Gunstiger had de uitslag niet kunnen zijn.'

Ze snoof even en trok haar wenkbrauwen op. Het papier trilde een beetje toen ze het teruglegde op het bureau.

'Uiteraard,' zei hij, 'blijven we de vinger aan de pols houden, maar het ziet er gewoon goed uit. Hebt u nog last van hoofdpijn gehad?'

'Nee.'

'Misselijkheid?'

'Soms, na het eten.'

'Dat is vrij normaal. Het duurt wel even voordat uw lichaam zich weer helemaal hersteld heeft.' Hij draaide rond in zijn stoel en glimlachte haar toe. 'En, wat gaat u doen nu u weer onder de mensen bent?'

Ze tuitte haar lippen en tikte een stofje van haar rok. Ze wist welke indruk ze maakte: een oude vrijster met bril en degelijke schoenen, met huid en wimpers van een bleekheid die op schemerige kamers en stilte duidden; alleen haar ogen pasten niet in het beeld, want die waren donker, vlammend, dierlijk bijna, en de meeste mensen keken er niet lang in voordat ze de blik afwendden. Met een flauwe glimlach zei ze: 'O, weer aan de slag, lijkt me. Ik lig achter met mijn boek en de afdeling kan niet zonder me.'

'Neem een beetje vakantie. Ga er even tussenuit. Hebt u vrienden bij wie u op bezoek kunt gaan?'

'Natuurlijk,' zei ze met een korte blik op hem.

Hij keek haar even vorsend, misschien wel een beetje bedroefd aan; toen stond hij op en stak zijn hand uit.

Bij de deur zei hij: 'Niet werken, hoor.'

En met een toegeeflijke glimlach zei ze: 'Dat beloof ik.'

Ze stond in een lange gang met een glanzende vloer. Voor haar dwarrelde een stofkolom in een zonnestraal. Het was stof, maar professor Stone zag hoe de deeltjes glinsterden, pirouettes maakten, tot edeler materie werden getransformeerd, geen stof maar goud, goud met een zweem van regenbogen. Links van haar, achter een glazen wand, wiebelden bomen, wervelden bladeren in winderig zonlicht. Het waren bomen, maar ze zag de takken armen worden die naar de zon reikten, vezels van een eeuwige materie die om bemiddeling smeekte.

Ze schrok van een geluid en zag toen ze zich omdraaide een man haar kant uit komen die met getuite lippen een karretje duwde. Het woord dat bij haar opkwam om het geluid te beschrijven was echter niet 'fluiten': dat was bij lange na niet vreemd genoeg voor de muziek die ze hoorde, die bezield noch onbezield was.

Ze knipperde met haar ogen, het karretje reed voorbij, het stof stoof uiteen, de bladeren bleven wervelen. Er was iets gebeurd, maar wat? Woorden leken vanmorgen achter te blijven bij haar waarneming van dingen, treurige boodschappers van een geheim dat te subtiel was om te bevatten. Ze zei: 'Ik ben beter,' maar ook deze woorden waren niet toereikend om het aparte geval te beschrijven dat haar lichaam was geworden sinds Robertson haar het papier had overhandigd.

Nu stond ze in de kolom van zonlicht en tolde het stof wild om haar heen: textiel, vlees, aderen, nagels en sproeten, ineens waren ze allemaal stralend, tot leven gewekt door de aanraking van een luminescentie die ze overal om zich heen voelde. Ze zei: 'Dank u,' voorzichtig, alsof ze de woorden uitprobeerde, en alleen deze woorden leken deze uiterst vreemde ochtend iets van hun betekenis te behouden – al wist ze eigenlijk niet tegen wie ze het had en dacht ze maar liever niet na over wat het kon betekenen dat ze op klaarlichte dag tegen zichzelf stond te praten.

Professor Stone begon langzaam, en vervolgens met meer overtuiging, de lange, glanzende gang door te lopen.

Elizabeth Stone (hoogleraar Engelse poëzie, gevierd schrijver van *The Dissident Corpus: John Milton and the Poetics of Difference*, lid van het bestuur van twee instellingen voor hoger onderwijs, voorzitter van het bestuur van twee; contribuant aan tien tijdschriften, redacteur van één) was in haar tweeënvijftigste levensjaar toen haar wereld op zijn kop werd gezet. Ze stond in een collegezaal en wilde toevallig net de vervoering demonstreren die de verrukte Wordsworth 'door intense betrekking/ van de aarde naar de hemel verhief', toen in scherp contrast daarmee en tot verbazing van ruim tweehonderd studenten de vloer zich verhief, er licht door haar hoofd flitste, haar linkerhand de papieren die ze vasthield losliet en alles op zwart ging. Toen ze weer bijkwam stond Matthew Cullum, hoofd van de afdeling Engels, over haar heen gebogen en zei: 'Elizabeth, hoor je me?'

Ze schreef de val toe aan een lage bloedsuikerspiegel en nam zich voor het ontbijt niet meer over te slaan. Een week later stond ze op uit bed en werd de wereld andermaal zwart; de volgende morgen bij het tandenpoetsen werd haar linkerarm ineens slap, trok haar hand zich samen tot een klauw en zag ze minder met haar linkeroog. Na twintig minuten was alles weer normaal, al bleef haar arm de rest van de dag krachteloos.

Ze zei het tegen niemand; het was vermoeidheid, een beknelde zenuw, een gebrek aan het een of ander. Ze had ook een keer zulke symptomen gehad bij migraine. Ze zou er de volgende week naar laten kijken, als de colleges over Donne erop zaten, aan het eind van de maand, als ze het artikel over Dryden had verstuurd. Professor Stone was namelijk gewend aan de protesten van haar lichaam. In de loop der jaren had het haar een verbluffend scala aan ziekten gepresenteerd en daardoor was ze een vaardige tegenstander van dat lichaam geworden, maar zo losgeslagen als nu had het zich nog nooit gedragen. Ze had opiumtinctuur gedronken toen ze door diarree werd geteisterd en aan Harvard een lezing moest geven, had met een stok rondgestrompeld toen een spitaanval dreigde te verhinderen dat ze naar de John Rylands Library reisde om een manuscript te lezen, maakte zichzelf met willekeurige tussenpozen wakker toen ze haar eerste boek over Milton schreef om de slapeloosheid met eigen wapens te bestrijden; bij congressen voorkwam ze het trillen van haar handen door ze zo hard dicht te knijpen dat er halvemaantjes in haar palmen stonden.

Ten tijde van haar val was ze net begonnen aan het langverwachte tweede deel van haar magnum opus, *The Dissident Corpus: John Milton and the Poetics of Difference*, het culminatiepunt van een liefdesverhouding met de literaire reus die haar acht jaar lang zo had beziggehouden dat ze bijna nergens anders aan was toegekomen; al moest 'liefdes-' misschien wel vervangen worden door 'obsessieve' en 'verhouding' door 'worsteling', want de strijdende partijen waren wel eens zo ernstig slaags geraakt dat het twijfelachtig was of een van beiden het zou overleven. Maar de professor moest wel overleven, want de harde waarheid was dat ze ondanks het reikhalzende uitkijken in de literaire kringen geen boek meer had geschreven sinds de eerste keer dat ze zich in de hel van Milton had gewaagd; al had ze ook geen tijd verspild – integendeel, ze had fanatiek onderzoek gedaan; sterker nog, tegen het eind bestond de verleiding erin om maar onderzoek te blijven doen omdat de gedachte dat de wankele stapels tot een of andere structuur moesten worden omgetoverd aan het helse grensde.

Toen ze haar betoog rond had, begon ze de eerste versie te schrijven. Dat duurde drie keer zo lang als ze had gedacht, ten eerste vanwege de hoeveelheid materiaal en ten tweede omdat ze er zo veel mogelijk in wilde verwerken. Ze had met de zwakte van haar linkerarm te kampen en met een vreemde maar kortstondige duisternis die bezit nam van haar linkeroog wanneer de hoofdpijn opkwam. Die was ongewoon zwaar, begon aan de linkerkant en zorgde ervoor dat ze zich niet meer kon bewegen als ze niet snel genoeg ingreep. Niets was echter zo slopend als een toenemende dufheid, het vermogen om zomaar ineens diep en soms gevaarlijk in slaap te vallen: ze kwam met de metro in Epping aan in plaats van Holborn en zou helemaal terug naar West Ruislip zijn gereisd als het personeel haar niet wakker had gemaakt; bij een faculteitsvergadering over de noodzaak om de syllabus wat aantrekkelijker te maken werd ze door de nieuwe historica Felicity McGowan aangestoten en zag toen ze daardoor wakker was geworden dat ze met een speekselketting aan haar eigen vest vastzat; of ze nu thuis essays nakeek, in de British Library zat te lezen, in Lincoln's Inn Fields aan haar boek werkte, steeds had ze het gevoel dat haar grip op de wereld minder werd.

Gedesoriënteerd en suf werd ze wakker uit haar dutjes. Koffie verergerde de slapeloosheid. Frisse lucht, stevige wandelingen, vroeg naar bed en minder koolhydraten zorgden geen van alle voor meer werklust. Ze gleed over Miltons welluidende regels en de wereld werd donkerder, ze ontleedde Satans monologen met ogen die begonnen te kloppen – was de theorie zelf het probleem? vroeg ze zich af. Was het haar betoog? Had ze te veel onderzoek gedaan?

Ze was nu drie keer overnieuw begonnen, maar het werk wilde maar geen eenheid worden. Soms voelde het alsof ze het duidelijk zag, maar als ze dan nog eens keek, was ze tekortgeschoten.

Eerlijk gezegd was het zelfs voor haar val al voorgekomen dat ze niet meer dan een zin per dag had geschreven, dat ze urenlang heen en weer liep voordat ze achter de computer ging zitten. Het was alsof haar lichaam een oude minnaar de rug toekeerde, want zo had ze de poëzie altijd beschouwd, als een geliefde die haar gunsten verleende of onthield. Maar nu leek het alsof ze misschien de puf niet meer had om dit te volbrengen, omdat ze uit ervaring wist wat velen (vooral degenen die beweerden dat de pen lichter was dan het zwaard) niet wisten: dat je niet alleen scherp van geest moest zijn om iets te schrijven, maar dat je ook de bezieling en een gezond lichaam nodig had.

Jaren eerder had de professor iets ontdekt: telkens als haar lichaam haar een nieuwe kwaal bezorgde, hoefde er maar een schokje plaats te vinden, een nieuwe opdracht, een vervroegde deadline, een slechte recensie, het besef dat er in een appendix materiaal voor nog een heel boek lag te wachten – meer, kortom, veel meer dan haar lichaam had gedacht en in minder tijd – en hup, het begon meteen weer normaal te functioneren, soms zelfs beter dan voorheen. De huidige gebeurtenissen, wist ze bijna zeker, waren daar gewoon een voorbeeld van. Niettemin, ondanks het jaarlijkse Milton-congres waar ze voorzitter van was, extra werk voor de faculteit en twee tijdschriftartikelen die binnen een maand af moesten, werden de symptomen eerder erger dan minder. Ze zei tegen Matthew Cullum dat ze wat lichte gezondheidsproblemen had. Dan dacht hij in elk geval niet dat er iets geheimzinnigers achter zat, iets wat zich in de gangen van de geest verschool bijvoorbeeld, een aandoening waar een verontrustend aantal leden van de afdeling Engels op enig moment aan ten prooi was gevallen. Hij drong aan op een sabbatical en zij wees dat voorstel van de hand.

De ironie wilde dat het geestelijke en geen lichamelijke ontregeling was die professor Stone er uiteindelijk toe bracht om hulp te zoeken. Het was begin september, het begon vroeger donker te worden en Londen bereidde zich voor op wat een ongewoon koude herfst leek te worden. Meestal had ze er geen last van als de donkere maanden eraan kwamen, maar toen ze over de Strand naar huis liep kon ze een gevoel van naderend onheil niet van zich afschudden. De lichten van het passerende verkeer, de witte ruis van de stad, de gehaaste forensen, de hemel die ziedend roze was en toen oranje en toen zwartig oker, het leken allemaal voorboden van een ontzaglijke catastrofe. Naast de ongerustheid die ze voelde, begon ze ook merkwaardige driftaanvallen te krijgen: ze duwde haar huissleutel zo hard in het slot dat hij verboog, ze beefde van woede terwijl ze jachtig de stapel post in de gang doornam, ze maakte een deuk in de kalk van de muur toen ze de klapdeuren van de afdeling Engels woest openzwaaide en doctor Chakrabarti, hoofd Middelengels, bijna meenam. Maar het ergste was dat ze zo vaak moest huilen, tranen met tuiten en schijnbaar zonder reden: toen ze de uitnodiging voor het jaarlijkse Donne-congres openmaakte, toen ze een verbijsterend slecht essay over Lovelace nakeek; toen ze steak-and-kidney-pie in de kantine zat te eten; boven in een dubbeldekker.

Professor Stone had altijd zo weinig mogelijk aan uitbarstingen gedaan en vond de laatste ontwikkelingen uitermate zorgwekkend: hoe kon ze Miltons Michaël analyseren als ze zich al moest inhouden om de bladzijde niet te verfrommelen? Wat had ze aan een tranenvloed als ze Satans retoriek ontleedde? Het kritieke punt werd bereikt toen ze bij een werkgroep de tekst van Witwoud moest voorlezen en tot haar verbazing niet in staat was om te praten; en toen ze dat obstakel had overwonnen werden de letters wazig. Haar studenten keken elkaar aan. De docent die ze onderling 'De Steen' noemden leek hier in te storten. Ze stond abrupt op en liep naar het raam; maar nu bewogen de daken van Somerset House, vielen de tranen. 'Ik moet even weg,' zei ze, en ze beende naar de deur.

De volgende twintig minuten zat ze opgesloten in de kleine wc verderop in de gang en probeerde rustig te worden.

Flauwvallen, neuropathie, hoofdpijn, narcolepsie en driftbuien waren allemaal te verdragen, maar huilen bij het college geven ging te ver. Professor Stone maakte een afspraak bij de dokter.

HEDEN, VERLEDEN, TOEKOMST

Dat haar huisarts het nodig achtte om haar door te verwijzen naar een neuroloog vond professor Stone overdreven, dat het versneld moest vond ze belachelijk. Dat dokter Robertson een MRI-scan en een CT-scan wilde laten maken, was ergerlijk: ze moest een college en twee werkgroepen laten vervallen. Zelfs toen ze in slow motion de buik van een reusachtige futuristische cocon in reisde en bijna een uur lang naar het auditieve equivalent van de Vallende Druppel luisterde (want hoewel er geen waarneembare schade werd aangericht, was ze er aan het eind van overtuigd dat haar schedel werd ingedeukt) vermoedde ze nog niet dat er reden was om zich zorgen te maken; een ernstige ziekte was domweg geen optie; de goden hadden voor haar een ander lot bestemd. Ze zou gekweld worden door kwalen waar geen eind aan kwam, maar die in wezen geen kwaad konden. Ze was Sisyfus met zijn steen, Prometheus aan zijn rots geketend.

Maar hoe slecht het ook uitkwam, professor Stone was wel blij dat het onderzoek deze weg had genomen. Heimelijk had ze gevreesd dat ze naar een psychotherapeut zou worden doorverwezen. Ze had zelfs verwacht dat Robertson dit zou voorstellen toen ze terugging naar Praed Street (ze had al besloten dat ze volmondig akkoord zou gaan met dat voorstel en er vervolgens niets mee zou doen). Dus werd ze volledig verrast toen hij zei, zelfs nog voor ze goed en wel was gaan zitten: 'Uit het onderzoek blijkt dat u een hersentumor hebt. Dat verklaart de neurologische symptomen. Het gezwel drukt op de rechter voorhoofdskwab. Dat verklaart de stemmingswisselingen.'

Hij zei ook andere woorden – 'agressief', 'kwaadaardig', 'alternatieven', 'direct', 'cytoreductie', 'groeisnelheid' – maar die klonken vreemd, tweedehands, en niet meteen op haar van toepassing. Toen hij uitgesproken was bleef ze even zwijgend zitten en zei toen: 'Ik moet een boek afmaken.'

Hij wachtte even. Toen draaide hij het scherm zo dat ze in onweerlegbaar zwart-wit een dwarsdoorsnede van haar schedel kon zien: bescheidener dan ze had gedacht, persoonlijker. Ze herkende haar scheve snijtanden, het vrij platte deel van haar hoofd bij de kruin en daar, als een donzige vogel in de kronkels van haar kleine hersenen genesteld, een stuk witte massa ter grootte van een pruim.

Ze knipperde twee keer met haar ogen en keerde zich toen naar het raam. Toen ze minutenlang niets had gezegd – het leek wel of ze niet eens meer in de kamer was – zei hij zacht: 'Hebt u iemand om mee te praten? Als u wilt is er hier wel iemand voor u.'

Ze leek toen wakker te worden en draaide zich weer om. 'Ik moet niet praten, ik moet behandeld worden,' zei ze. 'Wanneer beginnen we?'

De goden hadden een nieuwe agenda. Haar lichaam was dus toch serieus in de aanval gegaan. Het wilde niet van toenadering weten, diplomatie zou niets uithalen. Het was God mocht weten hoe lang al bezig met een ondergrondse opstand, het opslaan van wapentuig, het rekruteren van volgelingen – en nu mocht ze blij zijn als ze de rebellen die wapens uit hun bloedige handen kon rukken. Maar zonder het zelf te weten vielen de opstandelingen hun eigen partij aan; of er waren geen partijen; of er was maar één partij, want was kanker uiteindelijk niet gewoon een kwestie van persoonsverwisseling? Het geloof dat de vijand vanbinnen zat terwijl er helemaal geen vijand was? Een zuivering die de zuiveraars besmette juist terwijl ze reinigden? Een explosie van vrijdenkers, van individualisten, een doldrieste afscheiding van het staatslichaam in de veronderstelling dat zo'n beleid bedreigend kon zijn en een nieuwe orde kon inluiden. Maar die dreiging was denkbeeldig, de nieuwe orde vertoonde fatale gebreken. Met recht een dissident corpus.

Ze zei dat ze verlof opnam om haar boek af te maken. Professor Cullum was blij dat ze eindelijk verstandig was geworden en zei dat ze geen haast hoefde te maken om terug te komen. De operatie verliep zo goed als verwacht mocht worden. Ze moesten, zei Robertson, zo snel mogelijk met de chemotherapie beginnen.

Ze kon taxi's heen en weer naar het ziekenhuis betalen; dat was de goede kant. De slechte was al het andere. Naast de litanie van misselijkheid, duizeligheid en uitputting was er de wekelijkse afspraak met een plastic zak die haar druppelsgewijs een giftige vloeistof toediende en het natuurlijk weinig vrolijk stemmende feit dat ze aan een tafel vastzat met een frame dat in haar toch al breekbare schedel zat geboord terwijl stralen er diep in doordrongen. Haar haar begon uit te vallen.

Professor Stone was geen ijdele vrouw, maar haar haar was het enige lichamelijke kenmerk dat ze mooi vond: de grote hoeveelheid vormde een tegenwicht tegen haar smalle voorhoofd en verzachtte de abrupte overgang naar haar neus; de volheid wees op gezondheid en overvloed bij iemand wier slankheid aan magerte grensde; het kastanjebruin verleende warmte aan een verder bleek gezicht, compenseerde de lichte varkenswimpers en gaf wat kleur aan iemand die anders buitengewoon flets zou hebben geleken. De gehechtheid aan haar haar was zelfs nog complexer, want juist de weelderigheid ervan duidde op kenmerken die op zich al veel goedmaakten: dat dit iemand was die zich op verhevener zaken dan het uiterlijk richtte; dat het niet ging om vesten en vlechten, praktische schoenen en dikke maillots, het ging om verdienste, het ging om de Kunst. Ze was eigenlijk dolblij geweest toen ze hoorde dat haar hoofd niet kaalgeschoren hoefde te worden voor de operatie en zat erna, nog in het ziekenhuis, vele minuten lang met enorme opluchting naar haar spiegelbeeld te kijken; een spiegelbeeld waar, behalve als ze haar hoofd opzij draaide en haar haar optilde zodat er een kartelig litteken van acht centimeter zichtbaar werd, niets abnormaals aan te bekennen was. Maar nu was er wel iets mee; en het haar van professor Stone mocht dan meer dan alleen maar haar zijn, het viel toch uit. Elke morgen zaten er zoveel van haar haren om de borstel gewonden dat je die van de borstel amper nog zag. Ze stopte met borstelen en vond als ze 's morgens wakker werd haarstrengen op het kussen; verloren, kinderlijk, drijvend als rivierwier op het katoen.

Het viel niet mee om afleiding te vinden. Op de dagen in het ziekenhuis werd het verspillen van de uren haar uiterst onplezierig duidelijk gemaakt door het druppelen van de vloeibare zandloper naast haar; een sijpelen dat, als je het eenmaal hoorde, even ergerlijk was als het tikken van een klok. Maar er was één ding dat deze vreemde nieuwe wereld van taxi's, overgeven, dagtelevisie en zonlicht voor het slapengaan haar wel verschafte, en dat was tijd. Op een middag dat de regen de slaapkamerramen geselde en de lamp genadeloos in haar ogen scheen, las ze haar betoog vanaf het begin en kwam tot het inzicht dat het niet het meesterwerk was dat ze had gedacht. Ze kon niet zeggen waar het aan schortte, maar hoe meer ze las, hoe meer ze ervan overtuigd raakte dat dit niet gepubliceerd kon worden; de tekst was diepgaand, waardig en zeer omvangrijk, maar ook moeizaam, omslachtig en hier en daar zelfs, zag ze tot haar ontzetting, gewoontjes.

Jarenlang had professor Stone zichzelf als een reiziger op een lange weg gezien. In het begin was de afstand tussen haar en haar bestemming een stimulans; het gebrek aan bevrediging, de ontberingen van de reis benadrukten alleen maar het feit dat ze nog niet was aangekomen. Maar elk jaar werd de situatie hachelijker. Nu leek het ineens of de bestemming wel eens nabij zou kunnen zijn en ze niet klaar was. Voor de buitenwereld had ze grote vorderingen gemaakt – na haar eerste boek werd er zelfs gesproken van een pre-Stoniaanse en post-Stoniaanse manier van lezen – maar de kiemcel die ze had gezocht, de goddelijke vonk, was er nooit gekomen. Haar werk was inzichtelijk, geruchtmakend, soms briljant; maar nooit origineel, niet in bredere zin. Nu, op deze hevig verregende middag, ontdekte professor Stone op wat alcoholisten 'een helder ogenblik' noemen tot haar ontsteltenis dat haar levenslange zoektocht naar iets te zeggen in sprakeloosheid was geëindigd. Een stem zei: Zal ik zeggen dat ik door half-verlaten straten ben gegaan? Was dat Eliot? Ja. Wat vreemd was het dat ze aan dat oude gedicht dacht en aan Prufrocks hoogdravende breedsprakigheid; maar de doodsangst – het hoofd op een dienschaal binnengedragen – was dezelfde.

Eerlijk gezegd hield de verbeelding van de professor zich al heel lang bezig – en waarom zou ze dat niet gewoon zeggen? – met één bepaalde lezer, een lezer die verscheen wanneer ze een boek de wereld instuurde, een lezing hield waar ze trots op was, of een voordracht waar ze niet trots op was. Die lezer had gezegd dat hij haar zou volgen. In een stad vol boeken had hij in een kamer gezeten die uitkeek op weilanden langs een rivier, een uitzicht dat nog grotendeels hetzelfde was als in de dagen van Milton, en Wyatt en Herbert en Donne voorgelezen; hij had haar opgesloten in een kamer vol stro waar zij goud van moest spinnen – dus spon ze, meestal 's nachts, waarna ze 's morgens in bed kroop, als de zon zijn spinnenpoten boven koele, vierkante binnenplaatsen optrok en anderen in collegebanken of Hall neerploften; dus leerde ze woorden gebruiken, af te meten wat nodig was en de rest weg te knippen, leerde ze woorden bevredigend te schikken – en hij was, over het geheel genomen, tevreden, al was het mythische goud haar altijd ontglipt.

In donker Londen begon professor Stone aan die lezer te denken en aan die stad en aan die vertrekken; de kerkklokken, de ochtenden, de avonden en middagen; de ruïnes en de gevels en de verre, lege uitzichten die al eeuwen niet veranderd waren en waarschijnlijk nog eeuwen niet zouden veranderen. In haar bed bij het vallen van de avond, in het ziekenhuis waar het zonlicht op het doorzichtige fruit van de stalen boom viel, achter in taxi's waar de regen op kletterde, vervaagden de randen der dingen in witheid, gaf het weefsel van het heden mee en ging haar hand door een vliezige, gaasachtige wand naar een ander heden, dat continu en ondeelbaar was. Teruggaan was ondraaglijk; ze had geen goud gesponnen, hij had er niet over gehoord; ze was middelmatig gebleken, haar werk was tekortgeschoten en, zo leek het nu, ze kreeg geen kans meer om dat recht te zetten.

Twee dagen waren de professor bijgebleven van de tijd dat ze ziek was, de eerste een middag in het ziekenhuis, kort na vieren al donker, de wereld buiten in ijskoude nevel gehuld, binnen alles verstikt door tl-licht en de stoffige dampen van de centrale verwarming. Ze lag aan haar infuus en daarvoor had ze uren gewacht, gedwongen tot een bezigheid die haar nog meer energie kostte dan de chemotherapie zelf; een bezigheid die geheel misplaatst 'de tijd verdrijven' werd genoemd, want zij werd zich juist eindeloos veel bewuster van de tijd, merkte ze. In de loop van haar leven had de professor het vermogen ontwikkeld om zich op elk willekeurig moment van haar directe omgeving los te maken. Nu kon ze die echter niet ontlopen. Ze werd niet alleen gedwongen met haar medepatiënten te praten, maar ook om naar ze te kijken, naar bleke, ingevallen gezichten, naar knieën en ellebogen die door truien en broeken heen staken; naar kaalgeschoren koppen, gehechte hoofden; gezichten, lichamen en hoofden die nu in sommige opzichten waarschijnlijk, erkende ze, op de hare leken.

Die middag, toen professor Stone eindelijk in de behandelkamer zat, de zuster haar bloeddruk opnam, andere patiënten tijdschriften pakten, met hun lotgenoten praatten of achteroverleunden en de ogen sloten, bemerkte ze iets: de stoel tegenover haar was leeg. Tot dan toe was de stoel elke keer dat ze naar het ziekenhuis was gegaan gevuld geweest, zij het minimaal, door een jonge vrouw met een huid die zo grauw was als die van een lijk. Professor Stone wist heel weinig van haar omdat de vrouw net als zij blijkbaar geen behoefte aan gekeuvel had. Gedurende de hele tijd dat ze daar was geweest, had ze eigenlijk niet meer dan een paar woorden gezegd.

Deze middag was het opvallend stil in het vertrek. Professor Stone kon haar eigen adem horen en het tinkelen van de radiator en een vlieg bij de ruit. Die was moe geworden van het bonken tegen het glas en nam zijn toevlucht tot af en toe een stootje van een milliseconde, zijn woede nog slechts een karikatuur in het rijk van het surrealistische en het absurde. Professor Stone keek nog eens naar de lege stoel. Hij was van groen nylon, een ligstoel met een grote hoofdsteun en gebogen rugleuning, precies hetzelfde als alle andere stoelen in het vertrek, maar hoe langer ze ernaar staarde, hoe meer ze ervan overtuigd raakte dat de stilte daarvandaan kwam; ze kon bijna zien hoe die zich verspreidde, als wolkjes melk in water. Ze hoorde hoe de gedempte flarden van gesprekken, de dolle vlieg bij de vensterruit, het omslaan van bladzijden, de zachte, zich verplaatsende geluiden van de nylon rokken en kousenbenen van de verpleegsters door de stilte werden omfloerst. En toen zag ze dat alle anderen het op enig niveau ook merkten. Ze verrieden zich door een schuin gehouden hoofd, een wippende voet, een iets te snel omgeslagen pagina, een blik die op een bepaalde manier omlaag was gericht. Professor Stone zag dat de stilte er altijd was geweest en dat iedereen had geprobeerd die te negeren. Maar het zou niet lang duren of de stilte zou weer worden opgenomen in de stroom van levende momenten, niet meer te onderscheiden, een achtergrondgezoem. Dankzij de lege stoel was ze vandaag bijna tastbaar. Zo, dacht de professor, zo gaat het dus. De dood komt in gewone kleren, wordt gaandeweg aanvaard, wordt gewoon iets wat gebeurt.

Het tweede moment dat ze zich duidelijk herinnerde was

op een middag die nog somberder was dan die van het eerste moment, een zondag tegen het eind van december. Ze was thuis, te zwak om op te zitten, de levensapparatuur om zich heen verzameld, en trachtte *Paradise Lost* te lezen met de gedachte dat ze zelfs nu nog misschien een manier kon vinden om het moeras uit te komen dat voor haar magnum opus moest doorgaan. Wat nog belangrijker was: ze probeerde te lezen, een bezigheid die tot voor kort net zo'n wezenlijk deel van haar leven had uitgemaakt als eten, maar nu een uiting van wilskracht was. Ze had het boek met behulp van een kussen op haar buik neergezet en hield haar vingertoppen onderaan tegen de bladzijde, maar na ruim een halfuur lezen werd de misselijkheid zo erg dat ze moest stoppen. Ze liet het boek achterovervallen, draaide zich op haar zij en zag een pluk op haar kussen. Het haar leek wel geschonden, zoals het daar op het katoen lag. Foetaal, voortijdig weggerukt, een ziekelijk restje menselijk of dierlijk wezen dat de dood sprakeloos en uitdrukkingsloos had gemaakt. Ze wist niet waarom haar het verlies van dit laatste stukje zo aangreep, want wat maakte een handjevol uit als de rest toch al weg was? Helemaal kaal was misschien zelfs wel een verbetering. Maar even kreeg ze geen adem. Ze staarde woedend naar het plafond en daagde de tranen uit om over te vloeien.

Even later werd haar ademhaling weer regelmatig. Ze zette het boek weer net zo neer en hervatte het lezen, maar Milton deed moeilijk en weigerde te blijven staan. Ze gaf haar pogingen op om het boek in evenwicht te houden en probeerde het plat te lezen, maar haar ogen deden te veel pijn. Er trok een golf van warmte door haar heen en ze smeet het boek op de grond. Ze had er meteen spijt van, bleef even stil liggen en draaide zich toen op haar zij en probeerde het te pakken. Zo hing ze, half op het bed en half van het bed af, met korreltjes die voor haar ogen zweefden, alvorens ze zich het matras weer op klauwde. Haar hart sloeg zo hard dat het voelde alsof ze ging stikken. Ze probeerde het nog eens, leunde verder het bed uit, drukte haar gezicht in het matras, maar tevergeefs.

Deze keer draaide ze zich niet meteen op haar rug, en toen ze dat wel deed was haar gezicht nat. Ze bleef een paar minuten naar het plafond liggen kijken zonder zich van wat dan ook bewust te zijn. Wat er vervolgens gebeurde, was onduidelijk: ze schoot achteruit en lag tegelijkertijd volkomen roerloos. Naderhand dacht ze dat ze in slaap gevallen moest zijn, want ze hoorde stemmen en zag mensen, maar er leek geen tijd verstreken te zijn. Toen dacht ze dat ze flauwgevallen moest zijn, maar dat verklaarde niet hoe ze zich alles zo helder kon herinneren. Toen dacht ze dat ze even dood geweest moest zijn. Maar er was geen tunnel, geen wit licht, geen openbaring, en in plaats van hemels zag het er juist heel aards uit: ze zat aan een keukentafel.

Het was een lange, ruw houten tafel en ze was met iets bezig wat heel belangrijk was, maar wat je beter staand kon doen, want er was hefboomkracht voor nodig. Het was een donkere, mogelijk middeleeuwse keuken met gewitte muren. Er viel licht door hoge ramen. Er waren ook kinderen en een hond, en behalve dat ze haar belangrijke taak probeerde af te maken moest ze ook een baby in de gaten houden die onder alle voeten kroop. De herrie was aanzienlijk en ze had het gevoel dat haar werk niet zo lastig zou zijn als ze het maar in stilte kon doen. Toen verscheen er een gedaante die een stoel bijtrok en naast haar kwam zitten.

Zijn gezicht ging schuil, was gehuld in iets wat ze niet kon wegtrekken. Hij rook naar regen. Hij had een oude trui aan. Zijn stem klonk bekend. Hij vroeg wat er aan de hand was en ze vertelde hem over de baby en de hond en het werk dat ze moest doen, datgene wat op de tafel lag uitgespreid, maar hij scheen haar niet te horen, want zijn gezicht vertoonde geen reactie. Toen sloeg hij zijn arm om haar nek en trok haar hoofd op zijn schouder en werd alles wazig.

De man hield haar vast alsof ze een kind was. Ze hoorde hem ademen en voelde zijn gezicht in haar haren en merkte hoe fijn hij het vond; hij haalde diep adem, genoot van het moment. Ze voelde hoe mager zijn lichaam en hoe hard zijn schedel was en haar handen gleden van de tafel af en bleven liggen in haar schoot. Na een tijdje was ze te moe om nog afstand te houden en legde haar hoofd op zijn schouder en dat voelde volkomen natuurlijk, alsof ze het altijd had gedaan of altijd zou gaan doen en er misschien zelfs een beetje genoeg van had.

Lange tijd was ze nergens en was alles stil. Ze hoorde de kinderen noch de hond; voelde niets, behalve een uitzonderlijke warmte waar hij haar aanraakte, waar haar hoofd in zijn beschermende hand rustte – een lading – zodat toen hij zich losmaakte haar haar overeind ging staan en ze in brand stond en het amper uithield.

Even later vroeg hij of ze zich beter voelde en ze knikte. Weer iets later vroeg hij: 'Kun je lopen?' en knikte ze weer, al bedroefde de gedachte aan weggaan haar. Toen herinnerde ze zich het werk dat op tafel lag uitgespreid.

'Laat dat maar,' zei hij.

'Dat kan ik niet,' zei ze. 'Hij heeft me nodig.' En nu zag ze dat ze de baby in haar armen hield, die huilde. Toen sprong de hond op, geprikkeld door de herrie, en ze ging weer zitten.

Hij duwde de hond weg, gaf de baby aan iemand anders en ging haar voor door een lage deur in de muur naast de schouw. Hij trok de deur achter hen dicht en ze hoorden de hond aan het hout krabben. Hij zei: 'Je gaat niet terug. Dan komen we daar nooit meer weg.'

Ze stonden in een gang. Eén muur was van glas en keek uit op een tuin. Aan de andere hingen haken met allerlei jassen eraan. De jassen pasten niet, maar hij hielp haar in een ervan, werkte haar armen in de mouwen en knoopte hem dicht aan de hals. Hij pakte een anorak die te krap zat in de schouders en waarvan de mouwen te kort waren, en ze zag zijn handen weer en bekeek de rimpels in zijn gezicht, maar een beeld van zijn gelaatstrekken kreeg ze niet.

Ze liepen een puntige deuropening door die op de ingang van een kerk leek. Wind en regen sloegen hen in het gezicht. De hemel hing zo laag dat ze die in leken te lopen.

Ze volgden, zo leek het, een rotspad en er waren taxusbomen en druipende heggen en de resten van wat misschien een kerkhof was geweest.

Toen werd ze wakker, kwam door een of ander element heen dat om haar heen uiteenspatte, was misselijk, had dorst, voelde zich gehalveerd, als een huis dat voor de helft in zee was getuimeld.

De rest van de dag bleef professor Stone steeds een glimp opvangen van de twee gedaanten; ze bleven staan op een straathoek, gingen door een lage deur naar binnen in een huis, verschenen in een kamer onder een dakrand. Ze bleven bestaan in plaats van, ondanks, dankzij haar – ze wist het niet. En het was vreemd, dit bewustzijn, alsof ze tegelijkertijd op haar hoofd klopte en over haar buik wreef, in een rijdend voertuig haar ogen sloot en zich inbeeldde dat ze niet bewoog.

DE POËTICA VAN DE KLANK

Voordat professor Stone de weg van het ziekenhuis naar metrostation Paddington overstak, bleef ze langer dan anders op de stoeprand staan: ze had de tijd teruggekregen en het zou dom zijn om dat geschenk af te wijzen. Zonlicht fonkelde in etalages; auto's leken schoner dan in haar herinnering, trottoirs netter, mensen aardiger – ze knikte naar de narcissenverkoper. Het was een volmaakte dag en het was haar dag, hij was ingepakt en haar present gegeven, en ze glimlachte om het bevredigende toeval: ze was eindelijk eens werkelijk present. Het voelde eerder als een resurrectie dan een remissie; Lady Lazarus, dat was ze, zij het een kale, al moest ze niets hebben van afgeschreven dichteressen, vooral niet wanneer ze hun hoofd in een gasoven stopten. Haar pruik jeukte en ze verschoof hem. De beproevingen van de soldaat die terugkeert in de burgermaatschappij. Maar haar haar zou weer aangroeien en de dag was prachtig, 'helder en fris alsof hij aan kinderen op een strand was uitgereikt'. Dat was uit *Mrs Dalloway*, ook geschreven door een neurotische vrouw, geen dichteres maar eigenlijk ook weer wel als je zag hoe haar zinnen waren opgebouwd: professor Stone had Virginia Woolf graag het een en ander over de puntkomma bijgebracht. Maar *Mrs Dalloway* was zonder twijfel een meesterwerk. Het was grappig hoe grote werken in je hoofd bleven zitten. En in het hare moest een collectie zitten ter grootte van de British Library: in de hersenen die ze nog geen uur geleden als de oorzaak van haar onherroepelijke aftakeling had gezien.

De metrotrein liep binnen met het geluid van zwaardgekletter en ze ging zitten tussen een knikkebollende Indiër en een vrouw met een luipaardlegging, en luisterde naar '*the sleepy rhythm of a hundred hours*'. Dat was T.S. Eliot, *Four Quartets*, wiens 'Love Song of J. Alfred Prufrock' ze zich nog maar een paar maanden geleden had herinnerd. Eliot was nog zo'n grootheid, al werd zijn status wel wat heftiger betwist dan die van Woolf; Woolf had geen duistere geheimen gehad, maar Eliot des te meer, en toch – hij had iets. Hij bleef je bij.

Ze had vaak geprobeerd om samen te vatten waarin grootheid lag en was het na vele jaren als gedenkwaardigheid gaan zien. 'Het is alsof we het eerder hebben gehoord,' zei ze tegen haar studenten. 'Een gedicht is net een weg. Bij vertrek weten we niet waar we heen gaan en bij aankomst herinneren we het ons weer.' De klank van de woorden verhief ze, niet de betekenis. Uit een studieboek kon je zoveel betekenis halen als je wilde, maar de vorm van een gedicht was net zo belangrijk als de inhoud en op het niveau van grote kunst waren vorm en inhoud één. Als haar studenten doorvroegen, zei ze altijd dat je herkenning overhield als je grote dichtkunst van zichzelf scheidde – wat moest inhouden dat iets in ons op een bepaald niveau met de grootheid ervan harmonieerde, een universele database van bewustzijn misschien, waarin alles bekend was bij alle mensen. Het was het herinneringsvermogen, het was wat Michelangelo over liefde op het eerste gezicht zei, '*La dove io t'amai prima*', de schaduw van de Argo die over Neptunus' hoofd heen schoof; iets wat je voelde; onbetwistbaar maar onverklaarbaar waar.

Ze stapte over bij Baker Street en ging eruit bij King's Cross en stond tien minuten later in de galmende hal van de British Library. Sinds haar behandeling voltooid was bracht ze hier haar dagen door, niet genoeg opgeknapt om college te geven, maar wel gretig om in welke geringe mate dan ook weer in contact met de mensheid te komen. Op weg naar de kluisjes kwam ze een man tegen die met zijn voet sleepte, even later een vrouw in een rolstoel, en weer schrok ze van de hoeveelheid lezers die in een staat van lichamelijk of geestelijk verval leken te verkeren; jazeker, het waren niet alleen de lichamelijk gehandicapten: twee keer had ze iemand in zichzelf zien praten en één keer bij het zelfbedieningsrestaurant had ze een man met zijn nek in het verband gezien die wilde gebaren stond te maken voor het bronzen standbeeld van Jan Klaassen. Ging een leven van de geest dan inderdaad ten koste van het lichaam? vroeg ze zich af. Was haar eigen confrontatie met de dood ook door een dergelijke onbalans veroorzaakt?

Ze legde haar spullen in een kluisje en stopte de sleutel in haar zak. Wat had de arts gezegd? Ga op bezoek bij vrienden, ga op vakantie (ze had altijd een aperte afkeer van vakantie gehad, zelfs van de twee dagen vrij aan het eind van elke week), ga er een tijdje tussenuit. Wat een vreemde uitdrukking! Waar tussenuit? Tussen je leven uit? Een stem zei: '*Time and the bell have buried the day*'. En daar, voor de tweede keer die morgen, had je Eliot.

Toen ze een paar minuten later op weg naar de leeszaal

voor geesteswetenschappen met een doorzichtig plastic tasje, potlood en papier op de roltrap bovenkwam, viel haar mond open en liep ze aan de grond bij de gleuf waar de treden van de roltrap in het marmer verdwenen, want daar vóór haar, leunend op een paraplu die strak zat opgerold maar niettemin zwierig schuin werd gehouden, stond Eliot – of in elk geval een levensgrote kartonnen kopie van hem. De onderste helft van zijn lichaam stond iets naar links gedraaid, maar hij keek naar rechts, en hij had de schalkse gezichtsuitdrukking die ze kende van de foto's op het strand in New England toen hij nog kind was. Zoals hij juist op dat moment boven aan de roltrap opdoemde, had hij iets van een engel die haar in de hemel verwelkomde; of van een James Dean-achtige demon die haar uitnodigde om de hel in te gaan.

Ze verwonderde zich weer over het aantal dichters dat door Eliot was ontdekt toen ze een drukproef van 'Burnt Norton' zag, het eerste deel van Eliots late meesterwerk *Four Quartets*; het papier zat op een stuk karton geplakt en oogde nogal groezelig. De *Quartets* waren op onverwachte momenten in het leven van professor Stone blijven opduiken sinds ze vijfendertig jaar eerder in pakpapier en naar tabak ruikend hun intrede hadden gedaan. Ze waren, in Eliots eigen woorden, '*a familiar, compound ghost*' gebleken. In het pakpapier had ook een brief gezeten:

Zoals je weet ben ik geen deskundige op het gebied van de 20ste eeuw, maar op de een of andere vreemde manier raakt *Four Quartets* me – als amateur, begrijp me goed – en ik dacht, jou misschien ook wel ... Dit is als cadeautje bedoeld ... je wordt niet meer beoordeeld, ik ben gewoon benieuwd wat je ervan vindt.

Ze was verlamd van angst, was weken bezig om een antwoord op te stellen, kwam uiteindelijk met wat gewauwel over tijd en tijdloosheid en had vervolgens een flink aantal jaren volgehouden dat het gedicht haar helemaal niets zei. Ook nu liet ze het weer voor wat het was en liep door naar de laatste vitrinekast. Daarin lag een gefotokopieerde bladzijde van een manuscript uit 1943, van een artikel getiteld 'The Music of Poetry', waarin Eliot beweerde dat we Milton meer om de klank dan om de betekenis lazen. Ze vond het vreemd dat ze dit essay nooit had gelezen, want ze had vrijwel alles gelezen wat er over Milton was gepubliceerd. Toen begreep ze het: de tekst behoorde tot de Hyland Bequest in het archief van King's College, in de stad waar ze zelf gestudeerd had. Ze wist helemaal niet dat daar materiaal van Eliot bij zat. Hij had het over het cumulatieve effect dat een gedicht kon hebben door middel van klank en ritme: 'De zintuigen worden gebruikt om meer dan betekenis over te brengen,' las ze. 'Bij het lezen van *Pericles* ruik ik sterk de geur van zeewier...'

Professor Stone fronste haar wenkbrauwen. Toen tastte ze in haar tas naar potlood en papier en liep terug naar de vitrine waarin het fragment uit 'Burnt Norton' lag. Het was maar een idee, het sloeg misschien nergens op, maar ze moest het uitproberen. Ze spreidde het papier op het glas uit en begon de regels te scanderen, te markeren waar de klemtoon viel:

/   / – –   / /

Time present and time past

– /   – –   / – – /   / –

Are both perhaps present in time future

– /   / – – / – / /

And time future contained in time past . . .

Even later stopte ze. Haar hart bonsde. Er was een patroon; weliswaar vaag, maar toch een patroon.

Ze wist dat het tegenwoordig als ouderwets werd beschouwd om de prosodie op deze manier aan te geven, al was het iets waar Eliot zelf prioriteit aan zou hebben gegeven. Hij had tenslotte de theorie van de 'auditieve verbeelding' gelanceerd, die hij omschreef als een gevoel voor lettergreep en ritme dat doordrong tot onder de bewuste denkniveaus. Het idee dat de muzikale kenmerken van een gedicht krachtiger waren dan de verbale was natuurlijk al oud. Milton zelf besprak het in 'At a Solemn Music' en *Ad Patrem*, waar hij 'Vers en Stem' als 'harmonieuze zusters' bestempelde, met hun 'gecombineerde kracht' in staat om 'dode dingen betekenis in te blazen'. Hij meende dat een terugkeer naar de Gouden Eeuw (het klassieke Griekenland én de Hof van Eden) bereikt kon worden door de divergente kunstvormen muziek en poëzie te herenigen. Dat deed denken, dacht ze, aan de natuurkundige 'Theorie van alles', die stelde dat het mogelijk was om het moment van de Oerknal terug te halen door de ontdekking van een deeltje dat de zwaartekracht, het elektromagnetisme en de sterke en zwakke kernkracht verenigde.

Professor Stone was van mening dat kunstvormen er in het algemeen niet beter op werden als ze met elkaar probeerden te wedijveren. Muziek kon woorden wel hebben, getuige de opera en zelfs sommige soorten populaire muziek, maar woorden konden de taak van muziek meestal niet aan. Er waren wel geslaagde voorbeelden, met name parallellen tussen de symfonie en de roman – ze dacht in de eerste plaats aan *Ulysses* – maar niet veel. Maar ze had altijd gemeend dat de *Quartets* een uitzondering vormden; dat die er hier en daar in slaagden om het effect dat muziek op de luisteraar had te benaderen. De nieuwe gedachte die nu bij haar op-kwam, was dat dit misschien de reden was geweest van het onbehaaglijke gevoel dat ze had gekregen toen ze het gedicht voor de eerste keer hoorde, het merkwaardige gevoel dat ze het al kende. Kon het zelfs de reden zijn geweest dat ze het gedicht wel begreep maar niet kon uitleggen wat ze begreep? Kon de muziek van de dichtregels evenveel op de verbeelding van de lezer overbrengen als de letterlijke betekenis van de woorden? vroeg ze zich af. Of misschien wel méér? Een ver-borgen stroom die over de rivierbedding, over de zeebodem liep; zo'n onopvallend patroon dat het geheel over het hoofd gezien kon worden, maar wel de bewegingen boven bepaal-de.

Ze legde het potlood neer en bleef roerloos staan. Zou het mogelijk zijn om de muzikale componenten van poëzie als een apart onderzoeksgebied te benaderen? De muziek van een gedicht samenwerkend, of misschien wel conflicterend, met de betekenis van de woorden? De prosodie werd al jaren bestudeerd, maar niet met deze bedoeling, niet als taal op zich. Als ze zich niet vergiste was dit niets minder dan een heel nieuw terrein van literaire beoordeling, een alternatie-ve lat om poëzie, en misschien ook wel proza, langs te leg-gen. En was de poëzie ook niet zo begonnen? dacht ze. Niet met een drukpers of tekens op papier, maar met een reeks vluchtige trillingen, door materie en lucht en vlees en bloed heen? Hardop voorgedragen, voorzien van rijm en ritme om te kunnen worden onthouden? Was dit wat ze had gezocht? De kiem die vrucht zou dragen? Het beloofde zaadje? Geen woorden maar muziek, geen poëtica van verschil maar van klank.

Haar handen beefden. Het zou moeilijk worden, mis-schien wel onmogelijk. Ze keek weer naar het essay. De

Quartets en Eliots theorie over de auditieve verbeelding zouden het beginpunt zijn. Dat werd de mal om op andere gedichten te leggen. Ze wierp nog eens een blik op Eliots essay over Milton. Dat dateerde uit dezelfde tijd dat hij de *Quartets* schreef, slechts enkele jaren nadat hij zijn theorie over de auditieve verbeelding had ontwikkeld. Ze zou het moeten lezen. Maar dan moest ze wel terug naar de boekenstad, een stad waar ze meer dan dertig jaar niet was geweest, de stad waar de lezer woonde die had gezegd dat hij haar zou volgen. Een week zou genoeg zijn om het essay goed te bekijken – als ze ging. Ze zou tegen hem zeggen dat ze daarom was teruggekomen; dat zou ze duidelijk maken in haar brief aan hem, die ze in haar hoofd al opstelde. Hij zou in kennis gesteld moeten worden; ze kon hem niet bij toeval tegen het lijf lopen; nee, ze zouden elkaar ontmoeten; dat zou onvermijdelijk zijn – het zou raar zijn als er geen ontmoeting kwam terwijl ze elkaar al die jaren geleden hadden gekend. Ze zou benadrukken dat het puur toeval was dat haar research haar hier weer heen had gevoerd, dat het leuk zou zijn om hem te zien als hij tijd had; sterker nog, ze wilde ook graag weten wat hij van het project vond; dat het hem misschien deugd deed om te horen dat ze zich er eindelijk toe ging zetten om over het gedicht te schrijven dat hij haar had gestuurd, maar dat ze het begreep als hij het druk had. Hij moest zich niet verplicht voelen. Als ze antwoord kreeg, prima, zo niet, dan was het ook niet erg. Misschien mocht ze uiteindelijk ook niet verwachten dat iemand die ze dertig jaar daarvoor had gekend zich haar nog herinnerde. Maar ze hoopte van wel, want dan kon ze het hem aanbieden, haar meesterwerk; dan zou hij zien dat hij niet voor niets zo lang had moeten wachten, dat zijn gevoel van toen klopte.

Ze liet de leeszaal voor geesteswetenschappen zitten, was

op de weg terug naar de kluisjes – en had de arts haar juist niet aangeraden om er even tussenuit te gaan? Had hij haar niet voorgesteld bij een oude vriend op bezoek te gaan? En wat was professor Hunt tenslotte anders dan een heel oude vriend? Al was 'vriend' misschien niet het juiste woord – woorden waren ook zulke onhandige dingen. 'Kennis', dan. Ze rommelde verwoed met de sleutel in het kluisje en besefte toen dat het niet op slot zat. Het deurtje ging kletterend open en ze pakte haar tas en regenjas. Haar handen trilden toen ze de ceintuur aanhaalde; geen wonder. Wat een dag was het geweest! De onthullingen van de ochtend in de schaduw gesteld door de ontdekkingen van de middag.

Ze liep vlug over de piazza, haar schoenen zochten hun weg door de schaduwen van vlaggenstokken en stoelpoten. Bij de ingang stonden wat jongelui 'When I'm Sixty-Four' op een zwarte piano te kleunen, een van de vele die dit voorjaar overal in de stad waren neergezet, een of ander initiatief van de stedelijke overheid; de muziek even vreemd tussen het lawaai van Euston Road als een leunstoel op een geploegde akker.

De poëtica van de klank. Ze wist toen ze tussen de zuilen van de ingang doorliep dat dit was wat ze had gezocht. Het zou omstreden worden, het zou briljant worden, het zou origineel worden. Het zou, kortom, een meesterwerk worden.

BOEK II

'... known, forgotten, half recalled...'

*

'Little Gidding'
Four Quartets, 1942

MIJN WOORDEN WEERKLINKEN ZO,
IN UW GEEST

Het is verbazingwekkend hoe snel je een gezicht kunt vergeten. Daar moest professor Stone aan denken toen ze de volgende dag ging zitten om drie brieven te schrijven. De eerste was een verzoek om de documenten van T.S. Eliot te mogen inzien, de tweede was een brief aan de archivaris van King's College met het verzoek om toegang te krijgen tot de Hyland Bequest, de derde was aan de professor in de poëzie zelf.

Het was lastig te raden hoe oud de professor zou kunnen zijn. Hij had altijd een tijdloos gezicht gehad; ze kon het zich niet duidelijk meer voor de geest halen, zelfs de ogen niet die haar zo van haar stuk hadden gebracht als ze op haar gericht waren. Noch was het eenvoudig om na zo'n tijd het effect te beschrijven dat hij op haar had gehad. Momenten die ze in zijn gezelschap had doorgebracht en die toen niet zo belangrijk hadden geleken (een nacht dat wind en regen tekeergingen, een avond bij een concert, een middag met prachtig licht) hadden in later jaren een emotionele lading gekregen waar geen bevredigende verklaring voor was. De man was een raadsel, wat moest ze zeggen?

Dat hij tegen de regels van het college in een leunstoel zat te kettingroken? Dat hij vaak struikelde, zijn veters driedubbel strikte, een oneindig aantal identieke vale zwarte spijkerbroeken (of was het er maar één?) en floddertruien droeg? Dat 'kut' zijn lievelingswoord was, gevolgd door 'fuck' en 'shit' en dat hij met veel genoegen Rochester voorlas aan nietsvermoedende eerstejaarsstudenten? Dat hij dol was op Bach, een boek vasthield alsof het iets levends was en diep ademhaalde als hij poëzie voorlas? Maar als ze één ding had moeten uitkiezen wat de professor typeerde, was het zijn stem: bars, noords, onheilspellend maar intiem; meer gevoel dan geluid. Tot deze stem richtte professor Stone zich nu. Ze moest professioneel zijn, want dat was ze nu: geen negentienjarig studentje meer, maar zelf hoogleraar. Maar ook al had ze verschillende versies van de brief geschreven, ze was nog steeds niet helemaal tevreden toen ze de envelop dichtplakte. Het was de tweede keer in haar leven dat ze hem schreef.

De eerste keer was ook naar aanleiding van T.S. Eliot geweest. Twee weken na haar toelatingsgesprek op de universiteit bleek er een pakje op haar te liggen wachten toen ze uit school kwam. Haar pleegmoeder stond deeg te rollen bij het keukenraam. Het was donker, ook al was het nog niet eens vier uur, en er brandde geen licht in het vertrek. 'Iets voor jou,' zei de vrouw, maar Elizabeth had de brief al gezien nog voordat de bus buiten in het straatje met een nat gesis was opgetrokken, had hem tegen het zoutvaatje geleund zien staan als een glinsterende meteorietscherf. De dominee, die beweging had bespeurd, was zijn werkkamer uit gekomen en staarde haar over zijn bril aan; ze greep het pakje en liep langs

44

hem heen naar boven, zorgde ervoor dat ze niet te hard de trap op liep.

Ze woonde al tien jaar bij de dominee en zijn echtgenote Rene; hij was een anglicaan met rode, vlezige wangen en een kale knikker, zij een kloeke vrouw wier heuvelen boven in visgraat zaten genesteld en glooiingen beneden in tweed en wol. Ze waren laat getrouwd en hadden voor Elizabeth één ander pleegkind gehad, een zendelinge in Namibië die lange brieven schreef doorspekt met Khoisan-uitdrukkingen en beschrijvingen van de woestijn. Hun huidige project was minder bevredigend: Shakespeare in plaats van de Bijbel, een 18de-eeuwse ketter in plaats van de heilige Paulus. Maar Elizabeth was nooit een potentiële bekeerling geweest. Ze had een grote hoeveelheid aardse schatten meegebracht die ze van haar moeder had geërfd, al gedeeltelijk aangevreten, zij het niet door mot of roest maar door vocht en een heleboel boekworm.

Het waren vooral dichtbundels, met ezelsoren en een zerpe geur, glad van vuil en ouderdom, die naar glycerine en rozenwater roken. Ze lagen in stapels op het tapijt onder de overhangende dakranden; er waren geen boekenplanken en het was een kleine kamer. Als het ondraaglijk stil voelde in het huisje aan de rivier, wat op bepaalde sombere middagen het geval was, als ze een verdriet ervoer dat niets kon verlichten, las ze hardop, waande zich iemand anders, en lag er troost in de woorden, zoals ze de stilte uiteendreven en de kring van geluid in lokten. Ze las op gedempte toon, behalve uit de Bijbel; dag en nacht, wat de dominee niet bepaald geruststelde over de toestand van haar ziel. Ze las overal, met hongerige ogen die snel knipperden, krachtige uitademingen, kuchjes. Ze was zo iemand die een steek van misselijkheid voelde als de schoolbibliotheek dicht was en in de pauze met een boek in een leeg klaslokaal ging zitten. Toen haar leraar Engels haar aanraadde om te gaan studeren, wist ze dat het voor beroering zou zorgen; in de pastorie werden gebeurtenissen altijd opgeblazen: als de zuurkool niet sudderde maar kookte, was dat een ramp; toen de reiger de koikarpers opvrat, kwam de dominee dagenlang zijn werkkamer niet uit. Maar uit haar hoek hadden haar pleegouders geen problemen verwacht.

Ze had altijd een afzijdigheid tegenover hen betracht. Het was geen kille houding; er was geen verzwegen doel, domweg afwezigheid. Ze was beleefd, gaf blijk van een milde apathie die voor tevredenheid kon worden aangezien, lachte of huilde niet (die laatste activiteit wekte bij haar de weerzin op die anderen tegenover braken hadden), vond niets leuk of vervelend. Toen ze vertelde dat ze Engels wilde studeren, trok de dominee zich niet terug in zijn werkkamer (wat dat over de waarde van haar ziel zei in vergelijking met die van de koikarpers vond ze moeilijk te zeggen). Maar represailles waren er wel. In de daaropvolgende weken nam een koelheid bezit van de pastorie; ze werd op de vingers getikt omdat ze geen 'pardon' zei, omdat ze op haar nagels beet, omdat ze soep uit de verkeerde kant van de kom lepelde, omdat ze haar voeten in schoenen duwde zonder de veters los te maken, omdat ze aan tafel zat te lezen en omdat ze te vaak op haar kamer was. Bovendien, als zij de Kerk niet wilde, dan betaalde de Kerk haar met gelijke munt terug: 'God wil willige werkers.' Elke zondag bracht ze nu een aantal uur in volledige afzondering door; uit keuze, niet gedwongen zoals op school; ongezien en dus niet beschamend. Dus toen ze op die middag in januari, weken na haar controversiële toelatingsgesprek op een gerenommeerde universiteit, het pakje van de keukentafel griste met een blik die haar pleegouders inmiddels kenden, een blik die zich niet gemakkelijk beschrijven liet – fonkelend, duister, zowel nerveuze angst als flakkerende vreugde – was dat het zoveelste incident in een lange reeks die haar verder van hen weg trok, een wereld van dwaling en bedrog in.

Ze schoof de slaapkamerdeur zo geruisloos mogelijk op de knip (de dominee stond ongetwijfeld onder aan de trap nog te luisteren). Haar handen trilden. Ze had nog nooit een pakje ontvangen. In dubbel pakpapier zaten twee bij elkaar horende cassettes in een plastic doosje: T.S. Eliot: *The Waste Land, Four Quartets and Other Poems, Read by Sir Alec Guinness,* en een brief. Ze wist niet wat de *Four Quartets* waren, had nog nooit van T.S. Eliot gehoord. De brief was geschreven op een twee keer gevouwen A4'tje, de woorden ferm neergepend maar vreemd genoeg wel beverig, de e's halvemaantjes, de y's hoog reikend, de g's mieren, het lijfje door een miniem draadje verbonden met het hoofd, bovenaan een fijne antenne die nieuwsgierig uitstak; twee keer stond er een licht kokette rij puntjes. Ze draaide het papier om en haar hart sloeg één keer heel hard; toen ging ze terug naar het begin.

Waarde Elizabeth,

Ik hoop dat het goed met je gaat. Ik wilde alleen graag nog eens zeggen hoe fijn het was om kennis te maken bij het gesprek en hoe opgetogen we allemaal zijn dat je hier komt. Het was zonder meer het boeiendste toelatingsgesprek dat ik ooit heb gevoerd en ik verheug me er zeer op om met je te werken. Trek je maar niet te veel aan van de leeslijst, het belangrijkste is dat je met plezier leest.

We zijn hier allemaal geveld door de griep en kijken uit naar de lente. Het kan hier 's winters behoorlijk koud zijn, dus vergeet geen warme kleren mee te nemen en een voorraadje vitaminen. Wat de bandjes betreft: die zijn als cadeautje bedoeld. Je wordt niet meer beoordeeld. Ik ben gewoon benieuwd wat je ervan vindt. Zoals je weet ben ik geen deskundige op het gebied van de 20ste eeuw, maar op de een of andere vreemde manier raakt *Four Quartets* me en ik dacht, jou misschien ook wel...

Ze bracht het papier naar haar neus – tabak, sering en as, door afstand verzacht tot een aangename geur, 'Ik ben gewoon benieuwd wat je ervan vindt...' – en liet het weer zakken, met een erg bleek gezicht en stralende ogen.

Ze klikte het klepje van een zwarte Panasonic-cassettespeler dicht en leunde achterover tegen de chenille sprei. De spoeltjes begonnen te draaien en het apparaat kwam moeizaam tot leven met een amechtig gesnor, hier en daar afgewisseld door een pijnlijk gepiep. Ze luisterde een paar minuten naar de sonore bariton, haar ademhaling diep en regelmatig, haar gezicht zonder uitdrukking, haar wangen rood, en liet zich toen omlaagglijden zodat ze op het vloerkleed kwam te liggen en naar de lampenkap met oranje franje boven zich staarde.

Het bandje eindigde met een ferme klik en daarna was alleen de wind boven de weilanden te horen, maar dat leek niet meer zozeer een geluid als wel een versterker van de stilte.

Ze wist zeker dat ze het gedicht eerder had gehoord, maar elke keer dat ze luisterde, raakte het verder weg. Het antwoord dat ze uiteindelijk schreef was warrig, vol met Tippex, pijlen en sterretjes, en bij het dichtlikken van de envelop wist ze al dat ze gefaald had. Net als bij het toelatingsgesprek.

Die dag had hij niet uit de *Quartets* voorgelezen, maar een sonnet. Hij had naast haar geknield en een boek opengeslagen en dat tussen hen in gehouden. Ook toen had ze niet geweten hoe ze moest verklaren wat er gebeurde, alleen dat het woorden waren, hardop uitgesproken, die een voor een in een oneindige echoput van stilte vielen.

HET GESPROKEN WOORD

Het was een grijze dag. De hemel was vol jachtige wolkenbanken en er stond een koude wind. Ze kwam de portiersloge uit en ging linksaf, onder de stenen fronten van de kantelen, in de richting van de rivier. Ze had het gevoel alsof ze door de bladzijden van een roman liep, van Brontë misschien, van Hardy, van James. Ze wist niet dat er zulke plekken bestonden, zulke torentjes, zulke bogen, zulke ramen, zulke spitsen. Ze liep langs een afgesloten hek en betrad een smal paadje dat grensde aan een kleine boomgaard waar door de kou gekrompen, in elkaar gekropen bomen elkaar met de punten van bevroren takken raakten. Links van haar stond een middeleeuwse kapel, grof uitgevoerd, met een vierkante klokkentoren, rechts een gotische kathedraal met donker glinsterende boogramen; alles hier, de hele stad, leek in een vreemd veld van solipsistische vertraging te bestaan, met de kalme, willekeurige berusting van oude buren stemden dingen overeen of niet. Ze ging een tourniquet door en de rivierweiden strekten zich voor haar uit, rijen populieren die in de spookachtige lucht stonden te zwaaien, en daarachter de rivier.

Ze rende nu, liep en rende toen weer, en het was vreemd om onder die dikke wolken door te gaan in zo'n loodgrijze kou, met het gevoel dat ze licht genoeg was om te worden weggeblazen. Ze keerde terug naar de spookachtige gebouwen in ijzige mist en liep door het stadje terwijl de avond viel en bleef staan in verlichte winkelportieken en stapte naar binnen, veegde haar bril af en sloeg omslagen open, bleef even staan terwijl ze een paar regels las, zocht de woorden die hij haar had geleerd: 'dionysisch', 'esoterisch', 'deiktisch', en ging toen weer verder.

*

Ze is nu twee dagen in deze stad. Overdag leert ze op een zolder woorden uit het hoofd, kijkend naar een wereld van verdwijnende daken, vergezeld van een bedwelmend, naamloos verlangen dat één lijkt te zijn met de eindeloze grijze luchten. 's Nachts staart ze naar de lichtgevende sterren die op het schuin aflopende plafond zijn geplakt door de student die hier terugkomt als de colleges weer beginnen, en wacht tot het licht wordt. Niet dat ze niet wil slapen, maar slapen is nu iets wat tot het verleden behoort, iets wat ze in een ander leven deed. Woorden stutten haar oogleden en staan niet toe dat ze dichtvallen.

Eens per dag zit ze aan het einde van een lange houten bank in Hall, zoals de plek daar bekendstaat (raadselachtigerwijze zonder lidwoord), omringd door studenten die haar ofwel volledig negeren of haar met het rechtmatige misprijzen bezien waarmee insiders indringers opnemen; ze staart dan naar zilveren schalen met aardappelen en sperziebonen, speelt wat met haar doperwtjes, en probeert zich als ze dit lang genoeg gedaan heeft te bevrijden door om het hoofd van de tafel heen weg te lopen. Het is niet dat ze geen honger heeft, alleen is eten nu een herinnering uit een ver verleden. Ze kan niet slikken: er zitten woorden vast in haar keel.

Ze gaat terug naar de schrijftafel om 'A Sparrow Hawk' van Hughes uit het hoofd te leren, strak gespannen als een vlieger bij harde wind, en vraagt zich af hoeveel anderen hier voor haar hebben gezeten en de blik hebben opgeslagen van de bladzijde, angstaanjagend in zijn bleke onveranderlijkheid. Het schrijftafeltje is net breed genoeg om haar vingers om de rand te kunnen krullen als ze haar armen strekt. Dat doet ze, vaak. Er liggen drie boeken op: *Hamlet*, *The Poetry of Gnosis* en Hughes' *New Collected Poems*. De naamloze autoriteiten die haar voor dit toelatingsgesprek hebben uitgenodigd, wilden graag dat ze een gedicht zou meenemen waarover ze bereid is te praten, en ze heeft 'A Sparrow Hawk' uitgekozen omdat ze gelooft dat daar 'alles' in zit zoals 'alles' ook in *Goblin Market* of *The Rime of the Ancient Mariner* zit, gedichten met een onpeilbare diepgang en daardoor hopelijk met een antwoord op elke vraag waarmee ze haar kunnen bestoken; het voordeel van 'A Sparrow Hawk' is dat het respectievelijk zo'n tweeduizend en vierduizend woorden korter is dan *Goblin Market* en *The Rime of the Ancient Mariner*.

Haar aandacht wordt getrokken door een geluid, dat het midden houdt tussen hijgen en zuchten, en ze beseft dat zij dat zelf maakt. Ze grijpt de tafel steviger beet. Wat heeft het nou eigenlijk voor zin allemaal – *Hamlet*, Hughes, *The Poetry of Gnosis* – als je bij de poort aankomt en niet wordt binnengelaten? Moet ze terug naar het huisje aan de rivier (de ogen van de dominee die haar aanstaarden boven de braadworst,

het wijde en ruime taps toelopend, de boetelinge terugge-
keerd, gelouterd en kneedbaar)? Wat is erger? Nu ze voor de
ingang staat, weet ze niet eens of ze wel naar binnen wil,
want van dichtbij lijkt het niet zo op de hemelpoort, eerder
op de kaken die zich sperden om de christenen de arena in te
laten – ze denkt even precies te weten hoe die zich voelden,
want ze moet alle zeilen bijzetten om te blijven zitten. Maar
ze kan nergens heen, er is alleen dit moment, gevolgd door
net zo een. Dit is de poort voor haar wedergeboorte. En ze
moet herboren worden: dat weet ze nu al, op haar zeventiende. Maar 'A Sparrow Hawk' geeft niet mee.

Regelmatig kijkt ze op een enorm gerstkleurig polshor-
loge. Dat heeft ze thuis in een koopjesbak bij de Army and
Navy Store gevonden. Ze heeft nog nooit een horloge gehad
en heeft het voor het toelatingsgesprek gekocht, met het idee
dat ze er niet omheen zou kunnen. Het doet zijn werk: het
getik is oorverdovend. Het ligt voor haar op tafel als een grote mechanische krekel met krabbende poten. Om het kwartier vergelijkt ze de tijd met de klokken die buiten klinken,
achter het raam. Ze luiden de hele ochtend al, trekken haar
aandacht weg uit het heden, maar herinneren haar tegelijkertijd aan het overweldigende belang ervan. Slaan ze in deze
stad niet op het uur, alleen op het kwartier?

Ze neemt haar hoofd in haar handen, springt dan op
waardoor de stoel achteroverklettert. Ze moet zien waar het
luiden vandaan komt, ook al is elk ogenblik van onschat-
bare waarde. Ze rent de trap af naar de straat, haar armen
en benen een vlechtwerk van opgewondenheid, maar kan de
klokken niet vinden.

Nog drie dagen lang blijft ze geloven dat het geluid van
links komt. Dan beseft ze dat het rechts is.

Haar eerste gesprek is met een klein Chinees mannetje met handen als muizenpootjes, een specialist in Middelengels met een bleke huid, puntige nagels en een zware, mahoniehouten stem die vrouwelijk klinkt en zo beschaafd dat ze het al een eer vindt om te worden aangesproken. Hij vraagt wat het verschil is tussen Oudengels en Angelsaksisch. Ze pijnigt haar hersenen, kan niets bedenken, en als er genoeg tijd is verstreken, tijd waarin haar hart zo hard bonkt dat ze er misselijk van wordt, zegt hij dat er helemaal geen verschil is: Oudengels is de naam die wetenschappers geven aan de taal die werd gesproken door de stammen die historici en archeologen de Angelsaksen noemen. Ze bloost, knikt, kijkt naar haar schoot. 'A Sparrow Hawk' komt niet ter sprake.

Haar tweede gesprek is met een stralende vrouw, die lang, asblond haar heeft en elf maanden zwanger lijkt. De vrouw vraagt wat ze van de gedichten vond. (Gedichten.) Die op het prikbord in de Junior Common Room hingen (Junior Common Room?). Ze heeft het briefje op het prikbord bij de portiersloge van het college niet gelezen. (Prikbord?) De zwangere lacht. Maakt niet uit. In plaats daarvan praten ze over *To the Lighthouse*. Ze vraagt Elizabeth of zij Mrs Ramsay wel eens als Maagd heeft gezien. (Bedoelt ze de moeder van Jezus?) Ze zegt: 'Nee', denkt: moet dat dan? Het schijnt te moeten. Ze praten verder over *To the Lighthouse* en ze begint te denken dat het toch niet zo'n goed boek was om te noemen, want het gedeelte dat zij mooi vindt is wanneer het huis helemaal in verval raakt, en daar lijkt de zwangere vrouw geen interesse in te hebben.

Als ze na afloop weer op de gang staat, beseft ze dat ze weer vergeten is om 'A Sparrow Hawk' te noemen.

Bij het middagmaal speelt ze met een peer; ze kan zich er niet toe zetten om via het hoofd van de tafel weg te lopen en concentreert zich op het ontwijken van de kruislingse blikken, geteisterd door het dreunen en deinen van levendige conversatie en regelmatig op haar horloge met maanwijzerplaat kijkend. Ze weet niet hoe de eerste twee gesprekken zijn gegaan. Ze weet niet of de Chinese man van nature gereserveerd is of dat zijn reserve werd veroorzaakt doordat zij niet wist dat Oudengels en Angelsaksisch hetzelfde zijn; ze weet niet of ondanks de natuurlijke welwillendheid van de zwangere vrouw het feit dat ze Mrs Ramsay niet als een Maagd heeft gezien tegen haar zal pleiten. Maar ze weet wel dat het volgende gesprek haar laatste kans is om zich van een toekomst hier te verzekeren; hier op deze plek die al zo merkwaardig vertrouwd voelt, eigenlijk vanaf het moment dat ze aankwam, zo nauw verbonden met haar fysieke wezen dat ze niet raar zou opkijken als iemand tegen haar zei dat ze hier als kind wel eens was geweest, of erover gedroomd had of er, om de grenzen van de fantasie op te zoeken, in een vorig leven had gewoond en heel gelukkig was geweest, of heel bedroefd, want het gevoel dat haar vervult is geen vreugde. Het is zwaarder.

Ze kijkt weer eens op haar horloge alvorens haar moed bij elkaar te rapen en het meisje naast haar de weg te vragen. Het meisje laat haar blik van boven naar beneden over Elizabeth gaan, knippert met haar ogen en zegt: 'Pardón?', alsof het stellen van een vraag een zonderlinge manier is om informatie te verkrijgen en ze even nodig had om zich te herinneren hoe dat ook alweer ging. Met een rood hoofd herhaalt Elizabeth de vraag, beseffend dat ze een of andere ongeschreven gedragscode heeft geschonden zonder dat ze weet wat deze inhoudt. 'Ooo.' (Het meisje weet het weer.) 'Ja, dat is in New Quad,' zegt ze met nadruk (alles aan dit meisje is nadrukkelijk: haar vooruitgestoken boezem, de kleur van haar stem, het bloed in haar wangen, de rigoureuze slordigheid van het knoetje), en op nodeloos luide toon, alsof ze het tegen een klein kind heeft. 'De hal door, langs de Fellows' Garden, het tunneltje door en dan zie je rechts het gebouw?' zegt ze met een merkwaardige stijgende intonatie, alsof zij degene is die de vraag stelt. Elizabeth pakt een servetje om het op te schrijven, maar heeft geen pen. Ze draait zich weer naar het meisje toe, maar zij is al opgestaan met haar nadrukkelijke maatjes en loopt al om het hoofd van de tafel heen. Verbijsterend.

Een tijdje later vindt ze New Quad. Ze vindt de hal en de Fellows' Garden, maar het tunneltje vindt ze niet. En ze ziet ook niemand aan wie ze het kan vragen, want het college is ineens uitgestorven. Ze rent terug naar de portiersloge en het voelt alsof ze zweeft. Oppervlakken zijn beangstigend geworden: de structuur van flagstones onder haar voeten, de loden vensterbanken van glas-in-loodramen, het bowlinggroene gras; alles wat ze ruikt, hoort, ziet, is nu ondraaglijk. Ze drukt op een koperen bel, wacht bij een houten balie, en er komt een man aanlopen met rode wangen en ogen die een beetje schuin aflopen. Zijn gezicht lijkt te verzakken, wat hem samen met zijn glimlach een van nature vriendelijke uitdrukking geeft. Hij zegt: 'Zegt u het maar.'

Ze laat hem de uitnodigingsbrief zien en legt de zaak uit: het gesprek, de tijd, de tunnel.

'O, u komt voor een toelatingsgesprek,' zegt hij. 'Nou, u hoeft zich geen zorgen te maken. De kamer van professor Hunt is diagonaal aan de overkant van het volgende binnenplein en door de tunnel bij de wasmachines.'

Hij is erg vriendelijk. Haar gezicht wordt ineens warm. Haar ogen prikken, haar kaak doet pijn.

Hij bekijkt haar wat beter en begint dan te stralen. 'U bent toch niet zenuwachtig? Dat hoeft helemaal niet. Professor Hunt is heel aardig.'

Ze moet met een knikje bedanken, want haar keel zit dicht. Ze loopt via een hellinkje het binnenplein op en hij roept: 'Als er problemen zijn, kom dan maar terug en vraag naar Albert.' Ze knikt, bedwingt haar tranen en vindt een paar minuten later de mysterieuze tunnel – bron van verwarring voor velen die hier op gesprek komen, kan ze zich voorstellen –, loopt erdoorheen en komt er aan de andere kant van de straat weer uit. Plotseling is de stad omgekeerd. Ze staat nu aan dezelfde kant als de klokken, ze hoort ze vlakbij: eindelijk treffen ze elkaar. En daar is de kerk, dertiende eeuw met dubbele gevels, kantelen en torentjes. Daar is ook de torenklok, maar deze keer vergeet ze om te kijken hoe laat het is.

Ze gaat een ijzeren hek door en staat op een volgend binnenplein, mooier dan het eerste, met in de hoek, naast een reling die sportvelden omzoomt, onder een grote paardenkastanje, een zeventiende-eeuws gebouw met glas-in-loodramen. Ze volgt een pad naar een stenen trap omhoog. Er is een dubbele deur, en daarachter nog een. De geur van poetsmiddel en hout en nog iets: de concentratie van tijd in openbare ruimten die, in tegenstelling tot particuliere ruimten, met een koele onverschilligheid aangroeit. Ze loopt door een gang met aan één kant een glazen muur. Het glas is oud en oneffen, erachter is een rozentuin te zien. De tuin is smaragdgroen in het grijze licht en alles druipt. Het gras is licht en donker gerold, maar de struiken zijn kaal. Halverwege de gang is een deur met metalen randen, ongelijkmatig na zoveel lagen verf. De bronskleurige deurkruk zakt een beetje door en lijkt los te zitten.

Hoewel het belangrijk is om door te gaan, blijft ze staan. Misschien omdat ze zich vreemd voelt, bruisend maar verdoofd, roerloos maar vol emotie. Misschien omdat de tuin achter dit oude glas ligt, dat hier en daar bol is, waardoor het beeld een luchtspiegeling lijkt. Maar het is vandaag niet heet, het is stervenskoud, en de kou heeft de tuin doortrokken van een verstilling die hypnotiserend is, heeft hem doen verbleken; er hangt stoffigheid in de lucht; er ligt een laagje sediment tussen haar en de wereld van vorm. Misschien is zelfs dat niet wat haar tegenhoudt, maar is het de manier waarop het raam het beeld omlijst, waardoor het lijkt of het een illustratie in een boek is en zij op het draaipunt staat – als dit een boek was, waar de voor- en achterkant van het omslag de rug ontmoeten, waar de rug dichtdraait, in het brandpunt, het middelpunt. Of misschien blijft ze gewoon staan omdat ze nog nooit een rozentuin in de winter heeft gezien en hij dramatisch oogt, uitgemergeld, reddeloos, aarde die als een geblakerde schedel door gras heen schemert, botten van een pagode zichtbaar, takken van rozenstruiken die onelegant uitsteken, verminkt, afgehakt, zielig, als een verzopen kat, of een vogel met olie op zijn veren. Toch is het geen van deze dingen alleen die haar tegenhoudt, maar iets onzichtbaars, iets blijvends, iets extreems, misschien zelfs onsterfelijks aan het beeld. In een kader dat zó broos is, want het glas is stokoud en de lijst bladdert. Er trekt een sliert koude lucht langs haar benen en ze loopt snel door.

Aan het einde van de gang loopt ze opnieuw het donker in en komt bij drie eikenhouten deuren. Op de deur die zich het dichtst bij een stenen trap bevindt staat 'Professor E.G. Hunt'. Erachter hoort ze stemmen. Ze kijkt op het horloge, leunt dan tegen de stenen muur en slaat de handen voor het gezicht. Ze is er gekomen. Nu kan ze verder niets meer doen;

in zekere zin is het al voorbij. De loop die de toekomst zal nemen is al bepaald, en dat is een opluchting na dat lange wachten. Maar nog terwijl ze dit denkt voelt ze het zachte fladderen van een sluier, een weten nog voor het weten komt op als wind in boomtoppen vlak voordat hij voelbaar wordt op de huid. Ze schuift de mouw terug. De secondewijzer verspringt.

Ze staart naar het horloge. Ze houdt het tegen haar oor. Ze trekt het los en slaat erop. De secondewijzer blijft raar schokkerig doen. Ze sluit de ogen en begint van zeer grote hoogte te vallen. Het kan toch niet, na al die maanden, na dat zorgvuldige wachten, waken, opwinden. Hoe is het stil blijven staan? Hoeveel te laat is ze? Moet ze aankloppen? Ze heft haar hand op en laat hem weer zakken. Nee, ze moet wachten.

Ze zweeft nu, terug door de gang. Deze keer heeft ze de indruk dat de tuin haar gadeslaat en dat de verstilling een aanklacht is. Ze gaat de deur aan het eind door en er vliegt een roepende vogel op.

Ze is in een keukentje terechtgekomen. Ze staat zichzelf nog niet toe om na te denken wat dit betekent, over wat ze heeft verspeeld. Ze zal op de 'aardige' man wachten; ongetwijfeld een of andere docent in corduroy met een helder Engels accent, appelwangen en een heleboel krullen, die aan één blik genoeg zal hebben om haar terug te sturen naar waar ze thuishoort; ze hoort nergens thuis, maar dat kan hij niet weten.

Ze hoort een deur opengaan en stemmen, dan voetstappen die haar kant uit komen. Haar hart gaat sneller kloppen. De voetstappen vallen even stil, komen dan dichterbij. Er steekt een gezicht om de keukendeur heen, een gezicht waarvan de leeftijd onmogelijk te bepalen valt, met wakkere zwarte ogen onder babyzacht haar dat in onhandelbare kuifjes overeind staat. Het lichaam eronder gaat gekleed in spijkerjasje, spijkerboek en trui. Een popster. Compleet met Vans-sportschoenen. De schoonmaker misschien. Een oudere student. Maar hij zegt: 'Elizabeth,' en het is geen vraag. En voordat ze antwoord kan geven zegt hij: 'Je bent te laat.' De stoel schraapt als ze opstaat. Hij zegt: 'Kom maar mee,' alsof ze daar verstandig aan zou doen, maar wel bereid moet zijn de consequenties te aanvaarden. Dus loopt ze mee, de gang weer door, als met een tovenaar die naar zijn grot gaat.

En inderdaad heeft de kamer waarin hij haar voorgaat, enigszins struikelend over de roede van het vloerkleed, wel iets van een grot; een bonte jungle van Bach en New Order, maskers en speelgoedhuisjes; asbakken, foto's, waterkoker, bekers, een aantal kamerplanten in diverse stadia van wanhoop. Een Fender, broodrooster, staande kapstok; in de hoek gootsteen, scheermes en tandenborstel; een kleedje met een ingewikkeld en versleten patroon – en boeken. Nieuw, stijf, gebogen, bevlekt; zonder omslag, kapot, onbevlekt; broederlijk scheefstaand en amoureus verbladerd, schaamteloos gespreid of strak gebonden, ambitieus oprijzend en gevallen; geordend, in een keurslijf, fluisterend, vertrouwelijk; naar elkaar toe en van elkaar af hellend, rug aan geheimzinnige rug.

'Neem plaats,' zegt hij, en hij ploft neer in een fauteuil die zijn beste tijd gehad heeft. Ze gaat op de rand van een bank zitten. Ze merkt niet hoe stug de veren zijn. Hij tikt een sigaret uit een pakje en steekt die op terwijl hij haar voortdurend met zijn zwarte oogjes blijft aankijken, ogen van een vogel, denkt ze, waarin ze nu, of ze moet zich vergissen, iets van plezier bespeurt, duivels, opruiend. De ogen lijken iets te weten wat zij niet weet, en even later, als ze zich hebben volgezogen, duwt hij zijn haar aan de voorkant van zijn hoofd naar boven, een merkwaardig vrouwelijk gebaar dat hij met zijn vingertoppen uitvoert, en terwijl hij met half toegeknepen ogen zijn eerste trekje neemt, zegt hij: 'Vertel maar eens wat je hebt gelezen.' Misschien toch niet de schoonmaker. Wat dan wel? Een assistent? Een soort invaller? Dit kan professor Hunt niet zijn. De kamer is ook niet bepaald wat ze zich had voorgesteld.

Ze besluit *To the Lighthouse* niet te noemen en zegt: '*Hamlet*.' Ze gelooft dat ze *Hamlet* zegt, maar ziet nu dat hij haar nog steeds afwachtend aankijkt. 'Neem de tijd maar,' zegt hij, een beetje sarcastisch, vindt ze.

'*Hamlet*.' Het heeft geen zin. Haar keel is afgesneden en er komt alleen maar lucht uit.

Hij draait zich om, zoekt papieren, gunt haar misschien tijd, doet of hij niets merkt, geeft misschien aan dat hij nog meer te doen heeft.

Ze maakt haar kraag los. '*Hamlet*!' Het is niet meer dan een fluistertoon.

Hij kijkt haar aan. 'En wat vind je van *Hamlet*?'

'Hij wordt gedragen door een golf,' zegt ze. 'Het stuk voert naar een hoogtepunt en stort dan naar beneden. Hamlet weet waar hij heen gaat, maar hij kan er niets aan doen. Het is alsof hij het stuk schrijft waar hij in zit.' Dit zegt ze allemaal en nog meer, maar er is niets van te horen; de woorden zijn een windje dat langswaait op weg naar elders.

Hij tipt de sigaret af en snuift. 'Ik zie dat je daar iets hebt.'

Het is 'A Sparrow Hawk'. Eindelijk iemand die het ziet. Maar wat heeft ze er nu aan? Ze kan niet praten. Ze probeert het nog eens. Haar ademhaling begint amechtig te worden.

Hij drukt de sigaret uit en zegt met enige beslistheid: 'Het geeft niet.'

De woorden blijven samen met de rook in de lucht hangen. Ze neemt ze tot zich en is dankbaar. Haar lichaam ontspant zich, haar handen rusten in haar schoot.

Ze zitten enige ogenblikken zwijgend en ze ziet zichzelf, haar voeten tussen de krullen van het kleedje, haar handen op haar grijze rok, alsof ze naar een prent of een gravure kijkt. Dan staat hij op en zegt: 'Heb je Shakespeares sonnetten gelezen?' Hij haalt een dik boek en bladert erin.

Er is een rust over hem gekomen, alsof ook zijn moment voorbij is. Misschien is hij opgelucht dat het gesprek erop zit; makkelijk, ongetwijfeld; geen moeilijke beslissingen hier. Dus ze snapt niet waarom hij haar hier houdt, of waarom hij nu naast haar neerknielt en het boek openhoudt, maar ze ziet dat het fraai is, versierd met dieren en engeltjes en kronkelend gebladerte: 'SHAKE-SPEARES sonnetten' staat er met sierlijke zwarte letters, en eronder staat nog meer:

AAN DE EENIGE VERWEKKER VAN DEZE NAVOLGENDE
SONNETTEN MR W.H. ALLE GELUK EN DIE EEUWIGHEID
BELOOFD DOOR ONZE EEUWIG LEVENDE DICHTER WENSCHT
DE WEL WENSCHENDE ONDERNEMER BIJ HET UITKOMEN...

Zijn handen beven. Ze is verrast: hij lijkt geen type om te beven. Het is de eerste keer dat zijn handen haar opvallen: vlekkerig, opgezet, vrouwelijk; handen die eruitzien alsof ze net dampend uit een bak warm afwaswater zijn gehaald. De handen raken amper de bladzijde aan, steunen alleen de randen. Wanneer hij die omslaat, is het alsof dat door een zuchtje wind gebeurt. Er fladdert iets tegen haar aan, iets wat ze is vergeten. Dan begint hij voor te lezen:

Der sterren raads'len wil ik niet doorgronden;
En toch, naar 'k meen, versta ik sterrenkunst,
Niet om geluk of onheil te verkonden,
Pest, duurte of der getijden nijd of gunst;
En ik voorzeg ook niet, of 't vluchtig uur
Onweer of wind of regen brengen zal;
Ik tuur niet, of in sterrenschrift natuur
Aan vorsten heil voorspelt of ongeval;
Nee, 't zijn uw ogen, die mijn blikken boeien,
Zij zijn mijn sterren, en ik lees eruit,
Dat schoon- en waarheid heerlijk zullen bloeien...

Elizabeth heeft niets met liefdesgedichten. Van alle soorten poëzie die er zijn, heeft ze niets met dit soort. De vergelijkingen met zomerdagen, eten en drinken, muziek, stompe torens, bakens, dwalende schepen, zijden lijnen en zilveren haken zijn aan haar allemaal niet besteed. Ze gelooft niet in de ijlheid die de kus van de geliefde overbrengt, of dat harten kunnen breken, schatten kunnen bevatten of sleutels kunnen bezitten. Op de dubbelzinnigheid na begrijpt ze niet waarom dichters als Donne de liefde met de dood vergelijken. Maar nu zit ze in totale stilte, de woorden schampen heel licht langs haar huid, en ze wordt geschapen, op gang gebracht, ergens los van gemaakt; iemand heeft een onzichtbaarheidsmantel weggehaald, en als hij klaar is en haar aankijkt denkt ze dat ze ergens anders is geweest – en hij misschien ook wel, want zijn ogen zijn zo donker en zo stralend.

Hij zegt: 'Wat denk jij hiervan?'

En zij zegt: 'Hij houdt niet van haar.'

De woorden zijn uitstekend te horen, al weet ze niet waar ze vandaan zijn gekomen.

'Wat?' zegt hij. Ze heeft een lucifer afgestreken en zijn ogen flakkeren op.

Ze bloost. Nu moet ze uitleggen wat ze bedoelt en ze weet niet hoe. 'Ik...'

'Ga door.'

'Volgens mij...'

'Ja...?'

'Volgens mij houdt hij niet van haar.'

Een korte stilte.

'Hoe bedoel je dat?'

'Ik weet het niet.'

'Weet je het niet of kun je het niet zeggen?'

Ze is duizelig. 'Ik kan het niet zeggen.'

'Probeer het.'

Ze krabbelt terug, heeft te veel blootgegeven, maar hij heeft beet en laat niet los. 'Dat voelde ik.' Een absurd antwoord. 'Het is knap, maar het is niet... echt.'

Zijn ogen glinsteren. 'Heb je ooit een gedicht gelezen dat wel "echt" was?'

'Ja. Dat gedicht van John Clare, "Little Trotty Wagtail"...'

Ze is woedend op zichzelf; waar is 'A Sparrow Hawk' gebleven? Wie is er nou geïnteresseerd in 'Little Trotty Wagtail'?

Hij worstelt met iets wat op een glimlach lijkt. De glimlach lijkt het te winnen. Het is boeiend om te zien.

'Maar het is wel mooi,' zegt ze. 'Als ik iets kon schrijven, zou ik het zo schrijven. Koud. Helder...'

'Ja?'

'Ja.' Ze slaat de ogen neer.

Hij staart haar vijf volle seconden lang aan, en gedurende die tijd voelt het alsof ze geen kleren of huid bezit, maar alleen inwendige organen. Weet ze alleen maar dat geen mens haar ooit zo heeft aangekeken en is geen mens daar oprecht dankbaar voor. Dan begint hij weer voor te lezen, en zij begint te zweven. En of het komt door de inspanning van het concentreren of de stilheid van de kamer of doordat hij het boek nu op haar schoot laat rusten, de woorden beginnen zich door de kamer heen uit te rekken – of misschien is het een firmament en zijn de woorden sferen, hemellichamen, want muziek is een betere manier om de klanken te beschrijven die nu om haar heen klotsen, kloppende massa's. Hemellichamen, woorden en kamer draaien in elkaar; zijn stem donker, het papier licht, de letters vlees – of is het vlees letters? Hij praat, gaat door, of is zij degene die praat en komt hij achter haar? Ze gaat languit op de grond liggen en de woorden ruisen als regendruppels in het bos. Dan hoort ze een stem die zegt: 'Gaat het wel?' en houdt hij haar overeind.

De woorden herstellen zich, het firmament verdwijnt, het zoemt in haar oren.

'Je viel flauw!' zegt hij.

'Ik... Ik heb niet gegeten.'

Hij klapt het boek dicht, loopt naar het dressoir, komt terug en zet een koektrommel bij haar op schoot. Hij zegt: 'Eten.' Hij gaat de kamer uit en ze hoort hem de gang door benen. Even later komt hij terug met een bord met boterhammen en zet dat op de trommel. Dan loopt hij terug naar zijn stoel en steekt een sigaret op. Met zwaaiend been zegt hij: 'Eten.' Ze eet.

Het zwarte is terug, maar nu samen met iets anders. Zijn ogen wekken de indruk dat ze misschien willen glimlachen, maar doen dat niet. Hij lijkt iets te gaan zeggen, maar bedenkt zich. Ten slotte zegt hij: 'Wat ik wilde vragen voordat je net zo dramatisch in katzwijm viel, was of je wist dat Shakespeares verlangen niet op een vrouw maar op een mooie jongeman was gericht?'

Ze staart hem aan, schudt dan het hoofd.

Het been zwaait hoger, de mond trilt weer, maar ze ziet nog steeds niets waar om te glimlachen valt. Hij kijkt uit het raam: 'Wist je dat de omstandigheden rond het drukken van de sonnetten, de opdracht aan "Mr W.H.", het feit dat de dichter "eeuwig levend" wordt genoemd en het streepje in "Shake-speare" allemaal ons begrip van de historische figuur William Shakespeare wezenlijk veranderen?'

Ze schudt het hoofd; onwetendheid maakt nu niet meer uit, wat ze ook wel of niet zegt.

'Wel, over dat soort dingen ga je je hier buigen als je komt studeren.' Hij woelt door zijn haar, tikt as van de sigaret, slaat het ene been over het andere, daarna het andere over het ene. 'Zou je dat willen?'

Haar hart begrijpt het als ze dat niet wil. Haar hart is bezig haar te vermoorden. Hij werpt haar een blik toe en ze ziet een zweem van de duivelse glimlach. Hij zit te grijnzen, boosaardig; ze snapt het gewoon niet. 'Je bent aangenomen, Elizabeth!' roept hij ineens uit. 'Waar was je nou bang voor? De essays die je hebt meegestuurd waren uitzonderlijk. Vanaf de allereerste zinnen wist ik al dat ik je hebben wou. Het was alsof ze waren geschreven door iemand met een heel dunne huid; iemand die de woorden meer voelde dan las. Normaal gesproken laten we mensen in dit stadium van de procedure niets weten, maar in jouw geval moest ik een uitzondering maken.' Zijn been zwaait nog iets hoger. 'Nou, wat vind je daarvan?'

Ze doet haar mond open, en slikt.

'Stik niet.'

Ze hoest, zet haar bril af; hapt naar adem en veegt haar ogen uit.

'Gaat het weer?'

Ze knikt.

Hij buigt zich naar voren. 'Er zit veel meer in jou dan je op het eerste gezicht zou denken, hè, juffrouw Stone? Veel en veel meer. Ik heb zo'n gevoel dat ik de helft nog niet gezien heb.'

Ze zet haar bril weer op. Haar hart doet nog steeds pijn. Ze schudt het hoofd. 'Ik be...'

Maar hij zegt: 'Jawel. Je begrijpt het heel goed. Je begrijpt veel meer dan je jezelf laat geloven.'

Ze weet niet hoe hij wist wat ze ging zeggen. Ze weet niet hoe ze aan een plek in deze tempel van kennis is gekomen. Ze weet nog altijd niet helemaal wie deze man is. Maar voor deze keer zal ze zich koesteren in onwetendheid. Ze kijkt naar buiten, naar deze verstilde decemberdag, en de dag krijgt iets warms, iets behaaglijks, iets coöperatiefs wat ze nog niet had gemerkt maar wat er, beseft ze nu, de hele tijd al was. De daken, het gazon en de paardenkastanje komen gloeiend tot nieuw leven terwijl ze ernaar kijkt en spreken van vreemde, andere werelden die amper mogelijk zijn.

Hij straalt. 'Dus, kom je?'

Ze zegt: 'Ja,' deze keer duidelijk. Dan: 'Graag.'

Hij geeft een klap op zijn been. 'Dat is dat.'

Hij gaat staan en zij ook en hij pakt haar hand met zijn klamme, warme hand en hij zegt: 'Ik zie je als de colleges beginnen.'

'Ja.'

'Fijne zomer.'

'Goed.'

'Niet te hard werken.'

'Ik...'

Ze kijken elkaar aan. Dan laat hij haar hand los en ze loopt naar de deur. Maar daar draait ze zich om en zegt: 'Ik was te laat omdat het gestopt was,' en ze haalt het maanhorloge tevoorschijn.

Hij lacht abrupt, een luid 'Ha', als een schot. Hij lijkt een of andere wilde handeling te overwegen maar moet het uiteindelijk doen met een lullig 'Hou je taai'. Dat zal ze doen, zegt ze.

Anderhalf jaar later wordt hij haar mentor. Ze ziet hem twee keer in die tussentijd, één keer weet ze zeker, de tweede niet. De eerste keer loopt hij met een tas vol boodschappen door de stad, geplaagd, struikelend zoals hij blijkbaar vaker doet, zijn benen niet helemaal op één lijn met de rest van zijn lichaam. De tweede keer zit hij verdiept in een dik boek in de Upper Room, bril op de neus geparkeerd, een uitdrukking van totale voldoening op het gezicht.

De tweede keer blijft ze staan dubben of ze hem zal aanspreken. Uiteindelijk doet ze het niet. De bril brengt haar van de wijs. Als hij iets had gezegd, had ze het zeker geweten, maar de verschijning zwijgt.

Zijn stem onthoudt ze, zijn gezicht vergeet ze.

DE KUNST VAN HET AFSTAND BEWAREN

In een loopbaan van dertig jaar had professor Stone meer dan eens kunnen zien dat de sleutel tot goed schrijven in één woord kon worden samengevat, namelijk 'afstand'. Afstand bewaren was de sine qua non van het werk van de academicus; de paradox was dat gedichten vol stormen en zwellende borsten zaten, vol vlagen van hartstocht en koortsige slapen, maar dat je glashelder moest denken als je erop inging. Dichters strooiden je graag zand in de ogen: hun regels waren welluidend, hun ritmes zinnelijk; maar als je je ook maar even in slaap liet sussen door de cadans van Eliots 'avond', die als een patiënt languit op een tafel lag, zou je kunnen vergeten dat zo'n avond misschien ook onder het bloed zat, stervende was, met een mond die open hing, misschien wel dood was. Daarom was het noodzakelijk om niet betrokken te raken wanneer je een gedicht analyseerde: vervoering kon tot gemakzucht leiden, tot geestdriftige onzorgvuldigheid, zoetige vaagheid; wie wist hoeveel veelbelovende essays ze bestraft had omdat de schrijver zich te veel liet meeslepen door zijn eigen betoog, of hoeveel examinandi zichzelf nog voor ze goed en wel begonnen al hadden uitgeschakeld door een te enthousiast gebruik van de eerste persoon enkelvoud?

Professor Stone vond het geen verwaandheid om te denken dat afstand bewaren het sterkste punt was in haar eigen schrijfstijl – en, hoopte ze, ook in haar leven – want 'het wrede lot' slingerde je van alles toe en over het meeste kon je maar beter je schouders ophalen. Als je een 'dolend scheepje' op de zee van het leven was, vroeg je om schipbreuk. Het waarheidsgehalte van deze overtuigingen kon ze weer eens testen toen ze tien dagen nadat ze haar brief aan Edward Hunt op de bus had gedaan zijn antwoord kreeg. Het lag in haar postvak op haar te wachten en ze wist meteen dat het van hem afkomstig was. Ze herkende de e's als halvemaantjes, de kokette puntjes; ze dacht het klimmen der jaren te kunnen zien in de staarten van de g's, al waren de y's nog even ambitieus en onverzettelijk. Ze schoof het tussen haar andere post en wachtte tot ze alleen in haar kamer was voordat ze het las. Ze ging zitten, hield de envelop even met twee handen vast, en maakte hem toen open.

Nadat ze de brief had gelezen, bleef ze enige tijd zo zitten. Toen stond ze op en zei: 'Dat is dan dat.' Ze bleef even stilstaan en liep daarna de kamer uit. De brief was hoffelijk maar zakelijk: professor Hunt zag geen reden voor een ontmoeting.

Terwijl ze de dingen van die dag deed – terwijl ze de dingen van diverse dagen daarna deed – kwam bij de professor wel de gedachte op dat het misschien beter was geweest als ze niet zo expliciet had geschreven dat ze uitsluitend en alleen om beroepsmatige redenen terugging naar de boekenstad; ze had professor Hunt willen geruststellen, hem duidelijk willen maken dat hij zich niet verplicht moest voelen, maar zijn formuleringen ('Bedankt voor je brief', 'Zoals je al aangeeft hoeven we elkaar niet te ontmoeten', 'Ik heb het zelf rond die tijd ook erg druk', 'Succes met het project', 'Het beste') duidden erop dat de woordkeus in haar eigen brief – de brief waarop ze zo haar best had gedaan – onverstandig was geweest. Ze schreef terug, probeerde de zaak te verduidelijken, maar nog voor ze halverwege was verfrommelde ze de brief omdat ze vermoedde dat ze het alleen maar erger zou maken. Het ontging haar niet dat hij haar idee voor 'De poëtica van de klank' niet had genoemd. En eerlijk gezegd vond ze dat nog het ergst.

Ze stortte zich op het werk, en er was een hoop te doen. Er waren enorme aantallen artikelen over filosofie, linguistiek en muziek in de British Library die gelezen moesten worden, en ze moest zich weer vertrouwd maken met de regels van metrum en scansie die ze als student had geleerd. Ze was al bezig een alternatieve poëtische traditie bloot te leggen die liep van de Angelsaksische minstreel via Chaucer, Spenser, Shakespeare, Milton, Dickinson, Hopkins, Yeats en Thomas naar Eliot, maar ze zorgde ervoor dat ze de tijd nam, iets wat ze nooit eerder had gedaan: ze trok een uur uit om te lunchen en 's middags een halfuur om te wandelen.

Het project vóór haar tekende zich groot en schitterend af; ze voelde de stroom versnellen, hoorde het grootse donderen in de verte en het gaf haar energie. Maar aan het eind van de dag, als de klok in de leeszaal van de geesteswetenschappen menselijk werd en de stilte onheilspellend, hief ze soms het hoofd op en keek ze rond naar de gebogen hoofden en de lichtkringen, en dan was het voor iemand die toevallig keek niet duidelijk of die levendigheid uit opwinding of uit een andere emotie voortkwam. Ze liep langs de bibliotheek-assistenten om bij het fonteintje te drinken – het ene bekertje na het andere – haar gedachten vol van het werk dat op voltooiing wachtte, en als ze terugliep naar haar tafeltje sloeg haar hart op een vreemde manier. Waardoor ze ondanks haar rechte schouders, het keurige handschrift waarin ze de woorden liet verschijnen, de in concentratie samengeknepen lippen, de heldere ogen en de ferm opengesperde neusgaten bij iemand die het niet begreep misschien een beetje als een bezetene overkwam.

De dag dat professor Stone op reis zou gaan, brak helder en stralend aan. De Theems glinsterde blauw, Regent's Park was heiig, er vlogen duiven boven St Paul's en er was die frisheid die Londen op een zomerse ochtend als deze soms bedacht en als een pasgewassen kleed op zijn groezelige tafel legde. Voordat ze de deur uitging, bekeek ze zichzelf in de kleine spiegel naast de voordeur. Het gezicht dat terugstaarde had geen middelen om zich te verbergen, zoals de stad, of koos er misschien voor om er geen te gebruiken. Dit was het gezicht dat ook op het schutblad van haar meest recente boek stond, een gezicht met glinsterende ogen, scherpe neus, en een mond die alleen aan de hoeken omhoogboog, alsof de eigenaar had besloten dat het verstandig was om de lippen niet verder te vervormen. De kin was ook nu iets gekanteld, net als op de foto, zodat de bekijker iets hoger stond dan de bekekene, het hoofd achterover in kalme gereserveerdheid, al waren er ook een paar dingen anders: het gezicht in de spiegel had iets uitgeholds, iets wat het andere gezicht niet bezat, en het donker glanzende haar dat op het schutblad in een knotje zat gedraaid, was nu nog korter dan dat van een jongen en zat in sliertige dunne plukjes om haar gezicht.

Het gezicht in de spiegel zuchtte en verviel tot vermoeidheid; professor Stone maakte niet graag uitstapjes de wereld in. De wereld had de gewoonte om je het heden in te gooien, waar je gemakkelijk viel, stuksloeg op de rotskust van jezelf, zoals Joyce het had uitgedrukt, of in soortgelijke bewoordingen. Daarom had ze altijd twee dingen bij de hand: oordopjes (wat je hoorde was lastiger te negeren dan wat je zag) en een goed boek. Voordat ze vertrok keek ze nu ook even of ze beide zaken bij zich had.

Drie kwartier later sloeg ze het boek open in een spoorwagen op Waterloo. Het was geschreven door haar favoriete literair criticus Christopher Worthing en had als titel *Vigorous Most When Unactive Deem'd: Classical Heroism in Paradise Regain'd.* Terwijl de trein volliep kon ze weer eens constateren wat een groot schrijver Worthing eigenlijk was. Als je hem las, was het alsof je lekker ging zitten in een bijzonder goede stoel, die stevig was en toch meegaf, stijlvol en toch gerieflijk. Ze liet zich andermaal meeslepen door de machtige rivier van zijn transparante proza.

Deuren sloegen dicht. Er klonk een fluit. Ze vertrokken. Maar het rijtuig, ontdekte ze nu, was niet zo rustig als ze had gehoopt. Sterker nog, dankzij een groep tieners die op voortplanting uit was, een moeder met baby en een zakenvrouw met een mobieltje was er een sprake van een ware kakofonie. Bovendien besefte ze toen de trein begon te rijden dat ze achteruitreed en weldra misselijk zou worden. Ze kon nergens anders gaan zitten omdat de trein zo vol was, dus duwde ze zich dieper in haar stoel en hield het boek omhoog. Een lachsalvo kaapte haar aandacht. Een van de tienerjongens klemde een meisje tegen het raam; het meisje lachte hulpeloos en gooide iets – professor Stone wilde er liever niet aan denken wat het kon zijn – naar haar vriendin aan de overkant van het rijtuig. Ze zette haar bril recht en hield Worthing nog hoger.

Om halfeen was ze dankzij de herrie, haar positie en de

zon niet veel verder gekomen met Worthing, maar wel met de misselijkheid. Ze dwong zichzelf een croissant van het restauratiekarretje te eten en dronk langzaam een kop warme chocola, een waterige vloeistof die ze met enige weerzin bekeek; daarna deed ze haar ogen stijf dicht en bleef zo zitten terwijl ze met haar vingers afwezig over het grillige litteken tussen haar haren streek.

De misselijkheid duurde tot halftwee, toen de trein blijkbaar van richting veranderde, want het zonlicht werd minder schel en tot haar enorme vreugde stapten de groep tieners, de zakenvrouw en de moeder met baby allemaal uit en kon ze de andere kant op gaan zitten. Ze had Worthing net weer gepakt toen een stem zei: 'Vindt u het goed als ik hier ga zitten?' Ze keek op en zag een corpulente man die flink zweette, gekleed in een zwart jasje en wit overhemd met mouwen die tot zijn knokkels kwamen.

'Ja hoor,' zei ze. Ze trok de zoom van haar regenjas van de bank.

'Lekker weertje hebben we.' Hij kwam een beetje naïef over.

'Zeker.' Ze glimlachte even, deed de oordopjes weer in en las verder in haar boek. Maar hij zat in de tas bij zijn voeten te rommelen – ze rook zijn aftershave, zag de bovenrand van zijn achterwerk.

'Ik ga een paar dagen naar m'n familie toe...' Hij kwam weer overeind, rood aangelopen. 'Even kijken of ik alles wel bij me heb.'

Ze knikte, glimlachte flauw en hield het boek hoger.

Maar zijn bewegingen, de geur, het schokken van de bank leidden haar af. Vanuit haar ooghoek zag ze hem de dop van een flesje frisdrank draaien en het rijtuig rondkijken. Er klopte iets niet helemaal met zijn gezicht, vond ze. Het leek zacht, alsof het mals geslagen was; de ogen waren waterig. Ze ging meer rechtop zitten en vatte met enige moeite de draad weer op:

> De afzondering in Horton, en de afzondering van zijn blindheid worden beide beschouwd in relatie tot het klassieke leven van een held.
> III. Hij groeide op in de beslotenheid van zijn eigen familie, en tot hij een volwassen, bestendige leeftijd bereikte, die hij ook in beslotenheid doorbracht, stond hij vooral bekend om zijn zuivere godsdienstigheid, en om zijn integere leven... hij was een soldaat die zich bovenal in zelfkennis oefende; hij had alle vijanden in zijn eigen borst – vergeefse hoop, angsten, verlangens – vernietigd of onder zijn eigen controle gebracht...

Ja, dacht ze. Jezelf overwinnen, daar ging het om; daarbij vergeleken was de wereld makkelijk. Ook bij Eliot was het een terugkerend thema, verlangen en de uitingen daarvan – '*undisciplined squads of emotion*' noemde hij het in *Four Quartets*. De Romantici hechtten veel waarde aan overweldigende gevoelens, zagen ze als cruciaal voor de kunst, maar de modernisten en Eliot (althans in naam) kozen voor objectiviteit, onpartijdigheid en onbevangenheid. In tegenstelling tot andere dichters, wier werk in combinatie met de smakeloze, sensationele details van hun privéleven werd gelezen, geloofde Eliot in onpersoonlijkheid. Daar hield ze van, de striktheid, het classicisme, de beheersing, de marmerachtige gravitas, ook al werd die hier en daar een beetje lachwekkend: '*Or even a very good dinner*'; alleen Eliot kon het zich permitteren die regel in een meesterwerk te stoppen.

Ze schrok op van een 'plop'. Haar buurman haalde de fles

van zijn lippen en draaide de dop er weer op; hij boerde in zijn vuist en leunde onnodig krachtig, vond ze, achterover tegen de rugleuning; de armleuning liet hij met een klap zakken. 'O, sorry,' zei hij. Met een schaapachtige grijns duwde hij hem weer omhoog. 'Je wil wel lekker zitten, hè?'

Ze gaf geen antwoord. Ze begon van haar à propos te raken, al was een beginnende rode plek in haar nek het enige wat haar verwarring verried. Ze duwde haar bril omhoog en sloeg de bladzijde om.

'Interessant boek?' Hij schoof met zijn hand omhoog over zijn been en glimlachte nerveus.

Hij herhaalde de vraag, zodat ze een van haar oordopjes uitdeed. 'Wat zegt u?'

'Interessant boek?'

Ze glimlachte moeizaam. 'Niet echt.'

'Mij te moeilijk, zo te zien. Ik hou meer van een goeie bestseller.'

'Ah.' Ze richtte haar aandacht weer op het boek.

'Waar gaat het dan over?'

Goeie genade, dacht ze. Maar ze sloeg de bladzijde om met een blik alsof ze niets had gehoord omdat ze in beslag genomen werd door wat er stond, al gingen haar ogen over de regels zonder iets te zien; de glimlach van haar metgezel stierf weg en met wat gekuch volgde hij haar voorbeeld en haalde een krant tevoorschijn.

Het geritsel was verbluffend. Hij leek de krant niet te lezen maar naar de foto's te kijken die, zag ze uit haar ooghoek, talrijk en plastisch waren. Ze gluurde stiekem rond maar zag geen vrije zitplaatsen; het zou trouwens onbeleefd zijn om nu te verhuizen. De pagina's bleven met een wilde vaart ritselen en toen hij de krant uit had, zag ze tot haar ontzetting dat hij weer van voren af aan begon. Ze zette haar bril af en drukte met de muizen van haar handen in haar ogen.

'Hoofdpijn?'

Ze deed een oordopje uit.

'Hoofdpijn? vroeg ik.'

Ze glimlachte alsof hij een klein kind was. 'Ik geef m'n ogen even wat rust.'

'Misschien moet u een nieuwe hebben.' Hij wees op haar bril. 'Ik heb laatst een goeie leesbril gekocht. Tientje in de supermarkt.'

'O ja?'

'Ja.'

Zijn adem was hoorbaar en rook niet zo lekker. Hij vouwde de krant tussen het opklaptafeltje en strekte zijn korte benen, wiebelde met zijn enkels, kennelijk blij dat hij niet meer hoefde te lezen. De professor zette haar bril weer op, schoof haast onmerkbaar iets op naar het raam en hield het boek omhoog. Er moest iets mis zijn, besloot ze, een of andere beperking die je pas van dichtbij merkte. Nou ja, het duurde nu niet lang meer, nog een halfuurtje.

Een ruk bracht haar aandacht stevig terug in het heden. Haar buurman, die zich naar zijn tas had gebogen, kwam weer overeind en klemde haar regenjas op de bank. Ze deed haar ogen dicht, telde tot tien, deed ze weer open en zei met een stem die kristalhelder klonk: 'Pardon, maar kunt u misschien iets opschuiven? U zit op mijn jas.'

'O. Sorry.'

Een ader in haar slaap ging op en neer. Ze zei: 'Het geeft niet,' en glimlachte verwoed naar het boek.

Hij schraapte zijn keel en veegde energiek iets van zijn broekspijp terwijl zij verderging met Worthing. Even bleef het stil. Toen zei hij: 'Waar bent u ingestapt?'

Ze ademde in, deed een oordopje uit en wendde zich naar hem met een onschuldig verraste gezichtsuitdrukking.

'Ik vroeg waar u was ingestapt.'

Ze knipperde verschillende keren met haar ogen en zei toen monter: 'Londen.' '

'O ja?'

Wat daar in hemelsnaam over te zeggen viel wist ze niet, maar hij leek te verwachten dat ze iets zou bedenken. Ze zei: 'Daar woon ik.'

'Ik heb een oom die in Shoreditch woont.'

'Ja.'

'Als kind ging ik daar altijd op bezoek. Waar zit u?'

Na een ogenblik waarin geen alternatief zich aandiende zei ze: 'Bloomsbury.'

'O, niet gek. Bent u lerares of zo?'

'Ja.'

'Dacht ik al. Zo ziet u er ook uit. Moet u ver?'

'Nee.'

'Voor uw plezier of voor uw werk?' Hij glimlachte al te enthousiast.

Een spier in haar slaap spande zich. 'Werk.'

'Toch altijd beter dan thuisblijven, niet?'

Zijn toon was lollig, maar zijn ogen waren vochtig. Ze kreeg geen hoogte van hem. 'Zeg dat wel.'

Ze hoorde hem slikken. 'Ik heb zelf ook een karweitje, ja.' Hij lachte zonder overtuiging. 'Het leven is raar, hè? De grote dingen zie je niet aankomen, ineens is het pats boem.'

Ze liet het boek zakken en keek recht voor zich uit. Op hogere toon dan ze wilde zei ze: 'Zou u alstublieft kunnen ophouden met praten? Ik heb namelijk een hoop werk te doen. Ik moet dit boek uitlezen. Ik wil niet onbeleefd zijn, maar...'

'Nee. Tuurlijk. Sorry. Ik wist niet dat het' – weer dat vreemde snakken naar adem – 'belangrijk was.'

'Dank u wel.'

'Sorry.'

'Het geeft niet.'

'Ik wou u niet storen...'

'Het maakt niet uit.'

'Ik zeg niks meer.'

O, god. Ze pakte Worthing weer en begon in een koorts-achtig tempo te lezen. Zijn been duwde tegen het hare; hij krabde aan zijn hoofd; zijn hand zakte in zijn schoot, trok zijn broek op, zakte weer in zijn schoot. O, dit is ondraag-lijk, dacht ze. Wat mankeert hem? Ze wilde net opstaan en opstappen, want ze zat nog liever op een klapstoeltje bij de toiletten, toen ze verstijfde. Hij zocht in zijn zak, haalde zijn neus op, veegde zijn gezicht af.

Professor Stone ademde snel en oppervlakkig. Ze zat kaarsrecht, met de blik strak op de zitplaats tegenover zich gericht. De man zei met schorre stem: 'Hebt u toevallig een zakdoekje? Ik wil zo niet opstaan...' Ze had nooit zakdoekjes bij zich. Ze scharrelde in haar handtas en gaf hem haar batis-ten zakdoek.

'Bedankt.' Zijn hand omklemde de hare. Hij was klam.

Ze knipperde met haar ogen en leunde achterover.

Hij vouwde de zakdoek weer op en gaf hem terug.

'Nee,' zei ze ademloos. 'Hou hem maar.'

Hij zuchtte en ze voelde zijn lichaam verslappen. Zijn neus maakte een piepend geluid toen hij die afveegde. 'M'n moeder,' zei hij. 'Is net overleden. Kanker.' Huiverend zucht-te hij. 'Af en toe krijg ik dit. Ik probeer het tegen te houden, met mensen te praten en zo...'

Het volgende halfuur bleef hij zijn neus ophalen en zijn gezicht afvegen, maar uiteindelijk werd hij stil en richtte zijn aandacht op het uitzicht door het raam.

Professor Stone en haar medereiziger spraken niet meer met elkaar. Toen hij uitstapte groette hij niet en ze keek hem ook niet na. Ze bleef het restant van de reis roerloos zitten en keek recht vooruit, Christopher Worthing in haar schoot, haar gezicht heel bleek, haar ogen heel helder.

BOEKENSTAD

Een meisje met lange armen en benen, een grote bril en haar met de kleur van nieuwe kastanjes staat op de plavuizen van een overloop en kijkt uit een diepliggend raam. Klokken luiden, verweerd, archaïsch, ijzig, dissonant; tuimelen over elkaar heen en onder elkaar door. Het geluid komt uit het niets en verdwijnt dan weer en het uur blijft, ook al is het onzichtbaar, net als het geluid. Ze heeft de klokken nog niet gezien. Misschien moet ze omhoogkijken. Misschien ziet ze die dan in een van de torens, boven in een spits. Maar ze heeft het liever zo: ze kan het misschien niet aan om het uurwerk te horen én te zien.

De bibliotheek waarin ze staat is net als de stad zelf van tijd doortrokken. Hier is tijd gedistilleerd, gefilterd als spiritualiën, en de stad is door die omzetting zuiverder geworden. Als je in de schaduw van de muren loopt, uit portalen het licht in stapt, vanaf daken borstweringen beziet die hier en daar nog altijd de littekens van pijlen en geschutvuur vertonen, blijken van het eeuwige slijten, de slopende maar kalmerende tol die de elementen eisen – dan zou je kunnen geloven dat de driften van de geschiedenis tot rust zijn gebracht door het geraas van regen en wind, door de hitte van de zonnegloed; en als je uitkijkt door ramen waar licht de taferelen uit de Oudheid in veelkleurig glas doet opleven, zou je kunnen geloven dat de essentie er is uitgelicht en veilig bewaard gebleven.

De stad begon met deze bibliotheek, zegt men. Er kwam een wijze met een verzameling perkamentrollen naar de riviervlakte. In de loop der tijd ontstond er een nederzetting om hem heen en verrees er een gebouw om de rollen te herbergen. De wijze leefde bijna tweeduizend jaar geleden. Dat betekent dat de stad zijn oorsprong heeft in dezelfde tijd als Christus. Het is wel toepasselijk dat het Woord en woorden samen zijn begonnen, de naam die niet uitgesproken mag worden en het aanvangsmoment van een discussie over woorden die tot op de dag van vandaag voortduurt. Het begin van Tijd ook; van Christus, die zijn naam aan het christelijk tijdperk gaf, en de aanvang van een heel ander soort tijd – een nieuw stelsel. Zou de eeuwigheid zelf wel betekenis hebben als ze niet gezien kon worden in het licht van de mens die in de geschiedenis verstrikt zit? vraagt ze zich af. Al studerend ontdekt ze dat pogingen om enig zicht op de geschiedenis te krijgen meestal tot mislukken gedoemd zijn. Daarom is Kunst nodig, heeft ze besloten, om het tijdelijke te ontstijgen – om het mogelijk te maken dat de waarheid wordt gesproken, ook al is het indirect. De moeilijke taak die ze elke week heeft is die waarheid (de waarheid van de Kunst) weer in woorden om te zetten (dat verwachten haar docenten in elk geval), al is dat onmogelijk: de terugkeer in het element waarin woorden zich bewegen verwringt de waarheid, waardoor die onleesbaar wordt.

Maar deze bibliotheek is niet bang voor de Tijd; ze zwelgt in haar oudheid, pronkt ermee als met een bontjas, staat ondoorgrondelijk onder afbrokkelende kantelen en gebarsten torentjes. Er zijn hier vloeren die de tijd heeft kromgetrokken en muren die de tijd heeft verweerd en plafonds die de beitel van de tijd heeft bewerkt. Er zijn hier boeken die te oud zijn om in te kijken en boeken die te groot zijn om naar beneden te tillen en boeken die zo kostbaar zijn dat ze met een ketting aan de plank vastzitten, een hangslot aan het omslag. Er is hier in het midden een plein met een bronzen standbeeld van de grondlegger, wiens gezicht dof glanst wanneer wolken als geesten door zijn ronde voorhoofd trekken, en onder vensters zo smal als pijlpunten een besloten tuin met bibberende espen. Ze gaat hier elke dag heen, komt om negen uur 's morgens en blijft tot tien uur 's avonds. Ze laat haar kaart zien, er gaat een houten hekje open, ze draait het donkere trappenhuis in en loopt de krakende treden op. Ze blijft op deze overloop tussen de vijfde en zesde trap staan omdat ze hier door het raam de hele stad kan zien, en als ze heel goed kijkt bij de rivier het college van de professor in de poëzie. Ze is er wel eens heen gelopen, door de boomgaard, en heeft bij een afgesloten hek voor een rozentuin gestaan. Het uitzicht dat ze daar op zijn raam heeft is zo vertrouwd geworden dat het voelt of het van haar is. Ze heeft zich zo vaak voorgesteld dat ze hem zou ontmoeten dat het idee zijn werkelijkheid heeft verloren en is vervaagd, zoals het college nu achter regenwolken verdwijnt. Ze heeft het gedicht dat hij haar heeft gestuurd gelezen tot ook dat lijkt te vervagen, als een geur. Ze dacht dat ze het nog kende, maar elke keer dat ze het hoort begrijpt ze er minder van. Ze hoopt dat de gedichten die ze volgend jaar voor hem moeten lezen haar niet zo in het duister laten tasten. Tenslotte verwacht hij dat ze hem zal imponeren. Hij heeft gezegd dat haar werk anders was. Hij heeft gezegd dat er veel meer in haar zat dan je op het eerste gezicht zou denken. Nog veel meer heeft hij gezegd. Dat heeft nog nooit iemand tegen haar gezegd. Ze rent de laatste trap op en duwt de weerbarstige terugveerdeur open. Het vertrek dat ze betreedt heeft grote vensters met vele ruiten, witte boekenkasten langs de muren, bruine schrijftafeltjes met hoge tussenschotten en een parketvloer. Het strekt zich uit over de volle lengte van het gebouw. Als je in de hoek komt, loopt het weer helemaal door tot de volgende hoek, en daar loopt het weer helemaal door. Dat betekent dat je bij het raam naar hetzelfde vertrek aan de overkant kijkt, dat het vertrek de hele verdieping beslaat; een naslagwereld dobberend op gedachtestromen. Je kunt naar drie kanten het vertrek door kijken, maar de vierde biedt slechts duisternis achter de ruiten. Ze weet niet wat zich in dat vertrek bevindt: het is dichtbij en ver weg, zoals de donkere zijde van de maan, de binnenkant van een ooglid.

De bibliotheek, met name dit vertrek, doet haar denken aan een schip, een reeks van dekken en borstweringen. Dromerig door het schrapen van de maanklok kun je naar de wolken kijken en lijkt het gebouw te varen, de ramen die van een galjoen met daarachter een touwwerk van daken en masten. Ze heeft er nu vriendschap mee gesloten, voelt een edelmoedigheid jegens de tekortkomingen en eigenaardigheden, de geuren, stemmingen, dwaasheid en treurigheid van het gebouw die ze niet jegens mensen voelt. Er zijn in deze bibliotheek net zoveel stemmingen als er vertrekken zijn, en vertrekken bestaan hier als cellen in een lichaam, kleine holtes, ijver en omzetting, schepping en transport, en tussen allemaal loopt als slagaders een ingewikkeld netwerk van gangen, katrollen en liften. Je hebt Sir Godfrey's, met don-

kere plafonds en de geur van potlood en warm hout, doorstoken met naalden van licht die vallen door smalle ramen
aan de overkant van de vloer van een gewelfde tunnel met
smalle erkers die door het proscenium naar een binnenste
heiligdom leidt – een heilige der heiligen – een zaal met trappen, balkons en ladders die laag na laag van nog meer boeken
blootleggen; een tovenaarstoren, een grot van Aladdin, waar
gekleurd licht van ruiten met edelstenen op bladzijden valt
die niet met blote handen mogen worden aangeraakt maar
toch poriën hebben en gekreukeld zijn en naar huid ruiken;
op brieven geschreven door mannen die al zo lang dood zijn
dat hun taal obscuur en vreemd klinkt, maar de brieven zelf
zijn verlucht en glinsteren van het leven alsof de inkt nog
niet droog is.

Er is een rond gebouw van zandsteen – één enkel vertrek,
en erboven nog één – onder een blauwe koepel, waar op win-
terochtenden het zonlicht in gouden plakken op glanzend
notenhout valt en 's avonds elk schrijftafeltje een honingraat
is waaromheen melkwegstelsels draaien en samensmelten;
waar, als je bij een tralieraam zit en naar buiten kijkt, de
lampen net lichtbolletjes in diep water lijken die van onpeilbare hoogte aan kettingen hangen. Je hebt de Eolische
zaal, omringd door de winden, met zijn gouden klapdeuren,
marmeren zuilen en rode tapijt, uitzicht op witte stadshotels
en langsrijdend verkeer. De faculteit, met haar bleekblonde
boekenkasten, moderne vloer en lage, met verdwaald zonlicht beklede plafonds. En dan is er de koude betonnen ondergrondse wereld van leidingen, steegjes en rollende boekenkasten die de ingewanden van dit gezaghebbende corpus
vormen.

In het souterrain komt ze alleen als het moet. Ze wil het
binnenwerk van dit organisme niet zien, want in tegenstel-

ling tot een echt lichaam is het in het inwendige van deze megaliet stil, op het zoemen van het tl-licht na. Wie weet welke geluiden er in zo'n leegte uit jezelf kunnen komen.

Deze ochtend is de Upper Room vol gebogen hoofden, geritsel, geschuifel, gekuch. Het licht is hel en schel omdat achter de ramen de dag grijs is. Op mooie dagen is het een ander verhaal, dan slaat de zon elke schrijftafel met zijschotten als een vat aan, dan zijn stoelen uiterst koel onder blote armen en benen, zweven stofdeeltjes in stromen door open ramen.

Ze loopt een gangpad door met aan de ene kant boekenkasten en aan de andere geschuurde vurenhouten schrijftafeltjes. Aan het eind gaat ze naar links een vak in waar ze de boeken pakt die ze gisteren heeft opgevraagd en ziet met tevredenheid dat de roze strookjes nog op hun plaats zitten. Het is buitengewoon geruststellend om elke morgen door deze strakgeklemde strookjes te worden begroet; en een ramp om te ontdekken dat ermee geschoven is, want het zijn haar bakens in een zee van bladzijden, golfbrekers tegen het constante bladeren van de tijd. Ze loopt naar haar plek onder de rij zonnetjes, aan beide zijden omzoomd door toeziende grootheden, verbleekte hoofden, antieke bladeren, gebarsten hoornen des overvloeds, oprollend perkament – want hier wonen ook de goden: meesters, dichters, wijsgeren, stuk voor stuk grondleggers die hier eerder hebben gestudeerd en wier werken nu deze planken vullen. De ogen van de goden volgen haar. 'Wat denk je van deze?' mompelen ze. 'Zal zij iets te zeggen hebben?' Ze strijken over hun grijze kin. 'De mogelijkheid is aanwezig,' zeggen ze, 'maar de twijfel ook.'

Ze begint te lezen zodra ze gaat zitten, duimen in oren, handen als oogkleppen tegen de wereld. Ze wordt er voortdurend aan herinnerd dat ze geen moment mag verspillen, want behalve een boekenstad is dit ook een klokkenstad. Om de uren dat ze werkt zo efficiënt mogelijk te maken besteedt ze drie uur per week aan ontspanning. Ze heeft van zondag haar rustdag gemaakt, niet uit conventie maar omdat de bibliotheek dan dicht is, heeft de hand gelegd op een gids en bezoekt ieder weekend een andere bezienswaardigheid. Vorig weekend heeft ze een klok gezien die elk uur hardop zegt hoe laat het is. Deze week gaat ze naar een drukpers die volgens de overlevering door 'zwarte kunst' bezeten is en willekeurig spookletters invoegt. Er is een in 1776 gedrukt boek waarin op 21 plaatsen een spookletter voorkomt. Niemand weet hoe dat komt.

Het sightseeën doet ze op zondagmorgen. Zondagsmiddags gaat ze naar de supermarkt. Zondagavond leest ze voor de colleges van maandag en doet de was in de wasbak in haar garderobe. Daarna doet ze zich boven een opengeslagen boek te goed aan sardientjes uit blik, geroosterd brood en vruchtencake. De rest van de week leeft ze op besmeerde boterhammen en thee. Ze is nog nooit zo gelukkig geweest. Nee, niet gelukkig: doelgericht. Ze barst van de wilskracht. Haar doel is simpel maar moeilijk te bereiken: ze wil aan het eind van het jaar de hoogste tentamencijfers van de universiteit halen zodat Edward Hunt ervan hoort. Ze weet dat ze om ook maar enige kans te maken het gewone leven met zijn afleidingen moet afzweren – niet dat ze trouwens ooit heeft geweten hoe ze zich op dat terrein moet gedragen, maar tijd is zo makkelijk verspild, waar dan ook: met tweedehandsboeken lezen op de overdekte markt, tussen de wortels van bomen op de oever van de rivier zitten, medestudenten gadeslaan door de kier in haar gordijnen; dus zes dagen per week is de wereld teruggebracht tot deze zaal, waar mensen lezen, in slaap vallen, verliefd worden, vrienden maken, vijanden maken, paniekaanvallen krijgen, ineens iets doorzien, zelfmoord overwegen en de ontdekking van hun leven doen. Dus is haar bestaan een aaneenschakeling van minieme menselijke uitwisselingen, de geringe bewegingen van armen en benen en hoofden, ademt ze stromen als weerfronten, stroken van warmte en licht en elektriciteit, en tot nu toe is dat genoeg. Zij is degene die de hele dag blijft, zij en nog een paar onverzettelijke zoekers. Een voor een vertrekken de stervelingen. Ze heeft ze gezien, deze andere reizigers op de lange middagen, rechtop of met het hoofd in de handpalm geleund. Hun ogen komen niet lang boven water; de druk trekt ze weer onder.

Ze heeft nu bijna leren houden van dit gevecht tussen klok en bladzijde, de eeuwige beweging van de een, de voortdurende consumptie van de ander, maar als de fasen van de klok te zwaar worden, als woorden stroperig worden, gaat ze naar buiten en loopt door de stad, staart naar verwrongen stenen gezichten, de ijle zwarte hoogte van kathedralen. Ze is verliefd op deze straten, met de gevlekte weerschijn van kasseien, het afbrokkelende steen dat net uit de schaduw steekt en in het zonlicht wordt omgetoverd. Als de klokken weer luiden, gaat ze terug.

Soms krijgt ze een gevoel van ontmoedigende eenzaamheid als iemand die de hele dag naast haar heeft gezeten weggaat of als ze, wanneer ze zich heeft ingebeeld dat ze binnen iemands blikveld aan het werk is geweest, opkijkt en ziet dat diegene niet op haar let of dat het iets gevoelloos is: een stoel, een jas, een tas. Dan keert ze terug naar het gezelschap van boeken, want dat is een vorm van gezelschap, alleen moet je het willen vinden, en je kunt niet dat gezelschap ervaren en tegelijkertijd beseffen dat je het ervaart. Je kunt alleen beseffen dat het weg is.

Als het werkt, voelt ze een nabijheid, een stem uit een aangrenzend vertrek. Dan ontmoet ze iemand, maar ze weet niet waar, iemand praat maar ze weet niet wie – en die gesprekspartner kan het contact zomaar verbreken, want lezen is een onbevredigbaar verlangen, één met oudere verlangens die niet in woorden uit te drukken zijn. Het verlangen wordt één met de eenzaamheid en samen gaan ze over in iets nieuws. Ze beweegt zich voort in een stroom, een doorzichtig visje vol verwondering, haar eenzaamheid juist door de concentratie omgezet in iets zeldzaams. Iets aan de rand van andere dingen. Een palmboom misschien, aan de rand van de geest.

Van tijd tot tijd betwijfelt ze of het haar echt zal lukken om Edward Hunt te imponeren. Op dit moment bijvoorbeeld zit ze een Oudengels gedicht te vertalen. Ze is al een halfuur bezig met een regel van acht woorden. Tot nog toe heeft ze voor geen enkele vertaling het hoogste cijfer gekregen van het Chinese mannetje, dat verbaasd leek om haar tussen de uitverkorenen te zien. De andere docenten zijn heel tevreden over haar, maar ze kan nog steeds geen goed betoog opbouwen. Ze weet inmiddels dat schrijven een praktische kunst zonder franje is, niet met zwierige pennenstreken naar de eindstreep maar een taak die lange uren en opgestroopte mouwen vergt; dat voor de verheldering, als die al komt, uren van voorbereiding liggen, speurwerk met een fijne kam, eindeloos lospeuteren en voorzichtig uit elkaar halen. Bovendien zijn de materialen die ze moet gebruiken eenvoudig en ruw, want de tijd heeft geen andere manier van lezen uitgevonden dan het oog, of van scanderen dan met potlood en papier, of geen betere manier om de muziek van woorden te beoordelen dan ze op gedempte toon te lezen.

Ze heeft over een schildering van de muziek der sferen

gehoord in een kerk aan de overkant van het plein. Die is gemaakt door een Italiaan, Guardi. Ze wil die zien omdat ze niet tegen muziek kan. Dat is haar geheim. Ze heeft over een zeldzame aandoening gelezen waardoor mensen fysiek geen muziek kunnen verdragen; bij haar is het niet zo extreem, maar het is onbehaaglijk genoeg om een winkel uit te lopen of de weg over te steken als dat kan. Ze wil de schildering zien om erachter te komen of ze dezelfde angst voelt bij een visuele weergave van muziek. En omdat ze niet gelooft dat zoiets kan: het lijkt haar onmogelijk om geluid zichtbaar te maken, net zomin als je het gezicht van God kunt afbeelden en dus misschien wel hetzelfde als wat ze zelf elke dag probeert: onder woorden brengen wat niet uit te drukken is, wat voor haar neus oplost als ze het heeft verwoord. En er is een derde reden dat ze de schildering wil zien: ze hoopt op een remedie. Als ze geen gevoel voor muziek heeft, is ze misschien gevoelloos en zal ze nooit gevoelig kunnen zijn voor poëzie, wat tenslotte verbale muziek is. Door een visualisatie van datgene waar ze bang voor is, door het in een andere uitingsvorm te zien, overwint ze haar angst misschien.

Ze gaat op een zondag naar de kerk, maar de schildering wordt gerestaureerd. Dat zal een paar jaar duren, krijgt ze desgevraagd te horen. Als ze haar ogen naar het plafond opslaat, ziet ze alleen maar witte doeken.

De dagen worden donkerder; opgekamde wolken omzomen de hemel die leeg is van de kou. Ze is deze herfst tot leven gebracht, onrustig gemaakt door de geurige koelte van roodbruine middagen, de paradoxale vernieuwing in de glinsterende ochtenden van de najaarswereld. Zo'n onlust had ze nog nooit gevoeld, of het was zo lang geleden dat ze het niet meer wist. Ze weet niet of het goed of slecht is. Ze weet niet hoe het zal aflopen. Ze weet alleen dat er momenten zijn geweest: om middernacht alleen op haar kamer, een avond in de Upper Room toen de fluorescentie onwerkelijk was, een ochtend in de Round Room toen vorst en vuur het plein wit maakten; een avond toen in de weerspiegelende ramen fietsen langs leeslampen zweefden en voorbijgangers door brede lanen van boekenplanken onder kanteelbogen van vurenhout en teakhout, terwijl lezers in een onderwaterdroom op een boekencarrousel ronddraaiden; een moment dat ze een trap naar het plein af rende en de klokken het hele uur sloegen en de treden naar achteren, naar boven werden getrokken, als een kleed onder haar vandaan gerukt, weggevangen, en opstegen; momenten die hoogst enerverend zijn, het ene na het andere. In de donkerste nacht, bij zon, bij wind – op dagen dat de stad raast als de zee, en dagen dat er een sluier van mist overheen ligt. Momenten waarin ze zeker weet dat ze iets heeft aangeraakt. Dat er iets omhoogkwam en ze het normale ritme der dingen uit stapte en de torens met hun spitsen in de wolken, de prachtige paleizen, de plechtige tempels werkelijk dreigden op te lossen, weg te dooien en in dauw te veranderen, terwijl woorden de gelederen verbraken, de lucht in bonkende massa's aanvielen, beloofden haar voorbij henzelf te brengen, naar de donkere streken aan de rand van de wereld, en misschien wel eroverheen.

Dus ze staat op en gaat weer zitten, zet haar bril af en weer op; bijt op haar nagels, draait aan haar haren; wiebelt, schrijft, leest; terwijl woorden haar aan de mouw trekken, haar ontduiken, alle kanten op rennen, haar ogen en haar vingers en haar tong overstromen; doet dingen van belang en van geen enkel belang teneinde terug te komen in deze zaal aan deze schrijftafel in deze stoel en de kunst weer onder de knie te krijgen van het naar tevredenheid zeggen wat niet gezegd kan worden.

Zodat wanneer ze elkaar ontmoeten, zij en de ongrijpbare professor in de poëzie, op een middag in de altijd aanwezige toekomst, misschien wel een middag zoals deze, hij zal zien dat hij niet voor niets heeft gewacht en dat zijn gevoel klopte.

OP HUID GESCHREVEN

Juist. Ze zouden elkaar dus niet ontmoeten. Het was waarschijnlijk maar goed ook, want alles, hoe klein ook, zou haar afleiden van het werk waarvoor ze kwam. Professor Stone stak haar kin omhoog als een generaal die zijn troepen inspecteert en niets op hen aan te merken heeft.

Ze stond voor een venster dat uitkeek op rivierweiden. De vensterbank onder haar was wit, net als de schuiframen, het glas was van het oude soort met oneffenheden. Het gebouw was van steen, warm van de zon, pokdalig van de regen, brokkelig van de wind en bedekt met klimop. Onder het raam klampte een verscheidenheid aan rozen zich aan donker hekwerk vast en daarachter speelden jonge mannen cricket in de middagzon. Verderop verhief zich een rij populieren, een glinsterende colonne op weg naar een rivier. Het uitzicht deed haar denken aan dat uit een ander raam. Datzelfde gevoel was er van sombere hemel en dode zee en eindeloze open ruimten, al was er niet één ding in het bijzonder waarvan ze kon zeggen: het komt hierdoor of het ligt daaraan, alleen het algemene gevoel van de aanblik dat overeenkwam met dat eerdere. Ze deed het raam nu open en de golfslag van de middag kwam naar binnen en ook dat voelde bekend.

Het was meer dan dertig jaar geleden dat ze door deze straten had gelopen. Toen ze die middag in de hoofdstraat haar spiegelbeeld in etalageruiten zag, had ze zich afgevraagd of ze al die jaren geleden op precies dezelfde plek had gestaan, zich verwonderend over de onveranderlijkheid van glas en steen vergeleken met de metamorfose van vlees en bloed; al die vingerafdrukken, voetstappen, moleculen die aan glas en beton en steen werden nagelaten. Ze benijdde voorwerpen hun gebrek aan gevoel, was deze middag graag ondoordringbaar geweest, want zelfs de zachte windvlagen in de paardenkastanjes beroerden haar maag en deden haar huiveren ook al was het een warme dag, en ze voelde een pijn in haar borst waar ze niet van afkwam en die haar, moment voor moment, het heden weer in trok.

Ze liep weg bij het raam, hing haar regenjas op en ritste de reistas open. Het was vreemd, dacht ze: ze had niets gevoeld toen de taxi door het vlakke land reed, alleen hoe natuurlijk het was om terug te zijn, alsof ze alleen maar even weg was geweest. Ze vond wel dat het groener, kleiner, donkerder was dan in haar herinnering, de hoofdstraat schreeuweriger. Ze moest nu lachen om hoe indrukwekkend de stad had geleken – deze muren hadden niets wat op goud leek – en de torenspitsen leken zich eerder te vervelen dan te dromen. De enige constante factor waren de daklozen, nog altijd overal aanwezig, nog altijd apathisch, zwijgend berustend in hun lot. Ze had niets gevoeld. Misschien was het leven wel zo: de dingen waarvan we verwachtten dat ze veel zouden betekenden, hadden geen enkele betekenis en de kleine dingen overrompelden ons. Het was een behoorlijke troost. En toen hoorde ze de klokken.

Ze zei tegen de chauffeur: 'Hier, graag', al was het te vroeg, en toen liep ze, rende een beetje, door straten die toebehoorden aan voeten en fietsen en de geur van maaltijden uit collegekeukens, langs gazons en tuinen en muren en poorten, onder torenspitsen die meereisden met wolken die zweefden door een hemel van wit en goud, glanzend als een porseleinen kopje, terwijl om haar heen een hemelse kakofonie van noten losbarstte naarmate meer klokken het hele uur luidden. Zodat ze, toen ze in dit kamertje met het schuine plafond, het namaakhouten meubilair en de knobbelige muren kwam (binnen was het college niet zo welvarend), uitgewaaid was, alsof ze de hele dag aan zee was geweest en de wind en de hemel haar leeg hadden gemaakt; leeg, en dan deze pijn. Hij had gezegd dat de essays die bij haar aanvraag zaten waren geschreven door iemand met een dunne huid, bedacht ze toen ze haar kleren ophing – maar je kon beter niet zo'n dunne huid hebben, vooral als je geen middel had om uitdrukking te geven aan de gevoelens die je ervoer; de zin van voelen was toch dat je betekenis kon afleiden uit de ervaringsstroom? Toen weerklonken de klokken weer, en zeiden zoals altijd alles moeiteloos.

Misschien kwamen haar onlustgevoelens wel gewoon door vermoeidheid, dacht ze terwijl ze haar laptop op het bureau legde; was ze domweg moe geworden door de onderbreking van haar normale leven. Maar ze herinnerde zich dat ze als negentienjarige ditzelfde verschuiven had gevoeld, en tegen de avond de beginnende kilte. Misschien hoorde het gevoel dan alleen bij deze stad, de stad waar ze heen was gekomen om 'het heelal tot een bal te knijpen' en die 'naar een verpletterende vraag te rollen'. Nou, ze had de bal drie jaar lang gerold en hij was met de dag groter geworden. Toen waren de bal en zij gestopt, op de rand blijven wankelen, omgekieperd en akelig plotseling bergafwaarts gegaan. Het was allemaal geëindigd met een marmeren trap naar een zaal waar een enorme klok de onverbiddelijke tijd aangaf en de inhoud van alle boeken en alle essays en alle gedachten van drie hele jaren in twee weken uitgestort moest worden in schriften met ruim lijntjespapier. Ze had het allemaal uitgestort – was zichzelf een tijdje niet geweest – maar ze wist zelfs nu nog niet of ze de verpletterende vraag had beantwoord. Het was weer die tijd van het jaar; ze had vanavond glittertjes en borduurzijde op de kasseien voor de ingang van het college zien liggen.

Professor Stone vulde de waterkoker bij de wastafel in de badkamer. Een dunne huid, had hij gezegd, maar vanmiddag had het gevoeld alsof ze helemaal geen huid had en had ze zich afgevraagd of dat spookachtige van haar of van de stad was. Knaagde de stad daarom aan haar huid? Om zich met haar te bekleden? Zij en de stad leken in dat opzicht op elkaar, kenden alleen elkaar, alleen het passeren van bussen in het violet en okergeel van de nacht, alleen inkt boven de rivier na het ondergaan van de zon, blind wuiven van populieren in het donker, glinsteren van lampen aan eettafels, gerinkel van zwaar bestek en geroezemoes van tafelgesprekken, de aanhoudende herrie uit ventilatiegaten, wellustige blikken van waterspuwers in feloranje straatverlichting, gekleurde beelden die als plaatjes uit een toverlantaarn op bureaus lagen en op stoelen in vertrekken waar de uitverkorenen woorden van de geest kregen opgediend, waar vlammentongen hoofden verlichtten die met diepe teugen uit de kelk dronken, een zwijgend genootschap dat uitkeek op een blauw middernachtelijk land. Zij en de stad kenden alleen wind op kantelen, klokgelui in de schemer, het razen van de avond, de eindeloze leegheid van donkere kamers onder overhangende dakranden.

Ze drukte het theezakje tegen de rand van de beker. Dat spookachtige kon natuurlijk ook niets te maken hebben met dat ze terug was, maar toe te schrijven zijn aan wat ze in de trein had meegemaakt. Ze had het niet verwacht; zo was het leven, het Worthing-pantser niet altijd dik genoeg. Maar het uitzicht, vond ze, terwijl ze terugliep naar het raam, leek echt heel veel op het uitzicht uit dat andere huis, de kamer ook, zoals het licht er binnenviel. Misschien was dat dan wel de reden van deze ijlheid, deze pijn. Want het huis aan zee was ook een boekenplek geweest – en wat waren boeken anders dan geesten, intimiteit bij volmacht met dingen die allang dood waren of nooit hadden bestaan, benaderingen van aanwezigheid die tijd en ruimte overstaken?

'Neem een boek mee,' had haar moeder gezegd.

De moeder van Elizabeth speelde niet, maakte geen vlechten in haar haar, knuffelde niet en gaf geen kusjes. Ze zei: 'Neem een boek mee.'

In den beginne was de stem. Men is het erover eens dat geluid de prikkel is die het sterkst op het gemoed werkt; had dat te maken met het feit dat op een bepaald niveau alles in wezen trilling is en geluid, dat pure trilling is, volgens één definitie de manifestatie van de materie zelf? Ze wist het niet, maar de stem van haar moeder was apart, mooi apart: laag, melodieus, hees. Haar woorden trokken door de gevoelige haarzakjes, de holten waarin de hartslag klopte. Als haar moeder voorlas, zag Elizabeth de paleizen van de engelen in de herculische hoogten achter het raam.

De stem van haar moeder was hemels, maar haar handen waren aards: rood en vlekkerig, vingers gezwollen, handen die net dampend uit een bak warm afwaswater leken te zijn gehaald. Handen; zoals die van andere mensen, en heel anders dan die van andere mensen. De handen werden verzorgd met glycerine en rozenwater, er stond een fles op haar moeders toilettafel en de geur vond zijn weg naar de bladzijden en nestelde zich daar, waterig en storend. De handen hielden die van het kind niet vast, ze hielden de bladzijden vast alsof die leefden, raakten het papier amper aan. Maar doordat de armen het boek vasthielden gingen ze ook rond het kind, en als ze achteruitleunde voelde ze de borst van haar moeder op en neer gaan, rook ze haar haren en als ze haar hoofd omdraaide hoorde ze de vochtige spelonken van haar hart.

De boeken kraakten bij het openslaan, er kwamen zachte schimmelpluimpjes en scherpe vleugjes mufheid uit, de muskuslucht van rook, geurigheid van huid, van dingen die zich hebben gevestigd, eigenlijk elders heen hadden gemoeten maar hier zijn gebleven. De bladzijden waren donzig en vlekkerig; soms hadden ze gaatjes als kant die deden denken aan de belletjes die de zee achterliet als hij zich terugtrok, soms waren ze volgekrabbeld als het zand bij hoog water, en soms gerimpeld als de baai die zo lang met het water heeft gelegen dat hij erop is gaan lijken, zoals geliefden na een gedeeld leven op elkaar gaan lijken.

In den beginne was de stem, en de stem zweefde boven het aanzicht van de watervloed, en het water sluierde en ontsluierde zich, en het aanzicht van haar moeder was ook verhuld; ze kon het zich niet herinneren. Ze herinnerde zich de broosheid van haar gevlekte handen, de tengere knokkels, de melkwitte halvemaantjes. Ze herinnerde zich haar haar, krachtig en kronkelend, verwilderd en riekend. Ze herinnerde zich de lange lijnen van haar lichaam geplooid op de versleten canapé of in de vensternis, lijnen die zo dun waren getekend dat ze hier en daar zelfs leken op te houden. Maar haar gezicht was een raadsel.

Elizabeths moeder las hardop, voor haar of voor de lucht, dat bleef altijd onduidelijk, en tijdens het lezen was ze gespannen, als een vlieger aan een koord. Ze zweefde hoog in de lucht. Ze was ontwaakt. Haar lichaam was warm en haar lichaam was licht. Ze hoorde geen mensen langslopen of kinderen of honden of auto's of de wind of de regen of de meeuwen, en op de koudste dag voelde ze overal om zich heen alleen maar warmte, een elektrische lading, en gedurende die tijd gingen er zonnen op of onder, verstreken er maaltijden, luidden er klokken, schuimde of glinsterde of zuchtte of spatte de zee, maar zij zaten stevig op hun rots, onwrikbaar. Dit waren de momenten waar andere dingen zich omheen schaarden, dat het leven uit zijn ritme stapte en even draalde bij de vloedlijn. Ten slotte bezweken ook de woorden en werden die louter een patroon dat zich voordeed binnen iets groters, waarin licht en donker, dag en nacht, delen waren van een dag die langer en gedetailleerder was dan de meeste mensen ooit meemaken.

De vrouw en het kind lazen zittend in een erker met uitzicht op het strand dat zich naar beide zijden kilometers ver uitstrekte. Links kronkelde een weg naar boven langs ommuurde tuinen naar een kerk op een steile rots; rechts liep een pad naar het strand. De vensterbank was wit, net als de schuiframen, het glas was van het oude soort met oneffenheden. Er tochtte zoute lucht doorheen; de ruiten rammelden, soms sputterden ze; en 's zomers stonden ze open voor het geluid van de zee. Het erkerraam omlijstte de baai, arrangeerde die, veranderde die, opende hem elke morgen en sloeg hem elke avond weer dicht. Dan was er niets anders te zien dan de reizende koplampen van een auto, het lichtoog van de vuurtoren of de maanverlichte randen van oprollend water. Het plaatje ging open en dicht, het raam werd licht en donker, maar de boeken, opgepakt en neergelegd, eindigden eigenlijk niet – dat leek alleen maar zo, zoals de zee beneden het zand wiste en daarna weer beschreef; de woorden konden niet doodgaan omdat ze een patroon vormden en dus makkelijk en eindeloos te onthouden waren, beduimeld als een rozenkrans van hoop in de geest van het kind.

'In den beginne was het Woord en het Woord was bij God en het Woord was God': dat lazen ze in een van de boeken, geen dichtbundel, maar op grond van het ritme en het metrum had het dat wel kunnen zijn. Woorden waren een god tot wie de vrouw en het kind hun gebeden richtten; woorden omhulden hen, hielden hen drijvende, vergezelden hen overdag en loodsten hen door de nacht; behoedden hen voor zwijgen en stilte die als zeewater het huis in sijpelden. In het schip van een kerk op de rotsen boven hen was een beeltenis die het Woord heette. Hij was daar een baby in de armen van een vrouw. Het Woord had de aarde gemaakt, zei haar moeder, en alles op de aarde, en toen 'de aarde woest en leeg was ... zweefde het Woord boven het water'. Toen Hij volwassen was, kwam Hij op aarde om de mensen toe te spreken. Hij bracht de zee tot bedaren en liep eroverheen en opende hem zodat er een volksstam doorheen kon. Er had zich een gang van droog land tussen muren van water geopenbaard, muren die onzichtbaar waren als glasplaten. 's Avonds zag het kind in haar verbeelding het Woord over zee lopen op een pad van maanlicht en bad ze dat het Woord haar moeder zou beschermen, tegen het zwijgen en de zee en de stilte in het huis.

Jaren gingen voorbij, bladzijden werden omgeslagen, golven sloegen om. De zee keek toe en wachtte af. Die bezat zijn eigen geheugensteuntjes, ritmes die hij hun bijtijds zou leren, muziek om te orkestreren en rekeningen om te vereffenen. In de boeken die ze lazen stonden verhalen over avonturiers die het ruime sop kozen en al dan niet terugkeerden: Aeneas, Ahab, de Ancient Mariner, Pericles, Sebastian, Viola, Odysseus, en het kind reisde ook, want de boeken waren niet voor haar bedoeld. Er werd geen rekening met leeftijd gehouden, de woorden sponnen een web van louter geluid, waren springplanken, ophaalbruggen, koorden die naar heldere, stralende plekken leidden. Haar lievelingsboek had een rood omslag met een plaatje van een vrouw met lang glanzend haar die op een wit paard zat. Een ridder in een maliënkolder boog zich naar haar toe. De ridder beloofde de jonkvrouw trouw en de jonkvrouw beloofde de ridder oprecht te zijn en de ridder trok naar de donkere streken voorbij de rand van de wereld. Het kind wist niet waar de donkere streken waren maar ze dacht dat het misschien voorbij de grens van de zee was, waar die aan de horizon een beetje boog. Ze zag haar moeder vaak naar die lijn kijken maar als ze dan vroeg waar ze naar keek, kreeg ze geen antwoord. Op heldere dagen had het kind het gevoel dat ze die boog kon aanraken. Maar haar moeder zei dat je die nooit kon bereiken, al voer je eeuwig verder, hij zou altijd ver weg blijven. Dus het was dapper om daarheen te reizen; en dat deed de liefde: die maakte mensen dapper.

Soms leek het of haar moeder naar de donkere streken ging, ook al zaten ze naast elkaar: haar ogen werden dof, ze leek het kind niet te zien of te horen, ze zag iets anders. Haar moeder kon van het ene op het andere moment verdwijnen, dus was elke zin, elke bladzijde, iets geweldigs; haar gezicht kon even plotseling betrekken als het water in de baai troebel kon worden, dus als ze voorlas was het kind muisstil; ook al haalde de zee beneden diep adem en het donker ook en sloot dat zich snel en ruisend om haar heen zodra ze in slaap zakte, tilde haar op.

Toen ze ouder was probeerde ze haar moeder voor te lezen, maar ze las onregelmatig, bedierf de muziek en verstoorde de draad, weefde een kleed van betovering maar haalde dat vaak ook weer uit. Soms keerde haar moeder terug uit de donkere streken en kwam weer naast haar zitten, maar meestal kon ze de spoel niet aan het snorren houden, bleef de draad niet strak. Dan keek het kind toe, naar wat ze had gedaan; niet kon doen. Dan moest de ridder alleen verder en bleef de jonkvrouw achter, met pijn in de borst, en werd de draad bij elke stap strak getrokken.

De professor zette deze gedachten opzij en trok de leunstoel naar het raam. Ze wist nu hoe ze woorden eronder kon krijgen, was eindeloos de strijd met ze aangegaan, had ze koud en onbuigzaam uit droge, stoffige plekken naar boven gehaald; had ze aaneengezet en aan de praat gekregen. In zeven dagen had God de wereld geschapen; welnu, zij had twee keer zo lang om haar meesterwerk te scheppen. Het spookachtige en de pijn herinnerden haar er alleen maar aan dat de tijd verstreek, dat woorden op haar wachtten, dat ze moest beginnen.

Ze strekte haar benen en zette haar bril af. Vlak voordat de slaap haar overmande leek ze de zee weer te horen ruisen. Voorbij de rand van die zee lagen de donkere streken, oneindig dichtbij en toch oneindig ver weg, niet voor haar bedoeld en alleen voor haar bedoeld. Maar om de een of andere reden, omdat de reis nog nooit zo belangrijk was geweest, of de prijs nog nooit zo prachtig, leken ze niet donker meer maar juist vol bijzonder licht.

WAT DE ZEE ZEI

Woorden bleven, soms een leven lang, maar kort voor Elizabeths zevende verjaardag ging haar moeder weg zonder een bericht achter te laten over waar ze heen ging of wanneer ze terugkwam of wat Elizabeth moest doen zolang ze weg was. Het kind verliet het huis aan zee toen en ging bij vreemden wonen, en die mensen bleven vreemden ook toen ze wist hoe ze heetten, en het huis op de rots bleef leeg, al was het bewoond, en haar moeder bleef vermist, al was ze lang geleden weggegaan. Later bedacht ze dat ze had moeten zien aankomen wat er ging gebeuren, omdat stormen dagen voordat ze aan land kwamen al op zee te zien waren; er waren tekenen geweest. Maar de tekenen hoopten zich op en vervlogen weer als de zee woelde en kolkte en daarna, soms aan één stuk door, in vensterglas veranderde.

Het viel niet mee om aan de zee iets te zien omdat alles voortdurend in beweging was. Het was niet duidelijk of iets werkelijk gebeurde of alleen maar leek te gebeuren, omdat alles continu veranderde. Huizen vielen, kliffen brokkelden af, boten, dieren en mensen waren ineens weg. Dingen veranderden maar dingen hielden ook stand: de stenen onder het raam waren eeuwig, de kustlijn was sinds mensenheugenis zo, en de chaos waar de zee en de lucht aan ten prooi vielen werd net zo makkelijk weer omgezet in een streep die even ononderbroken was als de naad van een gesloten oog, want de zee was niets en alles, gelijkmatig en variabel, voortdurende herhaling en constante rust, alle tijd, een ogenblik en helemaal geen tijd; zwart, wit, een stralenbundel die in kringen rondging en een lijn zacht glanzend maanlicht. Ondiep, onpeilbaar, het brullen van een misthoorn en het spatten van nat zand; het tikken van morse, stukjes van stemmen tussen radioruis, knarsen van metaal, trillen van masten, krijsen van meeuwen, luiden van klokken, stank van de branding, geplets tegen rompen, geklots van de deining, woning van zielen in diepere diepten dan slaap, veelvoudig geluid en veel stiltes gevouwen: tussen golven, tussen dagen, tussen regen, tussen hagel.

Zelfs plantendek en elementen zaten in één incestueus geheel tussen de rotsen beneden gevouwen. Er waren dieren die net bloemen leken, en planten die dieren waren, schelpen die zijwaarts schoten, stenen die leefden en ontvlamden als je erop ging staan, ontploften met poederachtige sporenwolken; er waren dieren van modder en dieren die op glazen flesjes leken en wezens die uitsluitend uit etherische fosforescentie leken te bestaan, boordevolle schotels van licht in de duisternis. Verleden en toekomst co-existeerden vriendelijk en vreedzaam in de rotswanden onder het huis en in de zeebodem, die beladen waren met trilobieten, asteriacieten, ammonieten, belemnieten – stammen die voor hun goddeloosheid hadden geboet met uitsterven, maar prachtig waren als fossiel; bedekt met een korst, begraven, ingelegd, overlaagd

– en als je uitkeek over de zee en geneigd was in wanorde in het universum te geloven, knipoogde de toekomst betweterig bij het begin van de wereld en voorspelde het opgaan in kilometer na kilometer ononderbroken water van alles wat zich in hetzelfde element bevond waaruit het was ontstaan.

Het kind keek door het raam naar de zee, liep langs de rand, hoorde het gebrul en ontdekte zo iets wat in een oogwenk ontstond, ontbond en weer ontstond. Verstrikt rakende netten en dreigende buien, een kort salvo en dan een verre klap, een rij brekers die aan het einde omsloegen en de volgende rij begonnen te hechten, iets wat nooit kwam maar wel voortdurend die verwachting wekte, een heldere streler van enkels en tenen, en iets wat boten, hersenen en overtuigingen tegen steen smeet. De stemmingen van de zee hieven elkaar op; de ritmes dreven de spot met hier en daar, nu en dan, eens en altijd. Te zeer van zichzelf bewust om lang één stijl aan te houden, bulderde hij de ene dag en charmeerde hij de volgende, was hij beurtelings anapestisch, dactylisch en allitererend. Zelfs op zijn meest prozaïsch deden de patronen die hij aan de zoom van het land schreef de onaandoenlijke stenen zinnen van de huizen saai lijken. Getergd door hun gebrek aan opmerkelijkheid sleepte hij er wel eens een paar helemaal mee, of liet ze half over de rand van de bladzijde bungelen.

Het kind had zo'n huis met haar moeder gezien; behang stukgereten, latwerk dat kennelijk zijn geordende werk deed, een kinderledikant met de deken er nog in, een klerenkast met één deur half open, kabels en binten bungelend als pezen, balken en trap uitstekende botscherven. 'Wat is er met de mensen gebeurd?' vroeg ze.

'Die zijn weggekomen,' zei haar moeder.

Maar hoe wist haar moeder dat? Hoe wisten die mensen

dat voor het moment dat alles verloren ging? Haar moeder en zij woonden verderop, bij de strandboulevard met zijn hotels en rotstuinen en relingen en auto's, maar in haar dromen zakte de gevel van het huis soms weg en werd ze graaiend naar beddengoed wakker, hangend boven golven die oprezen met opengesperde kaken waar slierten zout speeksel uit dropen. Dus leerde het kind dat de zee nam wat hij wilde en het op zijn tegendraadse manier soms weer teruggaf – vaak juist wat mensen het liefst wilden vergeten. Het werd dagen of weken of jaren later gevonden, gezwollen of verschrompeld, in stukjes of in vrede, bewusteloos of ingeslapen.

De zee was onoverwinnelijk omdat hij zichzelf als enig referentieveld had, en gedwongen was om daar steeds weer van te spreken. Onderwerp, voorwerp, er kon niets definitiefs over gezegd worden – hij was niet eens uitsluitend zichzelf, veranderde een- of tweemaal per jaar in grote kuipen in het binnenland die ten oosten van de stad verschenen en trok zich andere keren zo ver terug dat hij geheel leek te verdwijnen en lange stukken verblindend wad achterliet. Je kon niet één ding over de zee zeggen voordat het iets anders werd; hij was de eeuwigheid en iets wat steeds opnieuw gebeurde; hij was een ogenblik, de eeuwigheid in slaap. 'Nog eens,' zei de zee, alsof er overal tijd was, maar hij zei ook: 'Nu,' alsof er geen tijd was. Hij zei: 'Voorgoed,' maar dat maakte 'voorgoed' overbodig, want betekende dat niet 'altijd'?; betekende dat niet 'steeds opnieuw'? Het kind hoorde de eeuwigheid in de ruimte tussen de dood van de ene golf en de opstanding van de volgende, stilte omringd door geluid, rust beschut in de s-vormige boog van beweging. Uiteindelijk was alles van een verdovende eenheid. Haar oren raakten dicht door de witheid, de eenvormigheid, door een volheid van geluid die het hele spectrum besloeg, het oscilleren van materie dat zo miniem was maar ook zo ontzaglijk dat iedere slingerbeweging slechts gradueel werd, niets en alles, en in alles vrede.

Het leven in het huis op de klip was al even onbestemd. Er waren geen gebeurtenissen, niets waar je een naam of een datum op kon plakken, geen verjaardagen of vrije dagen, werkdagen of schooldagen, dagen die voor het een of het ander gereserveerd waren; zelfs geen dagen van de week. Soms werd zelfs de scheiding tussen dag en nacht willekeurig en werd de tijd niet zozeer door klokken aangegeven als wel door plaats of door stemming of door weer. Er waren mooie dagen dat ze naar het strand gingen, er was de tijd van prachtig licht (het kind wist nooit of dat aan het weer lag of aan de bui van haar moeder) dat ze hoger op de klip in de hei gingen liggen. Als het waaide trokken ze een van de slecht passende jassen aan uit de verzameling die haar moeder aan een rij haken naast de achterdeur had hangen en klommen helemaal naar de top, waar taxusbomen groeiden en druppelende heggen en een aantal graven als molshopen uit het ruige gras staken rond een stenen kerkje, dat op mistige dagen schuilging in zeenevel, en dat zijn klokken luidde voor de doden die over de wateren waren uitgezwermd en niet teruggekomen – 'Voor de frisse lucht,' zei haar moeder, al benam de kracht van de wind je de adem.

Bij regen lazen ze voor het erkerraam of maakten ze dingen van karton en meel en verf of trokken rubberlaarzen aan en renden lachend over de strandboulevard langs de ramen van alle rechtschapen, fatsoenlijke vrouwen, die de lange vrouw en het slordige kind achterdochtig bekeken, met hun wilde haren, hun kleren die ooit misschien goed waren geweest maar nu oud waren. En er was de tijd van grote stilte dat de hemel loodgrijs was en de rotsen standbeelden waren en er zeehonden naar de baai kwamen, gladharig en glanzend, een en al snorharen en zwartogige glinstering, en ze die vanaf de zolder gadesloegen. De eerste keer kon het kind niet geloven dat het dieren waren die ze hoorde, ook al zei haar moeder dat, en dat ze niet in nood verkeerden, ook al klonk dat zo. En het kind moest zichzelf daaraan blijven herinneren als ze naar de kopjes staarde die glansden als zijde, de welvende lijven die menselijk oogden, naar de zilveren spiralen die zich als olie op het water verspreidden, steeds verder, net als haren, en er net zo uitzagen als het haar van haar moeder als die in zee zwom. Bij storm maakten ze in de voorkamer een vuurtje van wrakhout of kolen als ze daar geld voor hadden en luisterden naar de radio terwijl de zee, buitengesloten uit hun idylle, zich op de rotsen stortte. Maar als het stormde kon haar moeder net zo makkelijk besluiten om naar de brekers beneden te gaan met een boek en luidkeels te declameren als een soort mooie Lear; op zonnige dagen had ze wel eens vuur gemaakt en rillend onder een deken gezeten – en op dagen dat het regende rende ze wel eens lachend met haar over het zand. En het regende ook de dag dat ze het lichaam van haar moeder vonden en naar het kerkje op de klip brachten.

Het kind bleef zich maar afvragen wat voor soort dag het zou worden en werd er misselijk van. Maar het was gewoon niet te voorspellen, want binnen en buiten, oorzaak en gevolg, waren niet zo eenvoudig te onderscheiden. Betrok de hemel omdat het gezicht van haar moeder vlak daarvoor was betrokken of zou dat evengoed zijn gebeurd? Fleurde haar moeder op omdat de zon zich weer liet zien in de baai of was ze net zo opgewekt geweest als het had geregend? Was het vreemde kreunen van de wind een voorteken van de stilte die bezit nam van de voorkamer die avond of hadden die twee dingen niets met elkaar te maken? Het bleef onduidelijk of de levensstromen in het huis aan zee werden veroorzaakt door de onophoudelijke dialectiek achter de vensterruit of door een beweging van energie of hitte of vocht die minder makkelijk aanwijsbaar was, misschien in het huis zelf aanwezig was of heen en weer ging tussen haar moeder en haar.

Ze merkte dat ze net zo vaak naar de zee keek als haar moeder. Die was makkelijker in te schatten; ze voelde het wapperen van een sluier, zag de dampige trechter van naderend noodweer, hoorde het krabben van de gravende krab; een meeuw dook omlaag en ging op de vensterbank zitten, keek haar door het raam aan met zijn gele ogen. Het was na afloop nog steeds moeilijk te zeggen wat er was gebeurd toen de storm uiteindelijk kwam. Haar moeder werd stiller, bewoog zich trager; de lucht leek dichter te worden; een terugkerend gevoel was dat ze zich door diep water voortbewoog. Maar geen van deze dingen kon worden gerationaliseerd of besproken. Het zou juister zijn geweest om te zeggen dat haar moeder zich uit de wereld van alledag terugtrok door een proces van niet-zijn, niet-zeggen, niet-doen. De zomer dat haar moeder verdween schreef ze een notitieblokje vol. 'Moeder kleedde zich niet aan,' 'Moeder dronk melk uit de fles', 'Moeder lachte heel lang', 'Moeder zat naar me te kijken toen ik wakker werd', 'Moeder kon haar geroosterde boterham niet opeten', 'Moeder trok mijn trui te hard over mijn hoofd en dat deed pijn aan mijn oor', 'Moeder zei te vaak sorry'. Gebeurde er echt iets of verbeeldde ze zich dat? Deden deze dingen ertoe of niet? Dus zocht ze naar patronen, dus wachtte ze af en keek ze toe. En alle dagen vulden zich met niets in het bijzonder, en alle dagen dat ze wilde dat het bijzondere zich zou tonen – want bliksem was beter dan sloomheid, kolkend water beter dan dood – groeide de wazigheid en stak tentakels uit, verstrikte het een na het ander, tot alles rampspoed leek te voorspellen. Dus gleed ze van de trapleuning af, balanceerde op stoepranden, sprong van stenen af om de verwijtende blik te zien in haar moeders ogen waar ze van hield, om voor even greep op de wazigheid te krijgen.

De zee leerde het kind dat pijn alleen in de tijd plaatsvindt, dat het onmogelijk was om je werkelijk ergens in te verdiepen als je pijn had, maar dat je pijn wel heel duidelijk voelde als je uren leeg waren. Pijn had veel gemeen met de zee. Allebei ebden ze, allebei bleven ze urenlang onopgemerkt en staken dan zo heftig de kop op dat je naar adem hapte, en noch pijn noch de zee was ooit helemaal in rust. Als de stilte te drukkend werd in het huis op de klip, verplaatste het kind zich in haar verbeelding; als de uren duurden, vulde het kind ze met kletsen, met vragen, met boetseerklei, uitvindingen, cadeautjes voor haar moeder, amuletten om haar te beschermen. Als niets meer hielp, haalde ze een boek. Een gedicht verbrijzelde de stilte meestal wel, voerde hen de wildernis door en bracht de ridder veilig terug.

Dit is wat de zee het kind vertelde: dat niets eindigt en niets begint, niets gered kan worden omdat niets verloren gaat, dat elk moment, elke beweging slechts gradueel was, niets en alles was, en in alles vrede. Maar later dacht ze dat de zee had gelogen. Alle momenten waren niet hetzelfde. Sommige gingen verloren. En daar zat geen vrede in.

DE EERSTE DAG

Professor Stone stond voor het raam terwijl het theewater kookte. Licht bestreek de rivierweiden, populieren kwamen uit een zee van mist tevoorschijn. De sportvelden glinsterden blauw. Ze rook kamperfoelie, zag een grasmaaier langzaam over de cricketvelden kruipen, hoorde het spuiten van een sproeier. De dag had niet volmaakter kunnen zijn, maar het nachtje slapen had de pijn in haar borst niet verdreven en er was nu een zwaarheid bijgekomen die voelde als de geest van een oud zeer, al wist ze niet welk.

Ze ging weg bij het raam en waste zich, kleedde zich aan, pakte vers geslepen potloden, papieren, haar exemplaar van *Four Quartets* bij elkaar en liep de steile zwarte houten trap af. Ze bespeurde geen geluiden van de gang beneden. Studenten stonden nooit zo vroeg op, maar momenteel zaten ze waarschijnlijk voor hun tentamens te studeren. Het was vreemd om tussen hen in te wonen, al was het maar voor een paar dagen, en even wist ze bijna zeker dat er geen tijd was verstreken en dat ze zelf weer student was.

De gang kreeg licht door ramen die aan één kant op een vierkant binnenplein uitkeken. Het rook er naar boenwas. Het tapijt onder haar voeten was dik en crèmekleurig. Het voelde alsof er nog een tapijt onder lag. Eronder kraakten vloerplanken bij elke stap. Aan het eind van de gang sloeg ze af om nog een trap af te gaan, een bredere, van zwart eikenhout dat theatraal klepperde; onderaan bleef ze even staan om haar hand over een bewerkte leuning te laten gaan die door eeuwen van stof en palmolie een doffe lakglans had gekregen. Het maakte haar duizelig, het verleden dat hier lag opgeslagen; al die verschillende lagen en laagjes. Het zouden de laagjes wel zijn die het bij elkaar hielden, dacht ze; te oud om vermindering aan te kunnen, konden er alleen maar dingen aan worden toegevoegd. 'All is always now,' had Eliot in de *Quartets* gezegd; tot haar verbazing merkte ze dat het idee haar niet aansprak.

Ze liep nu door de kruisgang en er waren anderen, studenten, docenten, onderzoeksassistenten, soms was het moeilijk te zeggen. Ze stak een binnenplein over, kwam langs een kapel, een gazon met de enthousiaste naam The Deer Park dat niet veel groter was dan een kingsize bed omgeven door sparren en bloemperken, liep toen onder waterspuwers een stenen trap op naar de eetzaal. Die was zoals ze hem zich herinnerde: gelambriseerd, spelonkachtig, versierd met portretten, lichtstralen die door hoge ramen binnenvielen, boven High Table het wapen en de insignes van het college. Nieuw was het buffet waar ze in de rij stond voor grapefruit en yoghurt; en het allochtone personeel.

Ze ging aan het uiteinde van een van de banken zitten, blij dat ze niemand kende. Van de weinige studenten die zaten te ontbijten meende ze te kunnen zien wie er nog tentamens moesten afleggen. De rest oogde als overlevenden, de spanning van de afgelopen weken verdwenen van hun gezicht. Het was of je terugkeerde van het front, dacht ze. Zij was lelieblank geweest, kringen om de ogen, ijl door maanden studie, een zuchtje wind genoeg om haar opzij te blazen. Ze voelde een kameraadschap met deze ontsnapten die ze voor weinigen van de menselijke soort voelde; maar het blijft niet zo, had ze hun kunnen vertellen. De gelukzaligheid verdampt; de kwelling wordt gewoon vervangen door een andere die jullie je nog niet kunnen indenken.

Ze vroeg zich af wie van hen de wereld van actie zou schuwen om zich aan een leven van de geest te wijden en dacht wel dat ze de geheide academici kon aanwijzen. Ze hadden een bepaalde energie, tegelijkertijd alert en elders met de gedachten, een onhandige jeugdigheid, die als een puppyachtige slungelgang tot op middelbare leeftijd aan hen bleef kleven. Het waren eeuwige tieners, die dat vaag beseften en zich continu ongemakkelijk voelden; 'maagdelijk', zouden ze wel zijn; dat woord zocht ze. En als die maagdelijkheid vele jaren voortduurde werd het iets bizars, zoals alles wat tegennatuurlijk in stand werd gehouden, een parodie, een rariteit.

Ze ging wat meer rechtop zitten. Maar voor Keats (toegegeven, eerder een voorbeeld van vroegtijdig verscheiden dan van eeuwig blijven steken) was niet-gehoorde muziek daarentegen juist mooier, het niet-geleefde leven blijvender. Dus wat was nou waar? Ze sloeg een jongen met een vetkuif en een melkgezicht gade die begon te lachen. Het geluid kwam er hortend uit, als waterstralen uit een fontein, zijn lichaam geknikt, gezicht verwrongen; zijn ogen straalden vreselijk; hij leek in de greep te verkeren van iets wat hij maar net de baas kon en leek zich daarvoor te schamen. Professor Stone wendde zich af. Had zij er ook zo uitgezien? Zag ze er nog steeds zo uit?

Er gleed zweet onder de bandjes van haar beha en ze trok haar vest uit. Ze had het niet alleen warm maar voelde ook een zweem van misselijkheid. Ze keek hoe een serveerster de tafel langs liep, een rij borden op de arm, haar gezicht in beslag genomen door de tevreden uitdrukking van de zwangere vrouw die in zichzelf opgaat. Het was een soort verstrooidheid, bedacht ze; die ervoer ze zelf soms ook, als het schrijven van een essay goed liep. Hoe moest het zijn om een levend wezen voort te brengen in plaats van een van inkt en papier? Een wezen dat zijn eigen bestaan kreeg en geen aanhangsel meer was van degene die het had geschapen. Maar dat gebeurde ook met grote werken, bracht ze zichzelf in herinnering, met een werk dat invloed had op anderen: het kreeg een leven dat de schrijver nooit had kunnen bedenken en bleef ook na diens dood bestaan.

De yoghurt at ze op, maar de grapefruit niet. Ze was nog altijd een beetje misselijk en wilde niet om problemen vragen: sinds haar chemotherapie kreeg ze gauw zweertjes in haar mond. Ze liep de trap af, stak het binnenplein over naar de portiersloge. Briesjes duwden speels de haren op haar armen omhoog, klokken begroetten haar met opgewekt midzomerkabaal, maar in haar maag krioelden onnoembare kriebels en haar lichaam leek wel vol nat zand te zitten. Zomermisselijkheid. Dat had ze jaren geleden in deze stad gehad. Die was verweven met warmte op sportvelden, wolkenprisma's in de ochtendhemel, de wetenschap dat er werk van cruciaal belang op voltooiing wachtte.

Ze stond op de stoeprand tegenover de kerk met de schildering die ze als meisje had willen zien. Ze dacht daar nu niet aan, maar liep het plein op, dat vol toeristen was. De blauwe koepel en de spitsen van een stel torens staken de blauwe nevelsluier in. Ze liep door de schaduw van King's toren-poort, het eerste binnenplein over, en vond in een passage met flagstones die daarop uitkwam de trap naar het archief. Boven aan de trap drukte ze op de zoemer naast een zware houten deur en liet haar brief aan de archivaris zien, een jonge vrouw met donkere ogen en een frisse huid, die haar voorging door een korte gang. Een tweede deur viel achter hen dicht met een oud gekletter en ze stond in een kamertje met vier tafels; de wanden waren bedekt met boeken.

Het was donker in het kamertje, alleen door vier smalle ramen die uitkeken op het plein viel wat licht. Rood tapijt dat als een tong tussen de tafels door liep absorbeerde het geluid, en de gelambriseerde wanden kaatsten het mat en beschaafd terug. Het vertrek rook schemerig van ouderdom en van hout maar vooral van stilte, want stilte was hier een geur, was kouder dan lucht en ook dikker, zoals rook. Er zaten maar twee andere mensen, een jongeman met blond haar en een bleke huid, zo bleek en zo zacht blozend dat het de huid van een meisje had kunnen zijn, en een man op leeftijd, zijn haar een witte nimbus, zijn rug zo krom dat zijn neus niet veel centimeters boven de loep hing die hij in zijn hand hield. De jongeman keek even op, maar de ander merkte haar komst niet op. Ze dacht dat hij mogelijk de vader van de jongeman was omdat er enige gelijkenis tussen hen bestond, hun bleekheid misschien, want ze waren allebei net zo wit als de papieren waarover ze gebogen zaten. Het laagje vroege-ochtendzon dat juist op dat moment over hen heen lag gaf ze iets bovennatuurlijks.

Ze installeerde zich bij een van de ramen. De archivaris verscheen weer met twee grijze dozen waar elastiekjes omheen zaten, de complete Hyland Bequest, maar de professor maakte ze niet meteen open. Ze zat naar het plein beneden te kijken, naar de glimmende koepel, de zon die de stenen van de kerk met vloeibaar licht overgoot, de blauwe schaduwen die de muren als attente verloofden ondersteunden, gleuframen waar slechts een ogenblik maar niettemin volledig een reepje zwart elk spoor van licht wegnam. Ze ademde licht en regelmatig in een poging de pijn in haar borst te beheersen, die ineens overweldigend was geworden, en hoewel ze het moment waarop ze gewacht had hier in haar handen hield, duurde het verscheidene minuten voordat ze het deksel van de eerste doos haalde.

Ze herinnerde zichzelf eraan dat in een van de dozen het essay over Milton zou zitten waarin Eliot schreef dat poëzie hetzelfde effect had als muziek, dat 'de zintuigen worden gebruikt om meer dan betekenis over te brengen' – een zinnetje waarin de kiem van haar eigen grootse idee lag. In de doos lagen lezingen over Scylla en Charybdis, de doelen van onderwijs, 'Annual Lecture on a Master Mind', en een toespraak op de eerste schooldag van de methodistische meisjesschool in Penzance, allemaal in de jaren dertig geschreven. Het omslag van de *Saturday Review of Poetry* van 12 maart 1949 zat erin, met een ongebruikelijk en vrij bespottelijk stralende Eliot en het citaat: 'Zijn hele leven is een aanhoudende zoektocht naar orde geweest in een vreselijk wanordelijke wereld', wat ze nogal grappig vond. Er was een foto van een ouderwetse staande klok die van Henry Ware Eliot was, hotelpapier dat Eliot gebruikt had om op te schrijven, een briefje van de UNESCO met het verzoek om een vragenlijst in te vullen over de uiteenlopende betekenissen die blijken uit het hedendaagse gebruik van het woord 'democratie', wat ze ook vermakelijk vond, een foto van Eliot die een gedenkplaat onthulde, een gedicht dat begon met 'In den beginne was het Woord/ Overbevruchting van τό ἕν', 'Mr Eliot's Sunday Morning Service' (het aantal veellettergrepige verzinsels was het gevolg van Eliots gewoonte om in de thesaurus te neuzen), een paar bar slechte gedichten onder het kopje 'A Note on War Poetry', maar niets over Milton, niets over de auditieve verbeelding, niets, kortom, over 'The Music of Poetry'.

Dat essay moest in de andere doos zitten, die verhelderender moest zijn; dat kon bijna niet anders. En als dat niet zo was? Haar handen beefden toen ze de elastiekjes er weer om deed. 'Je loopt te hard van stapel, Elizabeth,' zei ze. 'Maak hem nou maar open.'

De tweede doos was beter. Het eerste document was een essay met de titel 'Sir John Davies' waarin Eliot stelde: 'Davies ziet geen been in het aanvaarden van vorm zonder inhoud...' Een paar bladzijden verder schreef hij over het Onzevader en dat je het doel voorbijschiet als je dat verstandelijk probeert te begrijpen. Hij schreef over Johnson, over klank en betekenis, dat Tourneurs afkeer van de mensheid groter is dan de concrete uitdrukking ervan, 'te gruwelijk voor woorden', dat Kyds *Spanish Tragedy* 'weerbarstig materiaal' voor *Hamlet* bleek te zijn, en toen, het spannendste van alles, over een toestand die 'in mezelf een neerslachtigheid veroorzaakte die zo anders was dan enige andere ervaring in vijftig jaar dat het een nieuwe gevoelsaandoening was' in een schets voor een artikel dat in 1939 in *Criterion* zou verschijnen – precies tussen de eerste en tweede versie van de *Quartets*.

Haar hart klopte nu vrijer. Zelfs zonder het essay over Milton zou ze iets hebben om mee te werken. Ze zag zichzelf nu weer op een lange weg met een duidelijke bestemming waar ze steeds dichterbij kwam. 'Ik lees alles kort door om te zien wat ik nader wil bekijken,' zei ze. 'Misschien heb ik aan het eind een beter idee van waar ik heen ga. Ik werk grotendeels in het duister maar dat is niet zo erg. Uit die manier van werken komen veel nieuwe dingen voort; een helder licht ontdek je nooit op klaarlichte dag.' Maar het verbaasde haar wel dat de pijn in haar borst niet afnam, en het kostte haar al grote moeite om te blijven zitten.

De zon verhief zich tot boven het plein en paradeerde in het hemelsblauw boven de koepel, likte het tapijt tot leven en verleende de tafels en stoelen en hen die daar zaten een witte rand. Ze merkte dat ze blikken op de twee heren wierp. Time Past en Time Present, dacht ze; of was het Time Past en Time Future? De een las steeds een bladzijde en gaf hem aan de ander, die hem zwijgend aanpakte. Ze waren als een klein apparaat dat een vel papier optilde, een volgend vel neerlegde en alweer het volgende pakte. Het voorhoofd van de oude man glinsterde, de jonge man was bleek en ernstig. Ze zochten ongetwijfeld iets van groot academisch belang, dacht ze, en het was heel geruststellend om nog twee zielen te zien die op een dag als deze zaten te zwoegen. Toch was er iets aan de eerbiedigheid, de tederheid bijna, waarmee de jonge man de papieren aan de oudere man gaf, de zorg waarmee hij hem hielp om de papieren op het grijze schuimrubber van de onderlegger te vlijen en loden gewichten op de bladzijden te leggen, wat haar een ongemakkelijk gevoel bezorgde, alsof die handeling op de een of andere manier naar haarzelf verwees, al kon ze niet bedenken hoe dan.

Halverwege de ochtend was ze al verder dan ze had gehoopt. Om tien over halftwaalf kwam ze eindelijk het essay over Milton tegen dat ze in de British Library had gezien. Eliots *vacant interstellar spaces* uit de *Quartets* waren ingegeven door Miltons *interlunar cave* uit *Samson Agonistes*. Miltons gebruik van het woord suggereerde niet alleen dat de grot leeg was, maar ook dat de aanwezigheid van de maan de duisternis van de nacht dieper maakte en de afwezigheid van daglicht intenser:

> The sun to me is dark
> And silent as the moon
> When she deserts the night
> Hid in her vacant interlunar cave.

En de maan was ook stil, bedacht ze. Voor de man die niet kon zien lag de laatste hoop in het horen. Nu viel haar nog iets op: licht ging verloren, maar wat gemist werd was klank; de duisternis van de zon werd gelijkgesteld aan de stilte van de maan. Wat vreemd, dacht ze, dat ze dit nooit eerder had gezien. En als Eliot de regels niet had opgediept, had ze het ook nooit gezien. Poëzie was in dat opzicht uniek: het bracht haar eigen verleden mee naar het heden, was het vreemde in de herkenning dat Eliot in de *Quartets* vaststelde: '*known, forgotten, half recalled/ Both one and many*'. Welnu, hier had Eliot Milton niet alleen opgediept, maar ook zichzelf getransformeerd.

De zon was feller geworden en gloeide in haar nek. Aan de overkant van het vertrek begon het hoofd van de oude man te hangen. Om halfeen was het zo warm geworden dat ze haar stoel naar het uiteinde van de tafel verschoof. Om kwart voor een hielp de jonge man de oude overeind, gaf hem een wandelstok die op de grond lag en zei iets tegen de archivaris, waarna ze naar buiten gingen. Misschien moest zij ook stoppen. Ze pakte haar vest, liet de dozen open en zei tegen de archivaris dat ze na de lunch terugkwam.

Ze kocht broodjes op de overdekte markt en ging voor de ronde zandsteenzaal zitten tussen studenten die op hun zij of hun buik op het grasveld lagen of in de stenen zitjes hingen die in de muren waren ingebouwd. De flagstones waren gloeiend heet, dus ze koos voor het gras en ze wist niet of het pulseren dat ze onder haar lichaam voelde uit haarzelf of uit de aarde afkomstig was. Professor Stone deed niet aan zomer. Het jaargetijde trok duisterder stromen als vocht in haar naar boven, terwijl de winter die bevroor. Afstand bewaren was veel en veel moeilijker in de warmte omdat je veel meer last had van je lichaam: borsten jeukten, neuzen glommen, haren werden slap, ogen dof; een schepje erbovenop in het permanente offensief tegen transpiratie. Ze haalde haar benen van elkaar en schrok van een zweetdruppel die langs haar rug gleed. Haar voeten sopten in haar kousen, maar ze vond niet dat ze haar schoenen uit kon trekken; als ze dertig jaar jonger was geweest misschien. Ze had het warm met haar vest aan, maar kon het niet uitdoen uit angst voor zweetplekken op haar blouse.

Ze zette haar bril recht en haalde het plasticfolie van de broodjes, dacht aan de boterhammen die ze als student altijd klaarmaakte. Ze was er trots op geweest dat ze voor zichzelf kon zorgen, had niet één keer in Hall gegeten, al was dat niet zozeer om financiële redenen als wel om sociale. Ze liep drie jaar lang op binnenpleinen en trappen langs haar medestudenten zonder te weten hoe ze heetten, op de twaalf na die in haar werkgroep zaten. Ze had wel kunnen proberen om vriendinnen te worden met een paar van de meisjes – Jessie, het Ierse meisje met handen als spinnenpoten, hoornachtige nagels, huid als albast en licht gebogen rug; of Hannah, de slonzige New Yorkse, glooiende boezem, vuile nagels, saffies, haren in bed – als ze had geweten hoe ze moest keuvelen.

Maar ze kon alleen maar woorden vinden om te analyseren en te ontleden. Conversatie slokte haar energie op en joeg haar hartslag omhoog, maakte haar lichaam klam van het zweet. Ze dacht dat de boekenwurmpjes toch niets van haar moesten hebben, want ze was maar tot op zekere hoogte een van hen: de rokken en truien, platte schoenen, bril, vettige huid en maagdelijk haar, dat klopte allemaal wel. Maar de ogen lieten haar in de steek: zo donker dat ze peilloos waren. Ze kon het zich trouwens toch niet veroorloven om afgeleid te worden van de enorme taak die ze had, indruk maken op professor Hunt. Het was makkelijker om mensen te mijden dan om interactie met ze aan te gaan. De menselijke blik was een krachtveld dat ze niet lang verdroeg zonder het gevoel dat ze stikte. Met name het staren van jonge mannen veroorzaakte een beroering die zich vertaalde in een ijzige blik en een agressieve tred; nu zagen jongemannen haar totaal niet; op haar drieënvijftigste bestond ze niet meer.

Ze fronste haar wenkbrauwen een beetje en strekte haar benen voor zich uit zoals ze twee meisje links van haar had zien doen, maar ze had het nog niet gedaan of de meiden keken haar even aan en ze trok haar benen weer in. Toen ze terugkeek, hadden ze zich al afgewend. Hoe wisten mensen wat ze met hun lichaam moesten doen? vroeg ze zich af. Hoe wisten ze hoe ze zich in elkaars gezelschap moesten gedragen? Zo'n moeilijke kunst leek het niet, maar als je die niet onder de knie had gekregen precies op het moment in je leven dat de natuur je daarvoor had klaargemaakt, lukte dat nooit meer; hoe hard je daarna ook je best deed, je gebrek aan bekwaamheid zou altijd duidelijk zijn. Ze stak haar kin omhoog alsof ze van de zon wilde genieten, maar de zon deed haar ogen tranen. '*The sun to me is dark, and silent as the moon*'; het was vreemd hoe sterk zonlicht als duisternis kon voelen, maar dat was wat ze nu voelde: blindheid, en een druk op haar hoofd waar ze duizelig van werd. Ze zette haar bril af en legde haar hand over haar ogen. Zoals je schrijft is er geen reden voor een ontmoeting. En waarom dacht ze daar nu aan?

Ze at de rest van haar brood op en wilde net opstaan toen haar aandacht werd getrokken door een beweging aan de overkant van het plein in de schaduw van de kerkmuur. Er was een jongen de hoek om gekomen die een meisje tegen zich aan trok. Hij stond met zijn rug tegen de muur. Professor Stone had altijd de stelletjes aan de rand van haar gezichtsveld bekeken, de vrouwen niet minder dan de mannen, die uitbundiger en daardoor interessanter waren. Wat ze in de loop der jaren had verzameld was een legpuzzel: een mannenhand, een vrouwenhoofd, een arm, een been. Zag ze een man die zijn hand in de schoot van een vrouw liet glijden, dan wendde ze haar blik af, bleef haar hart minutenlang bonzen, stond het op het punt van barsten, was de minste beweging verschrikkelijk moeilijk, maar keek ze nog eens, dan bleek hij alleen maar een snoepje te pakken. Aan het eind van zo'n surveillance was ze klam, misselijk, buiten adem, terwijl het stel wegslenterde, zich nergens van bewust. Naderhand had ze het gevoel dat ze op de een of andere manier van haar aandacht hadden geprofiteerd zonder dat ze het wisten, dat ze iets kostbaars had gegeven zonder er iets voor te hebben teruggekregen; het verdwijnen van het stel liet altijd de grootste misselijkheid na, niet zozeer hun blijken van liefde.

Ze zag dat de jongen in de schaduw van de kerkmuur zijn hand in de nek van het meisje legde en haar hoofd draaide zodat hij haar beter kon kussen. Ze zag dat het meisje haar hand tegen zijn broek drukte. Professor Stone glimlach-

te en deed haar ogen dicht maar ze voelde haar hart kloppen. Toen ze weer keek, bewogen hun kaken ritmisch. Ze
moest denken aan een vogel die haar jong voedt: dezelfde
uitdrukkingsloosheid, dezelfde afwezigheid van emotie, wat
paradoxaal was, want waarschijnlijk voelden de betrokkenen
een heleboel. Nam ze aan. Ze wist het eigenlijk niet. Ze keek
voor de schijn achteloos het plein rond en toen weer naar
het stel. Ze waren zo ongedwongen met elkaar. Hun handen
waren naar elkaars heupen gezakt, het kussen was lomer en
sensueler geworden. De lippen van de professor waren iets
uit elkaar nu. Misschien is het wel liefde, dacht ze. Zo was
het altijd: dezelfde rust, geen schijn ophouden. Ze trok wat
gras los. Ze zijn jong, dacht ze, om verliefd te zijn.

Een paar minuten lang keek ze niet. Het meisje trok de
jongen aan zijn hand terwijl hij zich speels schrap zette. De
pijn in de borst van de professor was ineens stekend geworden. 'Niet weggaan,' fluisterde ze. 'Laat me jullie zien.' De
jongen scheen haar gehoord te hebben, want na een kort
moment duwde hij zich van de muur en volgde het meisje.
Toen hij het meisje beetpakte, gilde ze doordringend – schitterend, vond de professor; ze wist zeker dat zij nooit zo'n
pure pijl van geluid zou kunnen voortbrengen, zo wild en
niet-menselijk, een godengalm! – en trok alle vreugde en verschrikking uit het heelal samen in één magnifiek punt. Dat
geluid scheurde de dag aan flarden; de stukjes dwarrelden, ze
kringelden, krulden links- en rechtsom, daalden als sneeuw
op het gras neer, op haar rok, haar schoenen en haar panty,
en alsof ze aan het geluid vastzat stond ze op, veegde iets onzichtbaars van haar schoot en begon terug te lopen.

De kreet bleef bestaan terwijl ze het plein overstak, zowel
ondanks als dankzij haar – ze wist het niet, maar haar han-
delingen leken merkwaardig laat, of waren ze de gebeurtenis

juist vooruit? Ze leek niet helemaal aanwezig meer, maar te zweven. Ze struikelde, hoorde alleen haar hart nog. Was dit onthechting? vroeg ze zich af. Of was het de zon? Ze voelde zich eigenaardig, alsof ze zichzelf van een afstand bekeek, zich slechts bewust van een stilte, een warmte in haar kern die de pijn in haar borst omvatte en de dag ontmaskerde als een façade, onthutsend in zijn betekenisloosheid – op de jongen en het meisje in de schaduw van de kerkmuur na. Ze keek even achterom naar de kerk toen ze de portiersloge inliep, maar het verliefde stel was weg en ze voelde het verlies in haar borst, waarin ook de kreet zich leek te hebben gedrukt.

Ze had gedacht dat ze de tweede doos met papieren die middag helemaal zou doorspitten, maar deed dat niet. Ze had gedacht dat ze *Four Quartets* opnieuw zou scanderen, maar deed dat ook niet. De stilte in het archief was te benauwend, de gelambriseerde muren waren te dichtbij; het ritselen van papier, tikken van de klok en ratelen van het toetsenbord van de archivaris waren allemaal ineens een ondraaglijke afleiding. Ze was blij toen het vijf uur was en ze de dozen aan de archivaris kon teruggeven en zich aan de aanzwellende symfonie van de middag kon toevertrouwen.

DE TWEEDE DAG

Professor Stone lag op haar zij, samengeperst alsof er een angstaanjagend gewicht op haar lag, met bonkend hart door een geluid. Ze draaide zich om in haar slaap en wierp de dekens van zich af, maar bleef dromen. Toen ze wakker werd lag ze in haar slaapkamer in het huis aan zee onder de dakrand te luisteren in het donker. Toen hoorde ze het weer.

Ergens huilt een vrouw.

Ze trekt de dekens over haar hoofd en stopt haar vingers in haar oren. Ze wiegt, maar ze hoort het nog steeds. Ze duwt de dekens van zich af en staat op. De overloop wordt verlicht door de maan. Ze loopt die over tot ze bij een deur komt. Het geluid wordt harder als ze naar binnen gaat, en nu hoort ze ook de zee die tegen de rotsen onder het raam slaat.

Ze gaat naar het bed en loopt er op de tast langs. Als ze bij het hoofdkussen komt, beseft ze dat het bed leeg is. Dan begint ze in een stroperige substantie weg te zakken, terwijl ze daar staat, die onder haar uiteenwijkt en zich boven haar hoofd weer sluit. Ze heeft een vergissing begaan: het verontrustende is dat ze niet precies weet welke.

Hoewel het bed leeg is, houdt het huilen aan. Het lijkt bij het raam vandaan te komen. Ze loopt erheen en kijkt omlaag. Beneden in het vettige zwarte water deinen donkere koppen. De zeehonden zijn weer naar de baai gekomen en praten met elkaar. Ze slaat hen een paar minuten gade of misschien wel een paar uur. Dan zwemmen de zeehonden weg en is ze alleen en is het enige geluid dat van de zee, die 'nu' zegt, 'nog eens' zegt, 'altijd' zegt, steeds opnieuw.

*

Professor Stone kwam plotseling uit haar slaap alsof ze opdook uit het water: druppels bewustzijn vlogen alle kanten op. Ze ging op de rand van het bed zitten, streek met haar hand over haar hoofd, wachtte tot haar hart niet meer zo tekeerging. De pijn in haar borst die ze sinds haar aankomst in de stad voelde, was al behoorlijk.

Ze keek niet naar het uitzicht terwijl ze thee dronk, al was het zo mogelijk nog mooier dan de vorige dag, de verte een vlies van spinrag, de populieren trillende zuilen boven een rivier van hitte. Ze verwonderde zich niet over de ouderdom van de trap toen ze die afliep. 'Prachtige ochtend,' zei een tuinman toen ze het binnenplein overstak. Maar de ochtend was haar nog niet opgevallen, met een beetje wind en een hemel van blauwe zijde; ze hield zich alleen met lopen bezig, wat op dat moment een lastige opgave leek te zijn.

Bij de deur van de portiersloge wachtte ze tot een rumoerige groep studenten in toga en baret was langsgekomen en ging toen naar binnen om te vragen hoe laat het avondeten werd opgediend. 'Zes uur,' zei de portier. Ze tekende de maaltijdlijst en wilde weglopen toen de portier zei: 'Er is een briefje voor u.'

'O,' zei ze. 'Ik dacht niet dat iemand wist dat ik hier was.' Ze bekeek de envelop. 'Professor E. Stone,' stond erop. De e's waren halvemaantjes. Haar hart sloeg één keer heel hard.

Elizabeth,
Ik neem aan dat je je in het college hebt geïnstalleerd en hard aan het werk bent. Als het werk je niet al te zeer in beslag neemt, ik ben vanavond na zeven uur op mijn kamer...
Groeten,
Edward

Ze vouwde het papier dicht. De portier sloeg haar gade. Ze tikte op de envelop en lachte, schreed de loge uit, bleef met haar vest aan de deurkruk hangen, maakte zich los, bedacht dat ze die avond toch niet in Hall hoefde te eten, streepte haar naam door op de lijst, gaf het klembord terug aan de portier en ging naar buiten. Met ferme tred liep ze door de straat, kin vooruit. Ze knikte naar een man met een fiets aan de hand. De ochtend, merkte ze nu, was bijzonder fraai.

Er is een licht, een bepaalde tijd van de dag, waarin bezigheid verstilt en de lucht een ander karakter krijgt. 's Zomers is dat van zeven tot acht, 's winters van vier tot vijf. In de boeken-stad is die verschuiving zo geleidelijk en zo gering dat het bijna toverachtig wordt, dat je de overgang eerder aanvoelt dan opmerkt. Het licht brandt niet fel om vervolgens snel te doven, zoals in warme landen. Het barst niet met kleurige heftigheid over de hemel uit, zoals bij de plek waar de vuurtoren flitst; het taant, het aarzelt, het verandert onmerkbaar.

Na de zonnige uren in de tuin, na de bedrijvigheid van de hoofdstraat, trekt er een warmtefront, een schemerfront binnen. Het lijkt van de rivier te komen. Het glijdt door bogen, stegen, tuinen en binnenpleinen, gaat om een kapel heen en langs een kerk, wervelt de trap op naar een ronde zaal met een dak dat blauwer is dan de lucht; je kijkt op van je schrijftafel en daar is het, het gebeurt, het is overal om je heen. Een zuchtje rusteloosheid dat de dingen wegtrekt, aan de achterkant van de middag, als de dag de armen uitstrekt naar de nacht.

Je staat op en zet je boeken terug in het rek, je zorgt ervoor dat de roze briefjes zichtbaar zijn en je naam te lezen is, je raapt je potloden en papieren bij elkaar die een tijdje hun thuis hadden hier op deze schrijftafel die de zon had uitgekozen, veegt ze in je tas en verlaat de plek die een dag lang van jou was, en de avond lonkt, windvlagen die door kasseienstraatjes dwarrelen vermengen zich met geuren uit collegekeukens, klokken die de avonddienst aankondigen, en iets wat trekt, voortdurend trekt door lucht vol tinten licht – licht dat verandert terwijl je kijkt maar het toch niet ziet; je loopt een trap met een laag plafond af, meet elke door de tijd gesleten trede af, neer, neer, neer; en achter elk erkerraam ligt de avond te wachten.

Hij kan vol vlagen lichte zomerregen zijn; hij kan vlak zijn, ingetogen, zwaar van de hitte van de dag; hij kan spookachtig zijn, sneeuw op komst, of woest, fonkelende zon en tropische wind die een pijnlijke hemel verder schrammen, zijn blauw al weggeschuurd. Dit alles is mogelijk, maar het moment dat even stilstaat is altijd hetzelfde: je loopt een binnenhof in, je komt langs een standbeeld en het is er, het gebeurt, het is overal om je heen. Je loopt onder een boog

door en een stenen trap af een plein op en nu zijn er mensen en fietsen en een licht gedruis van verkeer en klokken
die luiden, dichtbij en ver weg, ver voorbij andere dingen,
aanhoudend maar half wegglijdend, zoals de avond zelf. En
bij de rivier, waar het water donker tussen hoge populieren
kronkelt, zakt de schemering lager, kruipt naar de voorkant
van de stenen gebouwen, gebouwen die warm zijn van de
zon, pokdalig van de regen, brokkelig van de wind, vaandel-
dragers die over zee uitkijken, zo had zij ze althans altijd gezien, beschermers van de rozen; waar hier en daar nu lichten
aanknippen, elk een bastion in de toenemende schemer.

Op zo'n tijdstip, zwevend tussen dag en donker, verliet
professor Stone het archief waar ze had zitten werken en
liep door de boekenstad naar het college van haar vroegere
docent en mentor. De avond was de bepalende tijd in de
boekenstad, 'the violet hour', noemde Eliot het – Eliot, die
verzot was op alles wat tussen twee andere dingen in lag; het
uur waarin je een glimp van de echte stad achter de façade
kon zien als je geluk had. De stad in het donker was minder
zeker van zichzelf dan die overdag; hij kon de voor toeristen
en cameraploegen, voor het jaarlijkse rondje van ouders en
studenten opgehouden schijn niet volhouden; elke avond
nam de stad zichzelf weer ter hand, bekeek zijn wonden en
zijn verhalen, ging met zijn vingers over de rozenkrans van
wat voorbij was, waarna hij zich bij het aanbreken van de dag
weer overgaf aan het circus van de dag.

Er was geen tijd van de dag waar ze meer van hield, maar
vandaag had ze er geen aandacht voor. Ze had zich de hele
dag niet kunnen concentreren. Uit het briefje dat Edward
Hunt had gestuurd viel, typerend voor hem, weinig op te
maken: wilde hij haar graag weer ontmoeten of deed hij gewoon zijn plicht omdat het verleden hem daartoe noopte?

Had ze een vergissing begaan met haar poging het contact te hernieuwen met iemand die ze in een ander leven had gekend? Ze was het gepieker over het briefje uiteindelijk zo zat geworden dat ze het had weggegooid, en nu was het zover en, zoals vaak gebeurt wanneer we iets met evenveel angst als verlangen tegemoet zien, verkeerde ze in een toestand van gemelijke, zelfs drieste onverschilligheid; vrees en verwachting, wel tien keer de kop ingedrukt en weer opgedoken, hadden in haar hoofd een ruis veroorzaakt waardoor de avond, die grijs en prachtig was, getemperd door de witte ruis van auto's en bussen, gesust door de koude rivier die onder de brug door stroomde met een donkere geur van algen, verlicht door de frisse, trippelende vogelzang in struiken en bomen van collegetuinen, niet aan haar besteed was.

Ze wandelde met energieke tred, hoofd recht, alsof ze op weg was naar een werkafspraak, maar ze oogde ook ietwat onverzorgd, haar dun en plukkerig, kraag scheef, panty geplooid bij de enkels, schoenveter los. Ze had zich geen tijd gegund om zichzelf te monsteren, deels zodat ze zich dan niet kon voorstellen hoezeer ze in de ogen van Edward Hunt veranderd was en deels omdat ze sinds de kanker – al had het haar altijd al droevig gestemd – alleen nog naar zichzelf in de spiegel keek als het echt niet anders kon.

Ze liep een kasseienstraatje in en er begonnen klokken te luiden in een vierkante, grove toren. Het was de kapel die ze links van haar kamer had gedacht toen ze voor het toelatingsgesprek kwam; de kamer waar ze met 'A Sparrow Hawk' had zitten worstelen was vlak boven die daken – en ineens zat ze daar weer heel even, zeventien, aan het piepkleine bureau, de woorden van beroemde mannen uit het hoofd te leren. Ze bedacht hoe onmogelijk dit toen zou hebben geleken, dat ze zelf schrijver zou worden, professor in de Engelse poëzie; ze probeerde het te bevatten maar kon het niet. Het was vrij ontmoedigend, want als ze het nu niet bevatte, wanneer dan wel?

Ze kwam langs een reling waar een boomgaardje aan een smal pad grensde. Iets verderop was het afgesloten hek waarachter ze in haar eerste jaar naar zijn raam had staan kijken. Ze sloeg het pad nu niet in, maar liep verder door de straat en ging de portiersloge in.

Binnen was het groter dan in haar herinnering; er hingen spotjes aan het plafond, de balie met schuifpaneel was vervangen door een volledige glazen scheidingswand, de koperen bel door een intercom – en was dat een bewakingscamera? Ze liep net door de deur naar het binnenplein toen ze een stem hoorde: 'Miss Elizabeth!' Ze draaide zich om en zag een portier met wit haar en rode wangen die stond te stralen.

'Albert...'

'Miss Elizabeth, ik dacht al dat u het was. Na al die jaren.'

'Je kent me nog...'

'Natuurlijk; u bent geen steek veranderd. U hebt alleen iets met uw haar gedaan... Het is wat korter.' Hij wiebelde een beetje op zijn hielen.

'Hoe is het met je, Albert?'

'Ik mag niet klagen, wat pijntjes hier en daar, maar ik mag niet mopperen.'

'Ongelooflijk dat je hier nog steeds bent. Toen ik hier studeerde ging je al bijna met pensioen.'

Hij schudde van het lachen. 'Zo makkelijk komen ze niet van me af, hoor. En wat brengt u hier weer?'

'Ik doe wat research in het archief van King's College.'

'O ja...'

'Wat documenten van T.S. Eliot.'

'Dat is mooi; en waar zit u tegenwoordig?'

'Londen. UCL.'

'Geeft u les?'

'Ja, en ik doe nog een paar andere dingen. Ik ben bijvoorbeeld mijn tweede boek aan het schrijven.'

'Ik wist wel dat u er zo een was die bij de boeken zou blijven,' zei hij monter. 'Je hebt er die de wijde wereld in trekken en je hebt er die blijven; u bent een blijver. U bent zeker op weg naar professor Hunt?'

Ze bloosde een beetje en lachte. 'Ja.'

'Ah, dan wilt u vast graag verder.'

Opgewekt zei ze: 'Welnee. Het is een genoegen om je te zien, Albert.'

'Wanneer gaat u terug?'

'Over twee weken pas.'

'Dan zie ik u toch nog wel?'

'Ik hoop het.'

'Fijn. Nou, ik hou u niet langer op. Ik kon u niet laten gaan zonder even gedag te zeggen.'

'Daar ben ik blij om.'

Ze wilde doorlopen toen hij zei: 'Gaat het wel goed met u, Miss Elizabeth? U lijkt een beetje mager.'

'O, gewoon druk, Albert,' zei ze. 'Je kent dat wel.'

'Nou en of. Ik ga altijd maar door, ik zit geen moment stil.' Hij knikte naar een televisie achter de balie waarop een voetbalwedstrijd werd gespeeld, stak toen een vinger op en verdween achter de balie. Hij kwam terug met een foto. 'Mijn kleindochter.'

'Echt waar?' Ze verzette haar bril.

'Tien maanden. 'Geeft ons geen van allen een seconde rust.' Hij grijnsde. 'Zij en ik zijn dikke vrienden.'

Ze schudde het hoofd. 'Goh, dat is echt... dat is me wat, zeg...'

'Ja, hè?' Hij straalde. 'Nou moet u gaan, hoor, Miss Elizabeth. Of moet ik professor Stone zeggen?'

'Nee hoor, Elizabeth is prima.'

'Nou, we zien elkaar nog wel.'

'Zeker.'

Ze haastte zich, keek op haar horloge, maar ze was op tijd. Het was vreemd om mensen te zien die je lang geleden gekend had: ze waren altijd hetzelfde gebleven en totaal veranderd, en ergens binnen die tegenstrijdigheid zou onze eigen toestand wel liggen. Ze wist niet of ze blij of bezorgd moest zijn dat ze blijkbaar zo weinig veranderd was.

Ze ging het tunneltje in. Toen ze er weer uit kwam zakte de zon achter haar en lag het pad langs het gazon in de schaduw. Daar stond de paardenkastanje, rumoerig in de avondwind, daar lag het gebouw, daar was het raam. 'Zo,' zei ze toen ze voor de trap stond. 'Daar zijn we dan.' Ze liep naar boven.

Ze betrad het duister van de gang waar de trap op uitkwam. Ze herkende de geur en voelde een kronkel in haar maag. Ze had niet geweten dat het gebouw ergens naar rook totdat ze het nu weer rook – maar, ja, hier was die geur, onmiskenbaar: boenwas, hout en stilte. En hier was de glazen gang.

Het glas was nu draadglas, het kozijn van teakhout, en de oude metalen deur was vervangen, maar de rozentuin erachter was nog net als in haar herinnering: nog even onwerkelijk, spookachtig, al dacht ze dat er destijds misschien een grotere kleurensymfonie was, een uitbundiger verstrikken van struiken en priëlen, de gazons strakker, de heggen niet zo vriendelijk. Waren de dingen altijd minder sensationeel dan je je herinnerde? vroeg ze zich af. Ze liep het donker na de gang in. Daar was de trap, zijn naambordje, de deurkruk, de deur.

Ze bleef even staan met de ogen dicht, terneergedrukt door iets wat onnoemelijk zwaar was, en het ging door haar hoofd dat het zelfs nu nog niet te laat was om weg te gaan. Ze kon hem een brief sturen waarin ze uitlegde dat ze door iets onvermijdelijks was opgehouden; ze kon helemaal niet antwoorden en hem laten denken dat ze nooit was aangekomen. Ze deed haar ogen open en klopte aan.

In Londen had het allemaal zo anders geleken, in het vuur van haar herstel en haar ontdekking; de toekomst een stralende weg om af te lopen. Maar nu werd ze overstroomd door de toekomst en die was net als het heden, de weg niet stralend meer maar gewoon grijs teermacadam, bochtiger dan ze had gedacht, de bestemming nog ver van bereikt.

Ze werd uit haar gedachten weggetrokken door het feit dat de deur dicht bleef. Meteen keek ze op haar horloge, al had ze dat nog geen vijf minuten eerder ook gedaan, maar tegenwoordig was het een betrouwbaar kwartsklokje; de secondewijzer vorderde met afgemeten, vlekkeloze precisie. Hij had zes uur gezegd en zes uur was het.

Twintig minuten later stond ze op van de stenen trap en keerde op haar schreden terug over het binnenplein. In de rivierweiden wakkerde de wind aan. De takken van de paardenkastanje leken zich aan de zwaartekracht te onttrekken. Ze rook een rozengeur en versnelde haar pas. Ze dacht niet na; er was slechts gebazel dat zich voordeed als gedachten. Het voelde ook niet alsof ze liep; de beweging voelde eerder als zweven. Ze vroeg zich af hoe je tegelijkertijd onbehagen en derealisatie kon ervaren, en het idee kwam bij haar op dat onbehagen misschien wel derealisatie was, pijn waar je niet bij kon; een nieuw denkbeeld dat ze op dit moment liever even liet voor wat het was. Ze zou een briefje bij de portier achterlaten dat ze langs was geweest maar dat het niet gaf, hij was een drukbezet man en dus geneigd om dingen te vergeten. En zij had het ook druk, zei ze bij zichzelf; en het maakte helemaal niets uit. Ineens was ze heel moe. Het zou fijn zijn als ze terug was in haar kamer.

Ze ging net de hoek om naar het tunneltje toen ze tegen een man op botste met grijs haar, die gekleed was in trui en spijkerbroek, de armen vol papieren. 'O,' zei ze. 'Neem me niet kwalijk.'

Ze bukte zich om de papieren op te rapen, maar de man deed dat niet. Hij stond haar aan te kijken. Toen zei hij: 'Hallo.'

Ze staarde, kreeg een kleur, ging rechtop staan.

'Hallo.'

'Mooie verwelkoming.'

'Neem me niet kwalijk; hoe gaat het?'

'Het ging goed. Nu ligt alles overhoop, geloof ik.'

'Ik help wel even...'

'Het lijkt me beter van niet.'

Niettemin nam ze de helft van de papieren en liepen ze samen de richting uit waar ze vandaan was gekomen.

Schoenen: hoog, zwart, versleten, driedubbele knoop in de veters. Trui: te groot, gaatje bij het eind van de mouw. Geur: iets van regen, iets van haar, tabak. Haar: grijs maar nog steeds met belachelijk opstaande plukjes. Stem: zo mogelijk nog norser. Handen: met vlekken, opgezet, rood geworden. Met een gevoel dat aan euforie grensde besefte ze dat hij bijna niets veranderd was. Zij wel? Waarschijnlijk heel erg. Toen herinnerde ze zich dat hij geprobeerd had haar te ontlopen en zei: 'Nou loop ik achter je aan. Sorry...'

Hij zei zonder haar echt aan te kijken: 'Ja, eindelijk ben je eens te vroeg.'

Ze hield halt. 'Het is vijf voor halfzeven.'

'Ja, en ik had zeven uur gezegd.'

'Zeven uur?'

'Elizabeth, voor een intelligente vrouw is het verbijsterend hoe vaak je je in de tijd vergist.' Hij liep weer door. 'Er is niet veel veranderd, hè?'

Na een ogenblik volgde ze hem, haar gezicht warm, blij dat hij niet naar haar keek – en toen stonden ze voor de trap en keek hij wel en zag ze dat zijn ogen schitterden met de afkeurende blik waar ze zo dol op was geweest; dat hij half glimlachte en dat ook zijn gezicht nog bijna net zo was als het altijd was geweest, alleen iets vermoeider, iets zachter aan de randen.

Ze stak haar kin statig naar voren. 'Zal ik terugkomen? Ik zie dat je werk te doen hebt.'

Maar hij zei: 'Ik geloof dat ik je na dertig jaar wel kan vergeven dat je een halfuurtje te vroeg bent.'

De kamer was ingenomen met zichzelf in het lamplicht. Er dreef een koude geur van kamperfoelie en gistende rozen door het raam naar binnen. Daarachter huiverden eenzame schimmen van populieren. Bach stond er nog steeds, maar New Order niet meer, de maskers waren er nog, maar de Fender niet. Foto's, waterkoker, bekers, broodrooster waren allemaal present en klopten – en kon dit hetzelfde kleed nog zijn? Blijkbaar wel. Net als zijn bewoner leek de kamer in een andere dimensie vast te zitten; alleen waren er zo mogelijk nog meer boeken dan toen, twee rijen dik in de vensterbanken, in de ruimte onder de tafel en in een nieuwe boekenkast naast de deur. Ze zei: 'Ik zie dat je de bank de deur uit hebt gedaan.'

'Er was een jongen die zich aan de veren bezeerde.' Hij stouwde de papieren die hij droeg naast zijn stoel. 'Anders had ik hem gehouden.'

Hij liep naar de gootsteen, liet de waterkoker vollopen en zette hem aan. 'Zo, drieëndertig jaar. Wat een eer.'

Ze lachte. 'Zoals ik dus al schreef is het vanwege de papieren die in King's College bleken te liggen.' Ze snoof op een zakelijke manier. 'En hoe is het met jou?'

Hij knikte, leek iets te zoeken. 'Ja, goed.'

'Ik wist niet eens of je nog wel lesgaf.'

'O, ze hebben me nog niet op stal gezet.'

'Dat bedoel ik niet; ik dacht alleen dat je er misschien, ik weet niet, geen zin meer in had...'

'Nou, veel anders kan ik niet...'

Hij trok een wenkbrauw op, maar de glimlach was vreugdeloos en ze schrok van zijn toon. En er was nog iets, toen hij een sigaret uit een pakje tikte en die opstak, wat ze niet herkende: de blik van geamuseerde afkeuring die ze net had gekregen was verdwenen; nu leek hij door haar heen naar iets anders te kijken. Hij zei: 'Je bent afgevallen.'

'Niet bewust.'

'En je haar zit anders.'

Haar hand ging naar het litteken, toen wist ze het weer. 'Ik heb het afgeknipt.'

'Het zat leuker zoals het was.'

De waterkoker klikte uit.

Ze keek hoe hij oploskoffie in bekers schudde, water opschonk. 'Wat is er allemaal gebeurd?' hoorde ze zichzelf opgewekt zeggen. 'Al die jaren.'

'Nou, te veel om in vijf minuten te vertellen.'

'Ja...'

Ze keek weer om zich heen.

'Van alles en nog wat, een paar vrouwen, een paar verschillende instituten, het bekende academische gezeik, het grote metacircus van niets.' Hij draaide zich naar haar toe. 'Maar daar weet je nu alles van, hè? Je maakt er deel van uit.'

Hij roerde de koffie door – nodeloos krachtig, vond ze – schonk er melk in en duwde de deur van de koelkast met zijn voet dicht. 'Hoeveel jaar geef je al les?'

'Zeventien. Dank je.' Ze tuurde diep in haar koffie.

'Zit je nog steeds op UCL?'

'Inderdaad.'

'Zorgt Matthew Cullum een beetje goed voor je?'

'Ja hoor. Hij leidt het instituut voortreffelijk. Het is met sprongen vooruitgegaan onder hem.'

In zijn fauteuil nam hij een van zijn teugen, hoorde ze. Ze probeerde dat ook, maar de damp schroeide haar gezicht en ze moest de beker terugzetten. Nadat ze meer dan een minuut hadden gezwegen, zei ze: 'Weet je, ik kan ook een andere keer terugkomen. Ik blijf hier twee weken...'

'Hoeft niet. Het is goed.'

Dat leek niet zo. Haar aanvankelijke inschatting was fout geweest: alles was veranderd, alleen de buitenkant niet. Het was verbazend moeilijk om iets te bedenken wat ze kon zeggen, en hoe meer ze haar best deed, hoe bizarder de suggesties werden die in haar opkwamen. Ze nam een slokje koffie. Die smaakte geruststellend vies. Een andere keer zou ze van blijdschap hebben geschreeuwd, maar haar hart bonkte en de pijn in haar borst die ze sinds haar aankomst in de stad voelde was nu ontstellend hevig. Ze zei: 'Ik zag dat Albert er nog steeds is. Moet die niet eens met pensioen?'

'O, dat is net zo'n instituut als het college zelf. Zelfs als ze wilden kwamen ze nog niet van hem af.'

'Ja,' zei ze. 'Die baan zal hem wel op de been houden.'

'Nee hoor. Hij is gelukkig getrouwd. Zijn eerste kleinkind is net geboren en daar vertelt hij iedereen in geuren en kleuren over.'

Ze zei: 'En wat heb jij zoal gedaan?' en herinnerde zich toen dat ze dat al gevraagd had.

'Lesgeven dus. Tien jaar Amerika.'

'Ja,' zei ze, en wou toen dat ze dat niet had gezegd, want ze kon geen goede reden bedenken dat ze dit wist zonder dat ze hem had gevolgd.

'Heb je mijn boek over Marston gelezen?'

Dat had ze.

Had hij haar boek over het toneel tijdens de Restauratie gelezen?

Dat had hij niet.

Er volgde opnieuw een lange stilte.

Ze wilde net opstaan toen hij diep inademde, alsof hij wakker werd, en zei: 'Je nieuwe project, vertel daar eens over.'

Ze hield de beker stevig vast. Ze zei: 'Ik ben geïnteresseerd in de manier waarop de muziek van een gedicht het begrip van de lezer beïnvloedt, of, zoals Eliot zei, "echte poëzie kan communiceren nog voor ze wordt begrepen".'

'Ga door.'

'Op welke manieren "begrijpen" we poëzie? Wat wil "communiceren" eigenlijk zeggen? Communiceert een gedicht soms wel en soms ook niet? Als poëzie inderdaad onder het niveau van het bewuste gevoel communiceert, hoe kan Eliot dan zo gedetailleerd beschrijven hoe een gedicht werkt?' Ze voelde haar nek warm worden; er zouden rode vlekken in verschijnen. Het was belachelijk, dacht ze, dat hij precies dezelfde reactie teweegbracht als toen ze nog student was.

'In de Hyland Bequest zitten een hele hoop documenten

uit eind jaren dertig, jaren veertig die Eliot schreef in de tijd dat hij ook met de *Quartets* bezig was. Die zullen een bijzonder waardevol inzicht geven in zijn manier van werken toen, en in zijn ideeën over de "auditieve verbeelding".'

Ineens besefte ze dat ze daar niet honderd procent zeker van kon zijn; de documenten konden nuttig zijn, of niet; hoe dan ook zou ze het boek waarschijnlijk wel kunnen schrijven. Ze vroeg zich af waarom ze dat nu pas inzag. Wat deed ze hier dan eigenlijk?

'In een van zijn essays, 'The Music of Poetry', schrijft hij dat de dichter zich bezighoudt met de grenzen van het bewustzijn waarachter woorden tekortschieten maar betekenis blijft bestaan. Ik wilde kijken naar klank als autonome kracht die diepere krachten zou kunnen blootleggen, het verborgen leven van het gedicht...'

'Interessant.'

Het was verbluffend, vond ze, hoe hij een woord kon gebruiken om iets aan flarden te scheuren.

'Er ligt bij Eliot een heleboel verborgen,' zei ze een beetje vinnig.

'Zeker, maar je moet wel uitkijken hoe je dit verwoordt. Het is alsof je wilt bewijzen dat God bestaat.'

'Dat besef ik wel.'

En toen, ondanks zijn gebrek aan enthousiasme, ondanks het feit dat ze er net achter was gekomen dat ze hier niet was om de reden die ze had gedacht, zei ze: 'Maar hoe het ook uitpakt, dit project voelt anders dan alles wat ik hiervoor heb gedaan. Het voelt... levend.' Ze lachte vlug. 'Ik leg het niet goed uit, maar ik heb acht jaar met Milton zitten worstelen en dat was allemaal zo...'

'Dood?' De schoen was serieus gaan zwaaien.

'Ja, inderdaad. Ondanks alles had ik nog steeds niet het

gevoel dat ik had geschreven wat ik had kunnen schrijven.'

'Klopt.'

En ineens was hij daar weer, was hij terug van waar hij de afgelopen veertig minuten was geweest en ging hij verder waar ze dertig jaar geleden waren gestopt.

Zachtjes zei ze: 'Het voelt anders.'

'Het is ambitieus. Ik bedoel niet voor jou, maar voor wie dan ook. Het lijkt me per definitie heel lastig om over klank te praten. Maar ik denk dat jij dat kan.'

'Dank je.'

'Of liever gezegd, ik weet het zeker.'

Ze vouwde haar handen, die trilden.

Achter de ramen was het licht vervaagd; het overgangsuur was voorbij, de stad was weer zichzelf en de wereld was vol spiegelingen. Hij zei: 'Ze gaan zo afsluiten.'

'Ja.' Ze stond op.

'Het is fijn om je te zien. We doen het nog een keer voor je teruggaat. Wanneer is dat? Eind van de maand?'

'Maar ik dacht...'

'Ik heb een hoop te doen, maar ik wil dit toch lezen.'

'Heb je het niet druk?'

'Jawel, dat zeg ik net. Kijk later in de week in je postvakje.'

De stad was donker; waterspuwers oogden luguber in oranje straatlicht, de hemel was een troebele nevel boven zwarte torenspitsen. Het was goed gegaan, vond ze. Hij had gezegd dat hij haar betoog zou lezen. Al was hij wel eigenaardig geweest, zijn manier van doen niet te plaatsen. En vond hij haar haar niet mooi.

Had hij haar willen zien? Had hij dat in het begin wel

gewild maar aan het eind niet? Nee, aan het eind wilde hij haar wel zien, want hij had gezegd dat het fijn was om haar te zien, maar dat betekende dat hij het in het begin niet wilde. 'Hou op, Elizabeth,' zei ze.

Ze was vergeten hoe de nacht proefde, hoe geluiden om je heen spoelden. Haar oren tuitten. Ze kreeg de volle laag van de wind toen ze het plein overstak en ze voelde een flits, zuiver licht; half pijn, half euforie. De wereld was nieuw en hij was oud, ze was het vergeten en ze wist het weer. Ze was bezig om wakker te worden.

DE DERDE DAG

Professor Stone ging rechtop zitten en sperde haar ogen wijder open. De warmte was echt slopend. In het spoor van een warme golf kwam een koude, maar de koude was denkbeeldig. Ze had de stad nog nooit zo meegemaakt. Er zouden vandaag zeker studenten flauwvallen bij de tentamens, dacht ze; hier in het archief was het al erg genoeg. Ze veegde met haar zakdoek haar voorhoofd af. Welkom in de eenentwintigste eeuw, dacht ze, en vroeg zich vervolgens af of de stad die zou overleven.

Haar twee metgezellen zaten op hun gebruikelijke plek, de oudere was rood aangelopen en leek momenteel niet lang meer op deze wereld te zullen vertoeven. Op het plein beneden trilden oppervlakken van de hitte; vormen hadden een waas van onduidelijkheid om zich heen. Toeristen zaten in de schaduw van de koepel uit waterflesjes te drinken. Zij die liepen oogden als slaapwandelaars of mensen die over de zeebodem schoven. Ze moest ineens denken aan iets wat Eliot ergens had geschreven, dat de meeste mensen 'amper levend waren'. Eliot was geobsedeerd door verborgen levens, niet-geleefde levens, het leven van de levende doden. Maar daar wist hijzelf natuurlijk ook het een en ander van.

T.S. Eliot had de wereld in 1957 versteld doen staan toen hij op zijn negenenzestigste met zijn secretaresse trouwde, een vrouw die zevenendertig jaar jonger was. Er bestond een foto van het tweetal in een schouwburg in Chicago in 1959; ze zat die nu te bekijken, met half dichtgeknepen ogen door een strook zonlicht heen aan haar bureautje in het archief. Valerie droeg een avondjurk van beige satijn met decolleté en hing over de arm van T.S.E. heen, die het programmaboekje in zijn hand had. Hijzelf was zo te zien op-en-top de trotse nieuwe echtgenoot: strikje, haar naar achteren gebrylcreemd, buitengewoon tevreden rondkijkend. Ze schenen al jaren na het werk samen wat te zijn gaan drinken, hij had haar rozen gestuurd, allemaal onder de ogen van de andere mensen bij Faber. Met recht een verborgen leven.

Eliot was eerder getrouwd geweest (een huwelijk dat volgens alle bronnen nooit geconsummeerd was) met de levendige zenuwpatiënt Vivienne, die hij in het voorjaar van 1915 in Oxford had ontmoet. Ze trouwden op 26 juni 1915 in Londen. Het was een beslissing die hem aan de rand van een zenuwinzinking bracht terwijl zijn vrouw, na een leven vol ziekte, in een gesticht werd opgenomen. Maar ook al zagen velen het anders, zijn impulsieve besluit om te trouwen kwam professor Stone niet voor als de daad van iemand die doortastend was, maar van iemand die zich in elke daad stortte omdat hij wist dat het gevaar bestond dat hij daadloos zou blijven; het ging erom dat er iets moest gebeuren, hoe dat ook zou uitpakken. Dit was tenslotte bepaald geen Lord Byron; dit was de schepper van de aartsweifelaar J. Alfred Prufrock, met zijn 'hundred indecisions', 'visions and revisions', met het dwangmatige *'Do I dare?'* en *'Do I dare?'* Ze zag Eliots eerste huwelijk als een roekeloze poging *'to force the moment to its crisis'*. En crisis had hij gekregen: de ballast van zijn huwelijk vormde *The Waste Land*.

Four Quartets keek in een andere richting, naar de mogelijkheid van verlossing, hoewel het in een tijd van grote persoonlijke en nationale duisternis werd geschreven. Het eerste kwartet, 'Burnt Norton', waarin de kiem van het hele werk lag, was geïnspireerd door een bezoek dat Eliot in 1934 met Emily Hale bracht aan een landhuis in Gloucestershire. Hale was een jeugdvriendin van Eliot met wie hij het grootste deel van zijn leven correspondeerde. Als het waar was wat professor Stone vermoedde, had Eliot voor de eer bedankt of, meer in overeenstemming met de *Quartets*-geest van iets wat 'eeuwig tegenwoordig' maar 'onverlosbaar' was, nagelaten om te handelen. Kon dat nalaten met Emily Hale te maken hebben gehad? vroeg ze zich af. Volgens sommige bronnen geloofde Hale dat Eliot met haar zou trouwen. Of hield de daadloosheid hem zo bezig als gevolg van die ene keer dat hij wel handelde – door met Vivienne te trouwen – en dat berouwde? Hoe dan ook, en misschien al vanaf jonge leeftijd, genesteld als hij zat in wat een verstikkende moederlijke omgeving lijkt te zijn geweest, ging 'de wereld der bespiegeling' een sterke invloed op de verbeelding van de dichter uitoefenen.

Zelf geloofde Elizabeth dat er veel te zeggen viel voor bespiegelen in plaats van handelen. Keats had een punt toen hij zei dat niet-gehoorde melodieën mooier waren dan gehoorde, want omdat het 'deuntjes zonder klank voor de geest' waren, gaven ze niet toe aan het 'zintuiglijke gehoor', maar speelden voor de ziel en waren daardoor onaantastbaar. Er kon veel worden ervaren in de wereld van bespiegeling – alles eigenlijk. Haar eigen leven kon door sommigen als niet-geleefd worden beschouwd, maar al viel niet te ontkennen dat het een bescheiden leven was, een leven dat zich afspeelde in vertrekken, weg van de hectiek van de menselijke uitwisseling, was dit het wonder: ze wist zeker dat ze een voller leven had geleid dan de meeste mensen die aan dit schrijftafeltje zaten. Wat haar leven aan spektakel ontbeerde had ze ruimschoots gecompenseerd met inhoud, en om inhoud ging het, bracht ze zichzelf vaak in herinnering; diepgang. Dat wilde natuurlijk niet zeggen dat het makkelijk was om een verkenner in onzichtbare streken te zijn, om zich weer op het wit van de bladzijde te wagen.

Maar in tegenstelling tot de lof van Keats voor 'niet-gehoorde muziek' werd 'wat had gekund' min of meer een obsessie voor Eliot. Vandaar de koude onherroepelijkheid van 'Dan is alle tijd onverlosbaar'. Hier scheidden hun wegen, die van haar en Eliot, want al was het te begrijpen dat je wel eens dacht aan hoe het anders had kunnen gaan – en soms onvermijdelijk (er waren beelden, denkbeeldige taferelen die haar sinds haar aankomst in deze stad voor de geest kwamen) – het was niet goed om er bij te blijven stilstaan. Eliot daarentegen leek vastbesloten om steeds maar weer terug te gaan naar alternatieve levens. De vraag was: wat betekende dit voor de ritmes van het gedicht? Ze geloofde dat de muzikale eigenschappen van poëzie zich door een dichter konden doen gelden in plaats van slechts zijn gereedschap te zijn, en ze geloofde dat dit in de *Quartets* gebeurde; dat het onderwerp weliswaar muziek was, maar dat Eliot intuïtief te werk was gegaan, de muzikale elementen van poëzie meer op een intuïtieve dan ambachtelijke manier had gebruikt. Dat moest dan betekenen dat er een externe kracht, een intelligentie aan het werk was, zo niet onafhankelijk van de schrijver, dan op de een of andere manier door hem in banen geleid.

Ze zette haar bril af en legde haar handen op haar ogen, die pijn deden, en hoorde toen iets. Ze keek naar beneden en zag haar potlood snel naar de tafelrand rollen, liet haar hand te laat zakken, bukte om het van het tapijt op te rapen, maar hield halverwege stil en bleef zo hangen. Na een ogenblik kwam ze overeind en bleef roerloos zitten. Haar hoofd had even heel veel pijn gedaan, aan de linkerkant.

Ze steunde haar hoofd met haar hand, ademde licht en regelmatig. Het valt wel mee, zei ze bij zichzelf. Ik zal wel uitgedroogd zijn. Ik ga wat drinken. Maar voordat ze dat kon doen werd ze door zo'n diepe uitputting overmand dat haar hoofd op haar armen zakte en de hitte van de dag en een gevoel van snelheid en een grote duisternis haar opslokten; archief, schrijftafel en papieren verdwenen en in plaats daarvan stond ze in een halletje.

Ze is eerder in dit halletje geweest: ze herkent de barometer, de kapstok met de spiegel en houtsnijwerk van bladeren, en eronder de zwarte schoenen. Achter de openstaande voordeur ligt een kasseiensteegje waarin de bovenkant van gebouwen over hun onderkant heen gebogen staat, en door de andere deur ziet ze een klein voorkamertje met balkenplafond, zitbank, boekenkasten en een enorme tafel met stapels papieren en boeken. Ze kijkt omlaag. Ze heeft een zonnejurk aan en sandalen. Haar haar zit in staartjes. Ze kan niet ouder zijn dan acht.

Een klets natte zoute wind beneemt haar de adem en ze draait zich om naar de voordeur. En nu ziet ze dat het steegje met panden in tudorstijl is vervangen door een heldere strandboulevard: ze staat in de hal van het huis aan zee, en het is zoals het zomers altijd was, vroeg in de morgen als de hele slingerende massa van meeuwen, zee en hemel in geweldige vlagen zon en zout wordt gevangen en de golven als bekkens knallen.

Ze loopt naar de deur en er is een trapje naar het trottoir waar haar moeder en zij gaan zitten en sandalen aantrekken om naar het strand te gaan en wanneer ze terugkomen gaan zitten om het zand uit hun schoenen te schudden – en daar komt haar moeder de trap af, en het is de trap van het huis aan zee: breed, kaal eikenhout, omhoog en omhoog en omhoog. Haar moeder heeft een gebloemde sjaal om haar hoofd. Ze draagt een halsketting van houten kralen. Ze kijkt voorzichtig naar haar moeder en voelt een golf van misselijkheid. Ze vraagt zich af wat voor soort dag het wordt.

Dan komt er een man de hal in en ze ziet dat het professor Hunt is. Het lijkt heel normaal dat hij daar is, dat ze hem kent; hier is hij als een huisvriend, alleen hebben haar moeder en zij geen vrienden, en erg huiselijk zijn ze ook niet; ze heeft wel eens het gevoel dat haar moeder en zij helemaal geen familie van elkaar zijn en eigenlijk vreemden. De professor en haar moeder bewegen zich om haar heen. Hij manoeuvreert met een picknickmand, een beetje struikelend zoals blijkbaar bij hem hoort. Sprietige schenen steken uit zijn korte broek; pezige armen en rimpelhals komen uit zijn t-shirt. Hij heeft nagenoeg geen schouders. Maar haar moeder, die terugkomt uit de keuken, heeft sterke, bruine ledematen, grote gladde schouderbladen, een lange, sierlijke hals.

Ineens is ze blij dat ze een kind is en er niet aan hoeft te denken dat ze een lichaam heeft. Maar terwijl ze dit denkt wordt ze zich ervan bewust in al zijn poezelige, groezelige achtjarige glorie. Ze kijkt omlaag en het lijkt of haar lichaam is opgezwollen. Ze wendt haar hoofd af, maar uit haar ooghoek ziet ze nog steeds haar armen, haar buik, knieën, tenen, het puntje van haar neus. Het idee om naar de zee te gaan is meteen te veel; het idee van het warme zand, haar jurk uittrekken, het water in lopen – hoe drukker haar moeder en de professor in de weer zijn, hoe meer ze beseft dat ze het niet kan; hoe groter de opwinding, hoe stiller ze wordt. Was ze maar een steen of een lantaarnpaal of een schutting! Maar zelfs de wind beweegt haar, doet kleine haartjes opwaaien, doet haar steeds even blozen en rillen.

De professor kijkt op en komt naar haar toe. Hij duwt haar pony weg van haar voorhoofd en glimlacht naar haar. Meer niet, maar ineens is ze vervuld van enorme hoop. Hij gaat door met het inpakken van de mand alsof er niets is gebeurd – maar dat is er wel: nu kan ze het toch, nu kan ze toch naar zee; ze zal de zon in gaan, door het warme zand lopen, helemaal naar de rand van het water. Ze zal het water in waden, het bezit van haar laten nemen, zich laten opslokken. Ze zal de hele middag bij hen blijven. Maar eerst moet ze iets halen.

'Waar ga je heen?' roept haar moeder als ze naar de trap rent. Ze kijkt zoals ze kijkt wanneer ze Elizabeths haar wast of haar veters strikt.

'Ik ben iets vergeten.'

'Vlug dan.'

Haar moeder gaat verder met het inpakken van haar spullen, maar de professor kijkt hoe ze de trap op rent, de eerste overloop over en de tweede trap op.

Daarna is er nog een trap, want het huis heeft drie verdiepingen en haar kamer is bovenin. Ze hoort haar ademhaling als ze op de derde verdieping komt. Ze stormt haar kamer in en kijkt om zich heen. Op de vensterbank ligt een schelp, aan de ene kant vlak en aan de andere een glanzend heuveltje, als vlees. Aan de onderkant, waar hij plat is, krullen roze lippen naar binnen en als je daar je oor tegenaan drukt, hoor je de branding. Ze pakt hem, wil teruggaan en ziet zichzelf dan in een grote ovale spiegel.

'Opschieten, Elizabeth,' roept haar moeder.

'Ik kom eraan,' schreeuwt ze terug, maar ze hoort haar eigen stem niet. Ze wil doorlopen, maar krijgt haar voeten niet van hun plaats. Ze wordt omhuld door iets hards, is een klein standbeeldje geworden, zij het een met staartjes, een zonnejurk en sandalen.

Er komen geluiden van beneden alsof er meubels worden verschoven. 'Wacht!' roept ze, maar er komt geen geluid. Achter koude ribben bonkt haar hart als een gek. Ze hoort een auto op straat en probeert wanhopig haar voeten te verplaatsen. Ze hoort stemmen en het geluid van voeten op de buitentrap. 'Stop,' roept ze. 'Wacht op mij!' onhoorbaar – en deze keer bonkt haar hart zo hevig dat het wat er om haar heen zit verbrijzelt en ze naar het raam kan rennen. Beneden stappen haar moeder en de professor in de zwarte auto. Ze rent de kamer uit en de overloop over.

Er klinkt een gebulder dat haar doodsbang maakt, al weet ze dat het eraan komt, en op dat moment herinnert ze zich dat ze deze droom eerder heeft gehad. Het gebulder duurt voort terwijl ze met klepperende sandalen de trappen af rent, haar lichaam zwaar alsof ze toch nog enigszins een onzichtbaar omhulsel om zich heen heeft zitten. Als ze in de hal komt is die leeg; de voordeur staat open en de zwarte auto verdwijnt de bocht van de weg om.

Dan vervaagt de strandboulevard en staat ze in de andere hal; donkerder, ouder, zichzelf – eenenvijftig? Tweeënvijftig? Wat maken jaren uit als er zoveel verstreken zijn? Ze is gegroeid.

Het regent buiten – ze hoort het sissen op de daken, ruikt de zwavel van aarde die net nat is geworden, ziet de donker wordende kasseien – maar op haar lippen proeft ze de zee nog en haar haar is weerbarstig van het zout.

Ze kijkt omlaag. In haar hand, als een voorwerp dat een andere wereld uit is gesmokkeld, ligt de schelp. Hij is kleiner, of zij is groter. Als ze hem tegen haar oor houdt hoort ze nog altijd de branding razen. Ze wil hem niet meer: wat heeft ze aan een schelp als ze de zee had kunnen hebben?

De professor werd onprettig wakker, van zonlicht dat onder aan haar nek likte, veegde haar mond af en ging overeind zitten. Het was leeg in het archief. Ze zouden wel zijn gaan lunchen. Haar hoofd voelde dik.

Ze pijn in haar hoofd leek weg te zijn, maar haar linker-hand was stijf. Er zat een afdruk in haar handpalm, alsof er iets in had gezeten.

VLAMMEN

Van alle verschrikkingen in dit leven, en sommige waren aanzienlijk, was die van de lichamelijke vereniging voor professor Stone ongetwijfeld de grootste. '*Who then devised the torment?*' schreef Eliot in 'Little Gidding', en het antwoord was: '*Love. Love is the unfamiliar Name/ Behind the hands that wove/ The intolerable shirt of flame.*' Hij bedoelde de liefde van Christus, maar had het net zo goed over de romantische liefde kunnen hebben; totdat hij Valerie leerde kennen, schijnt zijn liefdesleven aan het ondraaglijke te hebben gegrensd. Elizabeth Stone prees zich gelukkiger. Op één keer na was zij nooit rechtstreeks door het spook van de seks bedreigd.

Het idee alleen al was genoeg geweest om haar ervan te weerhouden zich er nader in te verdiepen; het hele gedoe met lichamen, je aan een ander vastplakken, openen en geopend worden, binnendringen en binnengedrongen worden, leek haar een betreurenswaardige en zeer verontrustende aangelegenheid waar je alleen onder grote dwang aan diende te beginnen; de ironie wilde dat een heleboel poëzie zich juist daarmee bezighield, verhuld natuurlijk door metafoor, schoonheid, ironie en geestigheid; ondanks zijn algemene afkeer van het onderwerp had Eliot een aantal verrassend schunnige, minder bekende teksten geschreven. De liefde en de ermee gepaard gaande pijnen waren een geliefd onderwerp van dichters, al was professor Stone er persoonlijk van overtuigd dat de vergelijkingen met universa, polen, hemel en hel holle beeldspraak waren, dat mensen overdreven als ze het over een gebroken hart hadden.

Dichters zouden wel zo gecharmeerd zijn van de liefde, dacht ze, omdat die een verheffing uit het tijdelijke beweerde te bieden, al leek het haar vreselijk dat de poort ernaartoe zo'n lachwekkend vat was: het menselijk lichaam, en het hare in het bijzonder, kwam haar voor als een treurig kanaal voor welke vervoering dan ook. Toen ze het mannelijke voortplantingsorgaan op school had gezien – de leraar biologie had zich bewonderenswaardig goed gehouden toen hij de diverse stadia van de werking ervan aan dertig giechelende leerlingen uitlegde – voelde ze zich zo ontzettend ongemakkelijk dat ze bijna letterlijk verkrampte; de blik in het oog van het ding, dat domweg belachelijk was; de reikhalzende, plantachtige stompzinnigheid lag nog weken daarna als lood in haar hart, en op het moment zelf was ze overbodig, onzichtbaar, aangespoeld op een strand van eindeloze wezenloosheid en verteerd door een verzengende hitte.

Haar zintuigen waren gewend aan versterving. In de pastorie waren er geen conserveringsmiddelen, luchtjes of cosmetica. Haar pleegmoeder Rene gebruikte azijn als ontsmettingsmiddel, zout om vlekken weg te krijgen. Eten werd gerantsoeneerd, zeep in reepjes gesneden, warm water beperkt tot centimeters. Maar Elizabeth hoefde niet ontmoedigd te worden om haar lichaam te verkennen: ze vond de functies al verschrikkelijk, de afscheidingen, de vettigheid van haar huid, de bitterheid van oorsmeer, de typische geuren van lichaam en haren. Ze bedekte het hele jaar door haar huid, liep nooit op blote voeten, ging nooit op gras zitten en haalde nooit de vlechten uit haar haar. Ze ontweek voorwerpen, keek mensen niet aan, probeerde hoe lang ze zich kon concentreren, stil kon zitten, wakker kon blijven, zonder eten kon.

Eén keer slechts had het verachte vat laten blijken dat het een eigen wil had. Ze moest in een toneelstuk op school voor een klasgenoot invallen en opgaand in het moment, een weefsel van endorfine en decorverf, wierp ze zich tegen een muur en hief de handen boven het hoofd. Het gebaar was spontaan, haar tegenspeler – een woeste tiran – viel even uit zijn rol, haar medeleerlingen stonden perplex, maar de docent riep: 'Prachtig, Elizabeth!' waarna ze meteen weer in de realiteit was. Vanaf dat moment werd ze argwanend bekeken, vooral door jongens: ze had een van tevoren al vaststaande overtuiging die ze hadden over meisjes als zij gelogenstraft en was nu het ergste wat je kon zijn, 'onberekenbaar', waardoor ze op blikken van eindeloos wantrouwen kon rekenen. Hadden ze maar geweten dat het voor haar even verbijsterend was als voor iedereen en dat ze niet van plan was om het ooit weer te laten gebeuren.

In het openbaar gebeurde er niets meer, maar in haar eentje was ze vaak overgeleverd aan een emotie die ze niet kon thuisbrengen. Ze ramde op de toetsen van haar schrijfmachine, scheurde huid aan de zijkant van haar nagels af, beet ze af tot ze bloed proefde. Op haar tiende had Rene haar een keer meegenomen naar de badkamer om haar haar te wassen. Ze was met haar schedel tegen de wasbak gestoten; de grote vingers van de vrouw hadden de fijne haartjes onder aan haar nek vastgepakt; het gekneed, geklop en geknijp maakte haar ziedend. Na afloop pulseerde alles wat ze zag en kwam ze niet op adem. Ze was naar het einde van de boomgaard gerend en had daar staan kokhalzen alsof ze zich van een onbeschrijflijke substantie wilde ontdoen en was pas na het donker teruggegaan. Ze kon zich geen verdere uitbarstingen herinneren, al had ze wel een litteken op haar arm waarvan ze de herkomst niet precies wist, en ook een op haar dij. Misschien was ze daarom zo bang toen op haar tweeënvijftigste de stemmingswisselingen waren begonnen.

Wat seks betreft was ze maar al te blij dat het hele onsmakelijke gedoe aan haar was voorbijgegaan. Met het academische bestaan had ze een welkome enclave in het snellere leven gevonden, en in de loop der tijd werd ze een instituut, 'Elizabeth' voor collega's, 'De Steen' voor haar studenten; soms liefkozend, soms ook niet. Toen ze een keer de aankondiging van een lezing van Geoffrey Hill op het prikbord van de faculteit stond te nieten, hoorde ze een van hen haar tot algemene hilariteit de 'Koningin-Maagd' noemen. Soms, om een angst te sussen die geen object had, stelde ze zichzelf de vraag wat een maagd was. In de meest elementaire zin was een maagd iemand die zich niet met een ander had verenigd; die niet was binnengedrongen; doorbroken; doorstoken. Een maagd was dus een veste, iets puurs, ook al was die puurheid nogal ongewoon, nogal lachwekkend, nogal... sneu.

Het gaf haar rust om dingen te verwoorden. Maar ondanks de precisie van definities, ondanks het feit dat er niets beschamends aan was, en ook al kozen sommige mensen ervoor om te blijven zoals zij was (wat natuurlijk ook voor haar gold), hield ze tegen mensen die ze zeker nooit meer zou ontmoeten wel eens de schijn op dat ze getrouwd was; en zelfs een keer, vele jaren geleden aan de toonbank in een Boots, dat ze in verwachting was. En de gloed die haar had vervuld. De last die van haar hoofd was gevallen, van haar schouders en knieën. De lichtheid die ze ervoer terwijl ze achter de behulpzame winkeljuffrouw aan naar het juiste gangpad zweefde. Het was verbluffend wat een beetje fantasie vermocht. Ze analyseerde haar daad niet al te nauwgezet, schreef hem toe aan natuurlijke creativiteit, het vermogen om in vrijwel onbeperkte mate om zuiver hypothetische redenen alternatieve perspectieven te verzinnen. Maar wat een bevrijding was het voor haar. Wat vloog ze ineens; ze mocht, al was het maar even, in een totaal ander domein vertoeven, waarna ze honderd keer makkelijker terug kon naar het hare.

Er waren geen vriendjes geweest, al hadden enkele mannen wel belangstelling getoond, vooral toen ze de kracht van haar jeugd gepasseerd was. Ze leek zich toen tevreden te stellen met haar lot; vesten en de koele blik pasten beter bij haar. De vrijers waren ofwel veel ouder – de vijftiger Frank, een 'acteur' die ze bij een borduurcursus had leren kennen, met een buik die hem voorafging, haar dat artistiek gecultiveerd grijs was, een huid bestrooid met psoriasis en een neus als een snavel – ofwel onuitstaanbaar: de kalende Gabriel, student archeologie aan King's, wiens lichaamsgeur de lucht om hem heen met de stank van wilde knoflook verzadigde, droeg gleufhoeden en regenjassen à la Bogart, bracht haar met lange gele nagels een serenade op een Spaanse gitaar en gaf haar lastige bosjes buddleja die in jampotjes verlepten en door haar piepkleine huurkamertje de stank van kattenpis verspreidden. Dergelijke attenties waren nog erger dan geen, en ze ging direct aan de slag om zich nog onzichtbaarder te maken.

Ze had heimelijk altijd gehoopt dat er onverwachts iets zou gebeuren, dat er een onbekende zou verschijnen, want hoe onprettig de werking van het lichaam ook was, hoe grotesk de geslachtsdaad, het was zonder twijfel makkelijker om met een gezel door het leven te gaan, uit sociale, financiële en zelfs medische overwegingen (het was bewezen dat alleenstaanden jonger stierven). Trouwens, als ze inderdaad iemand tegenkwam die geen bezwaar had om zijn leven met haar te delen, konden ze dat afschuwelijke gedoe toch achterwege laten: er waren genoeg andere verzetjes – wat was er mis met reizen, wandelen, praten, koken, culturele uitstapjes?

Twintig jaar lang wist ze dat het er waarschijnlijk niet van zou komen, maar dankzij de resterende vijf procent bleef ze eruitzien en zitten en doen alsof er toch een kans was. Toen ze vijfendertig werd besloot ze dat ze zich, als ze zichzelf ervan kon overtuigen dat er toch niets zou gebeuren, een ontzaglijke hoeveelheid nerveuze spanning kon besparen en daardoor in een positie kon komen waarin het juist waarschijnlijker werd dat er toch iets zou gebeuren. Maar haar agenda bleef dezelfde. En hoe dan ook was het moeilijk om van een levenslange gewoonte af te komen.

In het huis aan zee was nooit een man geweest; haar moeder kende er geen voor zover ze wist, los van de melkboer en de winkeliers dan. Ze had nooit naar haar vader geïnformeerd, en later, toen ze wist hoe baby's tot stand kwamen, leek het haar onmogelijk dat zij er ooit een gehad had. Haar pleegouders maakten het raadsel van de seks alleen maar groter. Zij hadden geen kind voortgebracht, ze wist niet of dat uit keuze of uit onvermogen was. De dominee kwam op haar over als een vrouw: zijn huid en haar waren zachter dan van een baby, zijn nagels rond gevijld en goed verzorgd, en Rene – ongeschoren, breedgeschouderd, besnord en lomp – nog het meest als man. Ze ging naar mannen staren, naar hun stoppelbaard, die zo dierlijk groeide, naar hun haar, zo anders dan het hare, zelfs als het lang was, al kon ze niet precies zeggen hoe, naar hun kaken, hun spieren, hun air, norsheid en dan ineens grijnzen; ze werd gefascineerd door het vloeiende jodelen van hun schorre stemmen, de lome blik die zich zo plotseling op haar kon richten, met angstaanjagend effect.

Als tiener vond ze seks zowel fascinerend als afstotend. Het was bepaald geen verrassing dat woorden voor haar de grootste erotiserende werking hadden, zij het niet de woorden die je tegenkwam in boeken die geschreven waren met de intentie om te prikkelen ('gaf haar een beurt' – zat ze in de klas? stond ze in de garage?). Hoe dan ook was het onverstandig om al te opwindende dingen te lezen want de mogelijkheden om de resulterende spanning kwijt te raken, die zuiver een kwestie van spieren was en waarin niets diepers gezocht moest worden, waren beperkt. Meestal was een stevige wandeling genoeg, of een warm bad. Als niets anders hielp, kon je altijd nog Gower gaan vertalen. Maar het kwam ook voor dat er maar één ding op zat, en ze troostte zich met het feit dat, volgens een enquête die ze in de wachtkamer van een tandarts had gelezen, 70 procent van alle vrouwen en 95 procent van alle mannen zich schrikbarend regelmatig met deze praktijk bezighielden. Voor professor Stone was het een zuivering; een noodzakelijk kwaad dat haar gedachten keurig bevrijdde om zich weer aan belangrijker zaken te wijden. Als het moest gebeuren, verrichte ze de handeling vlot, met samengeknepen lippen en een lichte frons. Toevallig wilde ze net aan het stuitende karwei beginnen – de avond na haar snikhete dag in het archief van King's College, de avond na haar verontrustende droom over haar moeder en de professor in de poëzie, na de middag dat haar hoofd één keer veel pijn had gedaan, aan de linkerkant – genesteld in de badkuip in het badkamertje, haar horloge naast zich (tien minuten, twaalf soms, het duurde zelden langer) toen ze iets hoorde.

Het was een uur of zeven, zeker niet vroeger, misschien wel iets later want de eetzaal was al open en er liepen groepjes donker geklede studenten over het binnenplein. Er kreunde iemand. Zo te horen was het een meisje. Sterker nog, ze gromde; het geluid klonk verkrampt en steeds afgekapt, alsof ze in barensnood verkeerde of moeite had met haar ontlasting.

De rest van de wereld werd ineens stil. Warmte omhulde de professor en ze verroerde zich niet meer. De geluiden duurden voort, hulpeloos, dromerig, smekend. De jongen kon ze niet horen; het kon natuurlijk ook een meisje zijn, je wist het tegenwoordig nooit. De eerste keer dat ze dergelijke geluiden had gehoord waren ze afkomstig van het meisje dat naast haar woonde in haar eerste studiejaar. Ze zat tegen de muur, steeds hoger gestemd, maar hoewel het liefdespaar knapte, bleef zij gespannen; tegen de tijd dat ze klaar waren zat ze te trillen, nog afgepeigerder dan wanneer ze een marathon zou hebben gelopen. De volgende dag kwam ze naar buiten met een kennis die te vreselijk voor woorden was; de wereld was anders geworden. Het besef dat mensen dit dus deden was onthutsend.

Het was vreemd dat seks horen zoveel schokkender was dan seks zien, want ze wist natuurlijk wel hoe het werkte, de ins en outs. De jaren daarna waren er meer gelegenheden geweest om getuige te zijn van de auditieve liefdeskunst. Ze wist niet precies waarom het bijhouden van elk detail beter was dan onwetendheid, maar ze luisterde naar het kraken, het kuchen, het lachen, het bonken, het piepen, het geprevelde 'O, god' of, als de deelnemers enthousiast waren, naar het gillen en wellustig brullen; ze luisterde naar de rustpauze, het gemompel, de lopende kraan, het spoelen van een stortbak, de terugkeer van normale stemgeluiden. Het ergste was wanneer ze dacht dat de ontknoping was bereikt en dan te merken dat het een tijdelijke stilstand was en dat er nog een weg te gaan was. Het gevoel dat ze tijdens het luisteren ervoer was geen genot maar uitzonderlijke pijn. Niettemin luisterde ze alsof haar leven ervan afhing.

Na afloop ging ze weer aan het werk met stralende ogen, doortrokken van een warmte die voortduurde tot lang nadat de heftigste ontmoetingen waren afgekoeld; en terwijl ze schreef of las, een ei kookte of haar tanden poetste, in de supermarkt stond, op de bus wachtte of in de tram stapte, stelde ze zich weer de vraag – alsof het een lastige filosofische kwestie was die je met enig genoegen kon overpeinzen, zoals Wat is waarheid? of Ligt de betekenis van een tekst bij degene die spreekt of degene die hoort? – wat het nu eigenlijk betekende dat zoiets haar nog nooit was overkomen; waarom niemand het nodig had gevonden om zich met haar aan deze ervaring te wagen. Meestal viel ze weer terug op definities, bracht de vergelijking terug tot haar simpelste termen: het kwam gewoon doordat twee mensen één werden; doordat ze het niet kon omdat één zijn haar beangstigde.

Water koelde af op de huid van de professor terwijl de geluiden boven energieker werden. Ze ging langzaam overeind zitten en boog zich naar voren zodat haar hoofd op haar knieën kwam te rusten. Ze trok haar benen tegen haar lichaam aan. De pijn in haar borst die meestal met dergelijke luistersessies gepaard ging was deze avond zo uitgesproken dat ze moeite had met ademhalen. Ze dacht: misschien komt het doordat ik terug ben in deze stad. Misschien komt het doordat ik oud ben. Ze had nog niet toegegeven hoe moeilijk het was om hier terug te zijn. En ze had nog nooit toegegeven dat ze zich oud voelde.

Buiten won het donker meer terrein; de geluiden duurden voort, maar de professor dacht niet meer aan het meisje boven. Ze dacht aan een andere avond, een ander meisje, en of de herinnering extra scherp was omdat hij zo lang begraven had gelegen of door de schok: doordat ze zichzelf met de ogen van een vreemde zag, helder, alsof het voor het eerst was.

Een meisje met een bril en dunne armen en benen staat voor een raam, balancerend, zo lijkt het, op het punt om voorover te vallen. Vanaf deze plek slaat ze nu al weken de ronde van feesten en bijeenkomsten gade: studenten met flessen in hun handen, studenten met hoge hakken in hun handen, studenten met elkaar in hun handen. Het is haar eerste trimester in de boekenstad en zij schijnt de enige te zijn die studeren serieus neemt en nu, na zes weken, is ze onzichtbaar geworden, zoals ze wel had kunnen voorspellen; mensen botsen tegen haar aan, kijken door haar heen; als ze bij een werkgroep iets zegt kijken ze vol verbazing rond alsof er uit het niets een stem is opgedoken. Maar vanavond is het de laatste avond van het trimester en iedereen is uitgenodigd voor een feest in de bar van het college – schimmen inbegrepen – en hoewel ze niemand kent heeft ze een jurk gekocht, iets wat ze nog nooit van haar leven heeft gedaan en waarschijnlijk ook nooit meer zal doen, en speelt met het idee om zichtbaar te worden, al is het maar een paar uur.

Het gras onder het raam is krankzinnig egaal, ijzingwekkend in zijn volmaaktheid en angstaanjagend in zijn onverschilligheid jegens de schaterlachen die als pistoolschoten tussen de zandsteenmuren rondketsen en haar hart snel doen slaan. Ze wou dat zij het gras kon zijn. Ze heeft pijn in haar borst en ze blijft voor het raam staan wachten tot de pijn het ondraaglijk maakt om daar nog langer te blijven staan, haar lichaamszwaartepunt naar voren kantelt en ze naar de goot-steen loopt.

Ze scheert haar benen en oksels en kleedt zich om (paarse jurk met pofmouwtjes, van British Home Stores). Ze spuit lak op haar haar en brengt zo goed en zo kwaad als het gaat oogschaduw aan, waarbij ze haar bril beurtelings voor het ene en het andere oog houdt; ze heeft de oogschaduw ook die dag gekocht en heeft het nooit eerder op gehad. Ze be-kijkt zichzelf, gaat op het bed zitten en wacht nog eens tien minuten, knijpt in de huid op de rug van haar linkerhand. Dan staat ze op en gaat naar buiten.

Ze is in de greep van een soort waanzin als ze het binnen-plein oversteekt; een delirium, een extase van angst. Als ze de trap afdaalt naar de bar in het souterrain hoort ze niet eens goed, stuitert tegen de muur, struikelt van de onderste trede. Tussen duwende schouders, rook en dreunende muziek wor-stelt ze zich naar de tap; ze neemt aan dat dit de bedoeling is en leunt met haar elleboog op de tapkast. Dat is ook de be-doeling: ze heeft het in films gezien; ze verwacht half en half dat de barkeeper een drankje over de bar naar haar toe zal la-ten glijden. Maar ze wordt een paar minuten lang genegeerd, waarna ze erachter komt dat er gratis drankjes op een tafel staan. Ze neemt een plastic bekertje en gaat tegen de muur staan om de waterige cider op te drinken. Door haar linker-mouw loopt een straaltje zweet dat van haar vingertoppen op de grond druipt; ze brengt haar arm omhoog en houdt het bekertje met beide handen vast.

Het is al een bovenmenselijke inspanning, maar nu be-denkt ze dat de beproeving nog maar net begonnen is want ze heeft nog met niemand gepraat en dat schijnt iedereen hier te doen – of te dansen; dansen gaat ze zeker niet. Ze zoekt de glimmende zee van gezichten en schouders af, de luchtzoenen, deinende borsten, probeert in de herrie na te denken, een niet-bedreigend doelwit te vinden waarmee ze een interactie kan aangaan.

Na drie of vier minuten besluit ze dat ze het nog tien minuten wil volhouden, vooral omwille van de jurk (die in het donker feitelijk niet te zien is), als er bij haar schouder een stem klinkt en iemand zegt: 'H-hoi, ik heet K-K-Keith.' De jongen heeft een gezicht dat belachelijk symmetrisch is en likt aan zijn volle lippen. 'M-M-Mooie jurk heb je aan.'

'Dank je.'

'I-Ik heb je eerder gezien. W-Wat studeer je?'

'Engels.'

'I-Ik studeer r-r-rechten.'

'O.'

'M-Mooie jurk heb je aan...'

Hij vraagt of ze wil dansen; later bedenkt ze dat ze nee had kunnen zeggen. Hij neemt haar door de drukte mee naar een kleine woelige ruimte tussen flikkerlichten en meteen verandert ze in een betonblok. Hij steekt zijn ellebogen opzij en draait zijn bovenlichaam van de ene kant naar de andere. Iets bespottelijkers heeft ze nog nooit gezien. Haar hart heeft het niet meer; haar gezicht schrijnt alsof ze huilt, maar ze huilt niet: ze glimlacht, probeert dat althans. Er wordt gegild en geschreeuwd in de rest van het vertrek, gezwiept, gejoeld, begerige ogen en verhitte gezichten glanzen, maar het paar danst keurig, gezichten van elkaar afgewend, en langer dan ze denkt dat ze het kan uithouden.

Na afloop neemt hij haar mee naar zijn kamer. Ze praten kort over Engels en Rechten, over de faculteitsbibliotheek die beter is dan die van het college en over de school waarop ze gezeten hebben. Dan zegt hij: 'I-Ik vind je heel k-k-k-knap', en komt naast haar op het bed zitten. 'M-mag m-mag m-mag ik je k-k-k-kussen?' Ze gaat bijna van haar stokje, zo opgelaten voelt ze zich, maar ze wil hem niet voor het hoofd stoten en weet niet wat ze moet zeggen om dat te vermijden. Als hij zich van haar losmaakt slikt hij en hijgt met zijn ogen half dicht. Hij pakt haar arm vast. 'Niet weggaan.' Hij stottert niet meer en de greep is verrassend stevig.

Ze zegt: 'Ik moet weg.' Dan zegt ze: 'Ik wil het niet.' Maar haar stem is hees en stokt in haar keel.

Hij is koortsachtig, lijkt iets achter haar te zien; er staan zweetdruppels op zijn voorhoofd. 'Blijf stilzitten, je hoeft niets te doen.' En dan trilt hij, drukt zich tegen haar aan, frutselt aan zijn gulp. Hij drukt haar achterover op het bed en maakt een geluid alsof iemand hem heel snel schudt, en als ze een blik waagt is hij furieus bezig zichzelf met zijn rechterhand aan te randen. Ze doet haar ogen dicht.

Wanneer het voorbij is haalt hij een t-shirt en zegt buiten adem: 'G-G-God, dat was heftig.' Hij veegt zichzelf schoon en geeft het t-shirt aan haar, met een glimlach, nu weer heel welwillend. Na een kort moment pakt ze het aan en komt, terwijl het haar met haarlak slagzij maakt naar stuurboord, overeind om de vlek van haar jurk te vegen.

Ze gaat via achterafgangetjes terug naar haar kamer en zit de rest van de nacht op haar bed voor zich uit te staren. Gedurende de volgende twee trimesters ziet ze hem zo nu en dan aan de overkant van het binnenplein. Hij krijgt verkering met een meisje dat bij haar op de trap woont en blijkbaar tevredener met zijn optreden is dan zij. Als ze elkaar tegen het lijf lopen glijdt zijn blik over haar heen. In de bar waagt ze zich niet meer, elke vrije minuut wordt aan boeken besteed, de verschijnselen van seks een hoofdstuk dat niet wordt herlezen.

Het was bijna donker in de badkamer, de geluiden boven werden snel heviger. De professor luisterde tot het laatste bedrijf, sloot toen haar ogen. Ze bleef nog even met haar armen om haar knieën gekruld zitten voordat ze het bad uit stapte, en toen ze dat deed waren haar bewegingen traag, alsof er een accu bijna leeg was. Ze sloeg een handdoek om en liep naar de deur.

De kamer daarachter lag in duisternis. Gelach en gepraat stegen op van de grindpaden, geschreeuw in de verte uit Hall; als ze avondeten wilde moest ze opschieten. Ze bleef waar ze was. Ze zou geslapen kunnen hebben want haar ogen waren dicht en haar ademhaling was regelmatig, alleen stond ze en waren haar knokkels, die het deurkozijn vastgrepen, spierwit.

WIE LUST HEEFT OM TE JAGEN

Hij heeft het over sir Thomas Wyatt. Klokken luiden. Windvlagen tillen de takken van de paardenkastanje een grijze hemel in.

De kamer van Edward Hunt is zoals in haar herinnering, misschien iets netter als gevolg, vermoedt ze, van het feit dat het trimester ten einde loopt en niet begint, zoals bij haar toelatingsgesprek. Ze zitten op de geplaagde bank, op een paar niet bij elkaar passende stoelen en op het versleten kleed, de uitverkoren discipelen, verzameld aan zijn voeten, lucht ademend die zwaar is van tabak en de meelachtige geur van boeken. Ze heeft één snelle blik op hem geworpen toen ze binnenkwam. Daar was hij dus; nu wist ze het weer. Toen had ze een plekje gevonden in de hoek tussen de bank en het raam en niet opgekeken.

Ze zijn nu veteranen, tweedejaars. Op dit moment heeft ze gewacht en nu is het eindelijk zover, maar het is anders dan ze zich had voorgesteld. Het college is nog hetzelfde – de portier; het vierkante binnenplein; de glazen gang; de rozentuin – maar de professor in de poëzie is veranderd. Hij wiebelt met zijn schoenen, bladert af en toe even driftig door zijn boek en beziet de kring met de tederheid van een wolf. Bovendien schijnt hij haar niet opgemerkt te hebben. Heeft hij haar tentamencijfers wel gehoord? Over haar rechterhand waar ze nog wekenlang last van bleef houden? Dat ze alleen maar warm water met suiker kon drinken? Dat ze vergat welke dag het was, waar ze woonde, hoe ze heette? Hij moet in elk geval over haar cijfers hebben gehoord, dat hebben alle docenten, en bij die gedachte wordt ze overspoeld door blijdschap en een misselijk makend gevoel van opluchting. Maar de golf wordt gevolgd door een steek van angst: wat zal hij van zo'n winnaar voor heldendaden verwachten? Nu meteen moet ze hem geruststellen dat ze hem niet zal teleurstellen, dat hij haar terecht heeft uitgekozen; ze moet haar hand opsteken en iets zeggen wat zo geniaal is dat hij versteld staat. Ze moet ergens woorden zien te vinden, maar hij zegt met donkere stem: '... en woorden zijn, in een samenleving waar de alleenheerser God is, gevaarlijk.'

Dan begint hij voor te lezen en nu herinnert ze zich nog iets: de manier waarop hij een boek vasthoudt, dieper ademhaalt bij het voorlezen, en hoe andere dingen stil worden:

Wie lust heeft om te jagen, ik ken een hinde
Die ik helaas niet vangen meer zal mogen.
Zo moe ben ik van mijn vergeefse pogen
dat ik ver achterin slechts ben te vinden...

Hij laat de sigaret met trillend filter boven de asbak hangen (ze was vergeten dat zijn handen beven. Waarom is dat, vraagt ze zich af). 'Zo,' zegt hij. 'Wat vinden we daarvan?'

Ze vindt eerlijk gezegd een heleboel; ze zou een hele lezing over dit ene sonnet kunnen geven. Ze heeft een week lang aan weinig anders gedacht en de bladzijde die voor haar ligt is een mengelmoes van zwarte, rode en blauwe inkt, een weefsel van kanttekeningen. Maar nu ze hem weer heeft gezien is alles anders; en zo te zien, wanneer ze rondkijkt, is ze niet de enige die moeite heeft om woorden te vinden. Haar medestudenten zwijgen ook, beduusd door de manier van doen van deze man die eerder een van hen lijkt dan een docent, uitsluitend Edward genoemd wil worden, kettingrookt, vloekt als een bootwerker, kistjes draagt en kleren met gaten, en de indruk maakt dat hij elk moment kan ontploffen. Als de stilte aanhoudt slaat hij op de armleuning van zijn stoel en gromt: 'Kom op! Ik zit hier niet voor mijn lol.' En nu is het hopeloos: niemand kan iets zeggen. Dus spiedt hij rond, op jacht naar zijn eerste slachtoffer.

Ze duikt weg met haar hoofd, met bonzend hart, maar ze denkt dat ze veilig is: de fauteuil onttrekt haar gedeeltelijk aan het zicht, al zou hij de bovenkant van haar hoofd kunnen zien. Wat was er gebeurd met haar plan om hem te imponeren? Haar aantekeningen waar de bladzijde van uitpuilde, klaar om uitgesproken te worden?

'Marcus.'

Haar schouders zakken van opluchting en ze doet haar ogen open.

Marcus kucht, zijn knie gaat op en neer. 'Eh... Het is vrij claustrofobisch, hè?'

'Ik weet het niet. Vertel jij het maar.'

'Eh, nou, ja... het is...'

Geërgerd tipt hij de sigaret af. 'Goed, we hebben een gevoel van ingesloten zijn, poëtisch, politiek, persoonlijk. Wat nog meer? Kirsty.'

'Het is gevaarlijk om datgene wat je hebben wilt te achtervolgen omdat het al van iemand anders is,' zegt het meisje.

'Prima.' Hij neemt nog een trekje. 'En wie is die iemand anders?'

'Koning Hendrik de Achtste?'

'Juist. Nog meer?' Hij inhaleert en houdt de adem in; uit zijn donkere neusgaten lekken rookwolkjes.

'Het is een liefdesgedicht,' zegt iemand.

'Oké...'

'Een onbeantwoorde-liefdesgedicht,' zegt Hannah. 'Maar we weten niet of dat komt doordat het hert de gevoelens niet wil of niet kan beantwoorden. Al denk ik dat dat waarschijnlijk hoe dan ook een zekere dood zou betekenen.'

'Oké.' Zijn stem klinkt lager nu: hij is meer op zijn gemak. 'Is het een sonnet?'

'Ja.'

'Hoe weten we dat?'

'Veertien regels, jambische pentameter, verdeeld in een octaaf en een sextet. Petrarca,' zegt Hannah beheerst.

'Goed. Nu komen we bij de kern. En wat heeft Wyatt precies van Petrarca geleend?'

Ze had elke vraag tot nu toe kunnen beantwoorden, maar deze zou ze heel goed kunnen beantwoorden. Dit zou, als haar timing perfect was, haar moment zijn. Ze zou beginnen met de opmerking dat Petrarca's *Una candida cerva* – 'een witte hinde' – een verheven neoplatonisch symbool is, en dat de gouden hoorn van Diana, godin van de kuisheid, de puurheid van de beminde versterkt, maar dat Wyatt seksuele dubbelzinnigheid en cynisme in zijn sonnet stopt waardoor het visionaire karakter van Petrarca's *una candida cerva* volledig verdwijnt. Ze zou zeggen dat Wyatt zich de woorden die Petrarca (een mogelijke kandidaat voor de 'caesar' in het gedicht en in Rome gekroond tot koning der geestigen) zijn hinde laat spreken: '*nessun me tocchi*' – 'raak me niet aan' –, weer toe-eigent en herwaardeert als '*noli me tangere*', en de uitdrukking aldus in zijn oorspronkelijke vorm herstelt en die van Petrarca tot tweederangs na-aperij reduceert, waarmee Petrarca ongeschikt wordt verklaard voor de positie van caesar zowel in verhouding tot de hinde als tot de traditie van het sonnet, en Wyatts eigen positie als 'navolger' voorgoed verandert. Als haar timing perfect was, zou ze dit nu zeggen. Een golf van gloeiend bloed vliegt naar haar nek en haar haren in. Nu, brult haar hart. Doe het. Doe het! Maar haar arm weigert zich te verheffen en haar hoofd richt zich niet op. Ze voelt zijn blik over haar heen gaan en even later hoort ze hem zeggen: 'David.'

Ze valt. Maar er is geen reden tot paniek, houdt ze zich voor. Ze zal het zo doen, ze zal het zo spelen dat ze wacht tot hij naar haar toe komt; dan zal ze hem versteld doen staan. Ja, dat is beter; maar zij zal niet degene zijn die uit zichzelf met informatie komt, zij gaat niet uitsloverig doen. Ze laat hem naar haar toe komen. Hoewel ze moet toegeven dat het haar verbaast dat hij haar nog niet heeft opgemerkt.

David is aan het woord: '... en het feit dat caesar om de nek van het hert heeft staan dat het van hem is, lijkt des te onheilspellender in het licht van het lot van de vrouwen van Hendrik de Achtste.'

'Klopt.'

Dat beviel hem wel, dat hoort ze aan zijn lage stem. 'Vergeet niet dat het gevoel van dreiging meer was dan een esthetisch effect,' zegt hij. 'Het gedicht ging niet voor niets heimelijk als manuscript rond.'

Haar hart doet zeer. Ze richt haar aandacht op het kleed aan haar voeten. Er staan zo te zien fleurs de lis in, maar waarom die in bomen ronddartelen weet ze niet.

'Alles is in code,' zegt Kirsty, 'al zijn de letters "gewoon".
Dat was een heel goed punt. Daar zou zij ook op gekomen zijn, dat weet ze zeker. Ze probeert snel na te denken,
maar een paar minuten lang komt er geen enkele gedachte
in haar op. Als haar geest zich heeft hersteld, hoort ze hem
zeggen: 'Je kunt net zomin voor de koning vluchten als dat
hert. Hij vindt je toch wel.'

Ze moet wél iets zeggen; ze moet niet wachten tot hij haar
heeft gevonden; het zal niet meer uitsloverig klinken; sterker
nog, als ze niet gauw iets zegt gaat het opvallen dat ze zwijgt.

Jessie zegt: 'Hij draait de traditionele religieuze connota-
tie om van wat Jezus tegen Maria Magdalena zei: "Raak me
niet aan want ik ben nog niet ten hemel gestegen." Hier is
caesar de koning en de hinde is Anna Boleyn.'

'Uitstekend,' zegt hij, en in plaats van te blozen wordt
Jessie bleek van blijdschap. En nu weet ze dat ze iets moet
zeggen, want alle anderen hebben geantwoord.

Hij zegt: 'Ja, "Ik behoor toe aan caesar" is een buitengewoon levendige illustratie van het vleesgeworden-woord-
motief en roept tegelijkertijd niet alleen in herinnering wat
Jezus tegen Maria Magdalena zei, "Raak me niet aan want
ik ben nog niet ten hemel gestegen", maar ook de eerdere
opdracht aan zijn discipelen: "Geef dan caesar wat caesar
toekomt", waarmee hij staatkundige en religieuze loyaliteit
aardig door elkaar haalt; een herinnering, als de lezers van
Wyatt die nodig hadden, dat het Hof, dat over leven en dood
besliste, nu ook het centrum van religieuze invloed was, dat
eigenlijk net was geworden. Daarom is de datering van dit
sonnet zo belangrijk; sterker nog, de reden dat dit sonnet
alleen maar vóór een bepaalde tijd geschreven kan zijn...'

De datum, denkt ze, de datum... En nog terwijl haar hart
begint te jagen vinden zijn ogen haar. Het is alsof hij haar

angst heeft geroken: de zwarte ogen fonkelen van voldoening – ze herinnert zich nu hun merkwaardige voorliefde voor haar nood; hun unieke vermogen om haar het gevoel te geven dat ze geen kleren of zelfs huid bezit, maar uitsluitend inwendige organen. 'Elizabeth,' zegt hij met duidelijk genoegen. 'Kun jij ons wijzer maken?'

Ze staart naar haar bladzijde in al zijn glorie, vol ballpointpijlen en -aantekeningen, alsof ze door flink te staren iets tevoorschijn kan toveren wat er niet is en nooit is geweest. Er is geen datum, ze weet het zeker: 'Wie lust heeft om te jagen' is een van de vele sonnetten van Wyatt die niet exact gedateerd kunnen worden, maar kennelijk moet ze ook weten wat daarvan het belang is. Wat het allemaal nog erger maakt is dat ze ineens ziet, nu hij haar aankijkt, dat hij alles weet, haar niet is vergeten, over haar tentamencijfers heeft gehoord; in zijn ogen ligt een vuur, een vertrouwdheid, die er niet was toen hij met de anderen praatte. Ze ziet dat ze nog steeds zijn ontdekking is, dat hij erop gewacht heeft om haar les te geven en dat hij nu verwacht dat ze de zaak voor hen allemaal gaat verhelderen – dat hij haar heeft laten wachten, zoals zij dacht dat ze hem liet wachten, op dit exacte moment. Haar hart klopt zo hard en traag dat het voelt alsof ze daardoor heen en weer beweegt. Ze hoort zichzelf zeggen: 'Wanneer het is geschreven... is dat bekend? Volgens mij niet, toch? Ik bedoel, ik weet dat het in 1557 is gepubliceerd, dat was toen Richard Tottel zijn bloemlezing publiceerde, maar ik weet niet precies wanneer Wyatt dit sonnet heeft geschreven... Ik weet ook niet precies waarom de datum in dit geval belangrijk is...'

'O.' Hij doet geen moeite om de teleurstelling te verbergen. Vaag hoort ze dat hij vraagt: 'Kan iemand Elizabeth helpen?'

Er is een gretige vrijwilliger. 'Hendrik de Achtste beschuldigde Wyatt van overspel met Anne Boleyn en sloot hem in 1536 op in de Tower en Anne werd datzelfde jaar onthoofd, dus kan Wyatt het sonnet niet na 1536 geschreven hebben omdat de "hinde" toen dood was. Ze trouwde in 1533 met Hendrik, dus het is aannemelijk dat het daarvoor is geschreven,' zegt Kirsty zelfvoldaan.

'Klopt. Klinkt dat logisch, Elizabeth?'

Ze knikt, haar gezicht vuurrood.

'Wou je nog iets anders zeggen?'

Ze hoort zichzelf niet boven haar hart uit maar zet evengoed door: 'Ja, er is een interessant contrast tussen, eh, wildheid en eigendom: het hert heeft een halsband om, is van caesar, maar ook wild.'

Het is meteen duidelijk dat het geen bijzondere opmerking is.

'Klopt,' zegt hij beleefd en dat is nog erger dan wanneer hij haar direct had afgekapt. Stilte sluit zich als water boven haar.

Hij begint over het hof van Hendrik te praten, de wreedheid, de vriendjespolitiek, het gekonkel. Ze maakt aantekeningen, net als de anderen, slaat bladzijden om, doet net of ze dingen nakijkt, knikt voor de vorm, schrijft nonsens op.

Als het tijd is om te gaan, staat ze op. 'Essays vrijdag om vijf uur in mijn postvakje,' zegt hij. 'Geen smoezen. O, en vermijd te allen tijde de Penguin-editie. Helaas is dat de enige die ze bij Dingwell's hebben. Waarom is dat zo'n waardeloze klotewinkel?'

Dan gaat de deur dicht en lopen ze de gang door, langs de chaotische rozentuin, een stenen trapje af, onder een sombere oktoberlucht en de afhangende takken van de paardenkastanje.

Ze probeert te rationaliseren wat er is gebeurd: ze heeft een fout gemaakt. Het is geen ramp. Ze heeft gewoon te lang gewacht; ze had eerder een antwoord moeten geven. Het antwoord dat ze uiteindelijk gaf was niet slecht, alleen geen antwoord dat je van een meisje met de hoogste cijfers van de universiteit zou verwachten. Hij zal gewoon beseffen dat hij zich in haar heeft vergist. Meer niet. Hij is waarschijnlijk niet eens zo teleurgesteld als zij.

Ze komen door de portiersloge. Albert roept: 'Tot volgende week, Miss Elizabeth.' Ze glimlacht en zwaait naar hem, maar kan niets zeggen omdat haar gezicht tot een soort masker is verstard.

Ze lopen de straat in. De jongens doen hun nieuwe docent na, vrijpostig nu de ondervraging voorbij is, nemen gekwelde trekjes van onzichtbare sigaretten, maken hun haar door de war, grommen met een zeer nors Manchesters accent. Een van hen trekt een gezicht, laat een wind en maakt een opmerking over tekstketters.

Ze laat hen doorlopen en als ze ver genoeg weg zijn drukt ze haar knokkels tegen een muur en trekt ze eroverheen tot ze nat zijn.

WOORDEN EN MUZIEK

Ze had de linkerhand moeten afschuren: het valt niet mee om een pen vast te houden; ze had moeten nadenken. Denk na, zegt ze tegen zichzelf. Denk na.

Ze zit in de Upper Room onder de ogen van de goden, drie dagen na de noodlottige eerste bijeenkomst van de werkgroep met Edward Hunt. Er rest haar nu nog maar één ding: een verbluffend essay schrijven. Ze was natuurlijk altijd al van plan geweest om een verbluffend essay te schrijven, maar door haar vernedering onlangs is dat nu essentieel. Ze houdt wel van Wyatt, dat is een begin. Ze houdt van zijn klank, de nuchtere bezwering, de clandestiene hoofse woorden die onheilspellend galmen, als voetstappen in een donkere passage. Maar na drie dagen heeft ze niet meer dan een alinea geschreven. De alinea luidt als volgt:

In 'Wie lust heeft om te jagen' blijft, net als in de Epistolary Satires, het verlangen van de spreker om te zijn waar hij in de stoïcijnse stijl van zelfbeheersing verklaart te zijn (Kent en het christendom) in twijfel, net zoals het moment van onuitsprekelijke vreugde en tegenwoordigheid toen Christus tegen Maria zei: 'Raak me niet aan' een vluchtig moment van onherstelbaar verlies wordt, het reiken naar een tegenwoordigheid die altijd ongrijpbaar blijft, een verwarde en pijnlijke erkenning van koude onveranderlijkheid. De jacht eindigt nooit en begint nooit omdat noch de jacht noch de spreker ergens heen kan.

Ze pakt de pen steviger vast, maar er komt niets meer. Kan het begeerde hert, nu het eindelijk binnen bereik is, ontkomen precies op het moment dat ze op het punt staat het te pakken te krijgen? Is ze het hele vorige jaar dan voor niets stukje bij beetje vooruitgekomen? Ze zou er nu alles voor overhebben om naar dat jaar terug te gaan, maar toen ze daar was verlangde ze naar hier. Werkt de tijd dan zo, vraagt ze zich af: lokt die ons met beloften van de toekomst om ons dan te doen wensen dat we terug waren in het verleden?

Uiteindelijk lukt het haar om nog tweeëntwintig alinea's te schrijven, levert ze het essay in – een warrig theoretisch stukje – en duikt onder in Middelengels. Een week later krijgt ze het terug:

Goed essay, Elizabeth, vooral voor een eerste poging op een volledig onbekend terrein. Er valt hier veel te genieten en te bewonderen: zeer precieze en overtuigende interpretaties van 'Eyes That Last I Saw in Tears' en de 'Penitential Psalms' bijvoorbeeld. Maar ik denk wel dat je betoog sterker wordt (en hier en daar ook duidelijker) als je je meer concentreert op het fysieke produceren en verspreiden van de teksten die je bespreekt.

Dan is er nog het stijlaspect: als je iets wilt zeggen,

Elizabeth, zeg het dan. Je bent verdwaald onder bergen theorie.

Als je dat kunt oplossen, hoeft er maar heel weinig aan gedaan te worden om hier uitstekend lesmateriaal van te maken.

Het commentaar valt wel mee. Maar het cijfer – het cijfer is een 6.5.

Ze gaat als in een droom aan de slag met het volgende essay, werpt zich op de stuitende wereld van vulgaire humor en politieke satire in de tijd van Shakespeare. Als ze haar ogen sluit, ziet ze de lippen van Edward Hunt deze woorden uitspreken: 'snibbig', 'neppig', 'schunnig'; ziet ze hoe dol hij hierop is. Hij heeft haar deze keer geen vragen gesteld en zij heeft geen antwoorden aangeboden.

Ze maakt nu al een week aantekeningen. De bundels worden steeds groter. Overdag probeert ze die te beteugelen, een spinnenweb van touwtjes en tekens in de tekst. 's Nachts wordt ze spartelend in een zee van papier wakker. De situatie is veranderd: ze is nu bang voor woorden en zij bemerken die angst en zijn sterker geworden. Wanneer ze uiteindelijk 's morgens om vijf uur in de bibliotheek van het college begint, komt dat omdat iets schrijven, hoe pover ook, beter is dan nog een seconde langer leven zonder iets te schrijven.

De vorm van de taal in de satire uit de tijd van Shakespeare [schrijft ze] weerspiegelt de walging en afkeer van het onderwerp. Het creëren door de satiricus van een woorden-ik die steeds groter en machtiger wordt, valt samen met het steeds verder wegvallen van zijn ware ik; zijn dubbelzinnige vuurwerk houdt tegelijkertijd verbale overvloed en holle babbelzucht in: 'res' en 'verba' zijn als een januskop aan elkaar verbonden. De verteller zou zich graag van zijn taak ontheven zien, maar weet niet hoe hij dat moet doen: zijn woorden worden bruut afgekapt, 'in de keel geschoten' of 'blijven steken in het slijk en hebben er schoon genoeg van'...

Halverwege zakt ze weg in een dagdroom waarin hordes gewapende woorden met tandenstokers haar nagels optillen. Als ze aan haar oogleden beginnen, gilt ze en wordt wakker doordat iemand haar schudt. Hannah en Jessie staan haar aan te staren. 'Je zat te praten,' zegt Jessie.

'Sorry,' mompelt ze.

'Hoe lang zit je hier al?'

'De hele nacht.'

'Je moet slapen,' zegt Hannah.

'Het gaat best. Ik wil dit gewoon even afmaken...'

De volgende dag ligt er een briefje in haar postvak. 'Kom om vier uur naar mijn kamer. Edward.'

Ze wacht onder aan de stenen trap. Het is een grijze, winderige dag. Een stem zegt: 'Heb je het koud?' en ze draait zich om en ziet hem door de gang aankomen met het stonewashed spijkerjasje aan en een slobbertrui, waarvan hij een eindeloze voorraad schijnt te hebben. 'Ga maar vast naar binnen,' zegt hij en springt langs haar heen de trap op. 'Ik moet even pissen.'

Ze gaat op de hobbelige bank zitten, haar voeten tussen de fleurs de lis, geflankeerd door Johann Sebastian Bach en Ian Curtis, ambassadeurs van respectievelijk beheerste geestkracht en goddeloze wanhoop, en vraagt zich af welke van de twee de verstandigste houding zou zijn om aan te nemen. Ze weet dat ze hier maar om een van twee redenen is: hij is boos of teleurgesteld. Aan geen van beide kan ze iets doen.

De deur slaat dicht, hij loopt de kamer door en laat zich in de leunstoel vallen. 'Zo,' zegt hij. 'Hoe gaat het ermee?'

'Prima.'

'Ja?'

'Ja.'

'Ik hoor andere verhalen.'

'O.' Ze glimlacht kort naar hem. 'Toch is het zo.'

'Ik hoor dus andere verhalen.'

Ze fronst haar wenkbrauwen en kijkt naar haar knieën.

'Je schijnt de hele nacht in de bibliotheek te hebben gezeten.'

'Nee hoor.'

'Jawel. Dat weet ik.'

'Het maakt niet uit...'

'Het maakt wel uit.'

Zijn gezicht trilt van iets. 'Waarom zeg je dat het allemaal niet uitmaakt? Ik zou hier toch niet met je zitten te praten als het niet uitmaakte?' Hij probeert zijn sigaret op te steken. 'Er zijn miljoenen andere dingen die ik zou kunnen doen.' Hij gooit de aansteker opzij en kijkt op. 'Wat heb je in godsnaam met je hand gedaan?'

Ze kleurt en bedekt haar knokkels. 'Niets.'

Hij kijkt haar boos aan. 'Nog iets wat niet uitmaakt zeker.'

Hij werpt haar een inktzwarte blik toe, staat dan op om water op te zetten. Achter het raam ritselen rozenstruiken. De schemering is op komst, maar er drijven nog wolken boven de rivierweiden, er zweven nog takken; het gevoel dat ze heeft is van enorme knagende onbehaaglijkheid. Hij schenkt heet water in, geeft haar een beker, gaat naar zijn stoel en neemt een ontzettend luide slurp koffie. Als ze zich niet zo wanhopig voelde, zou ze moeite hebben om niet te lachen. Ze tilt haar eigen beker op, neemt een slokje en spuugt het bijna weer uit. Behalve dat de koffie kokendheet is – hoewel de koffie kokendheet is – heeft ze nog nooit viezere koffie geproefd, maar het ongemak vormt een welkome afleiding. Ze vouwt haar handen steviger om de beker heen.

'Je bent nog geen twee weken terug en je bent al in alle staten. Je hebt het geweldig gedaan bij de eerste tentamens, je hoeft niets te bewijzen, dus waar zit je mee?'

'Ik zit nergens mee.'

'Laten we een afspraak maken: ik lieg niet tegen jou als jij niet tegen mij liegt.'

'Ik lieg niet!' Ze kijkt hem aan.

Zijn stem neemt een duistere toon aan. 'Je vergeet dat ik je doorzie.'

Ze voelt tranen prikken en grijpt de beker nog steviger beet. 'Ik wilde gewoon een goed essay schrijven...'

'En dat heb je gedaan. Ik weet dat je niet het cijfer kreeg dat je wilde, maar ik wil dat je het beter doet. Ik weet dat je beter kan en ik ga ervoor zorgen dat je dat ook doet. Ik werd eerlijk gezegd kwaad door dat essay. Ik had zin om je over de knie te leggen en je een pak voor je broek te geven.' Hij lacht om haar gezicht. 'Dat was een grapje, Elizabeth, maar ik meen wel wat ik over het essay zei; het was een karikatuur, een overdaad aan theorie. Begreep jij wat je geschreven had? Ik in elk geval niet. Het waren alleen maar woorden; klonk goed, betekende niets.

Maar ik dacht vooral: waar is Elizabeth? Wat is er met dat meisje gebeurd dat ik bij dat toelatingsgesprek heb ontmoet? Je zei dat je het sonnet voelde, weet je nog? Je dacht niet dat Shakespeare verliefd was, zei je – een afschuwelijke opmerking – en ik vond het prachtig. Maar wat je nu hebt ingeleverd leek wel een instructieboekje van een auto. Elizabeth, wat schrijven ook is, het moet uitgaan van gevoel. Dat is de uitdaging die poëzie ons stelt: dingen voelen. Je bent verstrikt geraakt in woorden. Ga terug naar de muziek.'

Hij kijkt uit het raam. 'Ik heb nog steeds niets gelezen zoals jouw toelatingsessays, en waarschijnlijk zal ik zoiets ook niet meer lezen. Er zat een directheid in, een spontaniteit die ik nog nooit heb gezien...' Hij glimlacht. 'Niet dat we daar iets van terugzien in de Elizabeth van alledag.'

Er klinkt een tinkelend geluidje en er sijpelt kokendheet vocht door haar rok heen, de beker in twee stukken, het oor nog aan haar duim vast.

Hij springt overeind. 'Gaat het? Heb je je bezeerd?'

Ze weet het niet, is net zo verrast als hij en heeft veel pijn. Hij scheurt handenvol tissuepapier af en gooit het haar toe, geeft haar dan de doos en zegt: 'Ja, ja, maak ze maar op.'

Hij kijkt hoe ze haar rok dept, die ze van zich af houdt, haar gezicht gloeiend, en zegt: 'Ik ben je altijd aan het redden, lijkt wel. Bij het toelatingsgesprek viel je flauw als ik me goed herinner. Mijn god, was dat een glimlach die ik daar zag?'

Inderdaad. Er bloeit pijnlijk, stuitend, een glimlach op, hoewel er eigenlijk niets te glimlachen valt en ze houdt haar hoofd gebogen en blijft betten omdat ze tot haar afgrijzen beseft dat ze gaat huilen als ze niet oppast.

Hij zegt: 'Weet je dat je er stukken beter uitziet als je lacht?' en zucht dan, alsof het een hopeloze zaak is. 'Je houdt niet erg van jezelf, hè, Miss Stone? Wat ik wel eens zou willen weten is wanneer dat gevoel is begonnen.'

Ze blijft de rok verwoed deppen. Hij bekijkt haar enige

ogenblikken, pakt dan de natte tissues van haar aan en ze legt haar hand over de natte plek heen.

Hij zegt: 'Hoe dan ook moet je ophouden met dat werken, goed? Ik maak me zorgen over je. Er is hier een gemeenschap van mensen, maar niemand die je ooit ziet.' Hij woelt door zijn haar. 'Ik wil duidelijk zeggen dat je met me kunt komen praten als je ergens over inzit. Ik wil je vriend zijn, niet alleen je mentor.'

Ze beseft dat ze hem zit aan te staren en probeert haar ogen neer te slaan; de zijne zijn heel donker en heel glanzend. Het moment gaat voorbij. Zijn benen komen met een ruk in beweging, hij schraapt zijn keel. 'En nu moet ik je eruit schoppen. Neem de rest van de dag vrij. Ga iets doen wat je leuk vindt; het liefst iets waarbij mensen betrokken zijn. En probeer jezelf niet meer te verwonden.' En wanneer ze de gang uit loopt deelt hij de genadeklap uit. 'En maak je geen zorgen,' roept hij. 'Het volgende essay wordt vast een meesterwerk!'

DE VIERDE DAG: OCHTEND

Een meesterwerk. Wist je wat je schreef voordat het af was, vroeg professor Stone zich af, of wist je het pas als je het allerlaatste woord had opgeschreven? Ze had vanavond weer een afspraak met Edward Hunt en moest verslag uitbrengen van haar vorderingen met 'De poëtica van de klank', maar was tot nu toe niets opgeschoten. Ze keek even naar een opgezet litteken dat de knokkels van haar rechterhand besloeg. Hij had gezegd: 'Je bent verstrikt geraakt in woorden. Ga terug naar de muziek.' Nou, muziek was nu het probleem. Het had allemaal zo makkelijk geleken toen ze in de hal van de British Library stond, maar nu begon ze te denken dat Edward Hunt misschien wel gelijk had: schrijven over de muziek van de poëzie was vergelijkbaar met het uitspreken van de goddelijke naam – verboden, onmogelijk, een contradictio in terminis.

Ze zette haar bril af en wreef in haar ogen. Ze had niet goed geslapen. Het stel boven had zijn paringsdaad niet overgedaan, maar ze had dezelfde droom gehad als toen ze van de winter ziek was geweest, de droom over de keuken en de tafel en de vreemdeling. Deze keer zat ze alleen aan de tafel en was er verder niemand in de keuken. Ze hoorde voetstappen in de gang, maar de deur ging niet open en ze werd wakker met de pijn van verdriet en lag daarna te denken aan wat hij over meesterwerken had gezegd die middag dat ze de koffie over zich heen had gekregen, alvorens het beddengoed van zich af te gooien en de *Quartets* weer ter hand te nemen, maar toen het licht werd was ze nog niets opgeschoten. Ze voelde nu wind op haar armen en was daar blij mee. Nadenken zou oneindig veel makkelijker zijn als die hitte maar voorbij was, dacht ze; alles leek trager te worden, haar hersens, haar ogen, haar bloed, en verbeeldde ze het zich nou of voelde de linkerkant van haar hoofd strak? Ze rechtte haar rug. Daar wilde ze niet aan denken.

Aan de overkant van het vertrek maakte de bejaarde heer de bovenste knoopjes van zijn overhemd los. Zijn vingers trilden een beetje. Het was een ouderwets overhemd zonder boord en ze zag de plooien in zijn hals, wit als van een baby, en nu onder het overhemd de vorm van zijn hemd. Het overhemd van de jongere man had in het midden een donkere ovaal van zweet. *Mad dogs, Englishmen* en academici, dacht ze, want ze wist zeker dat ze dat waren; en het was juist nu zo bemoedigend om twee geestverwante zielen te zien die dezelfde eenzame, hooggelegen weg als zijzelf aflegden omdat er jaren, hele levens in het onderzoeken van één enkel gedicht, één enkel boek konden gaan zitten – en het wel eens mogelijk was om je af te vragen of sommige daarvan verspild waren. Dat was wat Elizabeth gehoord had over mensen wier leven voorbij was door ouderdom of ziekte of domme pech: datgene wat ze het allerliefst weer zouden hebben was niet rijkdom of gezondheid of zelfs liefde, maar tijd; tijd maakte alles mogelijk en was daarom het enige onmogelijke, het enige onverlosbare geschenk. Daarom was ze op dit punt in haar leven zo dolblij met de wetenschap dat ze het niet had verspild; al waren er van tijd tot tijd onvermijdelijk momenten dat je je afvroeg of je elk moment wel zo goed mogelijk had benut. Misschien had ze zich bijvoorbeeld aan Spenser moeten wijden in plaats van aan Milton; als dat zo was, zat ze meteen met tien weggegooide jaren. Misschien had ze zich eerder in Eliot moeten verdiepen. Dus in het licht van deze onzekerheden was het enorm geruststellend om deze twee figuren hier elke morgen om negen uur voor de paneeldeur te zien staan wachten tot de knappe jonge archivaris in haar zonnejurk met sandalen met de sleutels aan kwam trippelen; om hen de hele dag tegenover zich te zien zitten, speurend naar de graal, een bladzijde gelezen en door met de volgende.

De archivaris was druk bezig in het kantoortje dat aan het archief grensde en ze voelde zich vrij om de twee mannen ongemerkt gade te slaan. Ze had hen Duits horen praten en uit hun mond klonk de taal eeuwenoud en eerbiedwaardig, ruw en puur, als het water uit een bergbron dat tussen varens en mos en vuursteenrots door stroomt. Weer vond ze dat ze mooi waren; meestal viel ze niet terug op zulke banale adjectieven, maar ze kon nu niets beters bedenken. Het licht maakte een aureool van het haar van de oude man; de wangen van de jongere man waren melkwit in de warmte en op de rug van zijn handen stonden blauwe aderen. Ze hadden beslist een of andere missie, besloot ze. Ze had even een fantasie waarin ze zich voorstelde dat het engelen waren die naar de aarde waren gezonden om iets op te halen; misschien hadden ze iets naar de aarde gebracht, dacht ze, zoals de tovervoorwerpen die kinderen in zakdoeken van de ene naar de andere wereld probeerden te verplaatsen. Engelen hadden toch ook levenscycli, net als mensen, om zich naar transcendentie of verdoemenis te ontwikkelen? Misschien waren ze naar de aarde gestuurd om boete te doen, het hoofd van de politie veroordeeld tot het controleren van parkeerkaartjes. Of misschien waren ze gekomen om iemand te redden. Hoe dan ook twijfelde ze er niet aan dat hun werk van het grootste belang was, waarom zou zo'n broze oude man anders dag in dag uit in dit snikhete vertrek gaan zitten? Waarom zou deze jonge man, niet meer dan een jongen, over zijn papieren gebogen zitten met een ernst die aan devotie grensde? Ja, ze stelden haar mateloos gerust. En vervolgens, toen ze zich weer op haar werk richtte, stoorden ze haar, en ze begreep niet waarom.

Ze zuchtte, liet haar hoofd op haar hand rusten en staarde naar het papier voor zich. De tekens die ze boven de regels had gemaakt gingen in elkaar over en daarna weer uit elkaar. Stel, dacht ze, dat het bestaan een patroon heeft – de natuur was niet willekeurig, dat bewees de wiskunde – een stempel in alles wat zich voortplant, een formule die zich tot in het oneindige blijft herhalen en waaraan alles zich conformeert, een lied, een blauwdruk. Stel dat elk ding zijn eigen trillingssignatuur in zich droeg; hoe kon je daar dan op afstemmen? Muziek was een geweldige helper. Ze had gehoord dat mensen met hersenletsel een aantal van hun geestelijke vermogens terugkregen als ze aan bepaalde muziek werden blootgesteld; zijzelf niet, natuurlijk. Ze staarde weer naar de tekens die de versvoeten aangaven. Ze deden haar ergens aan denken. Zoals ze er nu naar keek, door halfdichte wimpers, waren het net brandingsgolven die uit zee kwamen aanrollen, maar dat was het niet. Wat dan wel? Een of andere code. Morse, misschien. Ze had gelezen dat je beter werd in het vertalen van het morseschrift wanneer je het leerde als een taal die je hoorde in plaats van las, en dat om de klanken weer te geven mensen die het gebruikten een punt als 'dit' gingen vocaliseren en een streepje als 'dah'. Dit, dah, damyata. Shantih, shantih, shantih.

De klok op het plein sloeg het kwartier en haar maag zat in haar keel. O god, dacht ze. O god, laat me toch iets schrijven. Toen keek ze op en de oude man knipperde met zijn ogen en trok aan zijn mouw. Ze kwam overeind, zag toen dat hij was gaan staan en beverig een vel papier omhooghield. De jonge man haalde hem over om weer te gaan zitten en ze begonnen druk te praten. Ook de professor ging zitten, met bonzend hart. Ze hadden dus gevonden wat ze zochten. Het ontbrekende stukje. Wie wist hoeveel jaren in dit moment waren uitgemond?

De oude man stond weer op, pakte zijn colbert en liet zijn wandelstok vallen, die de jonge man voor hem opraapte. Een koele vlaag wind stroomde naar binnen toen ze de deur opendeden en naar buiten liepen; met het bekende kletteren viel hij dicht. De archivaris kwam het voorvertrek uit en wendde zich naar professor Stone. 'Ik geloof dat ze iets hebben gevonden,' zei de professor.

'O, daar ben ik blij om,' zei de jonge vrouw. 'Ze zijn al weken op zoek naar een aanwijzing over de zuster van die oude man.'

Ze keek de jonge vrouw aan. Ze zei: 'Pardon?'

'Ze zochten in documenten die door de zuster van die oude man aan het archief zijn nagelaten,' zei de archivaris. 'Ze zijn elkaar al jong uit het oog verloren; ze wisten niet of ze nog leefde.'

De professor knipperde met haar ogen. 'Zijn zuster?'

'O, ik hoop zo dat ze haar vinden. Er is niet veel tijd meer, omdat die oude man zelf al zo bejaard is...'

Professor Stone zweeg even. 'Bedoel je,' zei ze een beetje streng, 'dat de heren geen academici zijn?'

'O nee,' zei de archivaris. 'Nee, ze wilden inzage in de papieren om familieredenen.'

Professor Stone fronste de wenkbrauwen. Toen strekte ze haar hals opzij met een merkwaardige beweging, alsof hij stijf was. Ze zei: 'Juist.'

De archivaris excuseerde zich en ging door met haar werk, maar de professor bleef nog even staan voordat ze weer ging zitten. En toen ze dat deed merkte ze tot haar verbazing dat er zo'n plotselinge en totale zwaarte bezit van haar had genomen dat het enige minuten duurde voordat ze zich ertoe kon zetten om het potlood op te heffen. Ze had niet meer dan een paar woorden opgeschreven toen een geritsel haar aandacht trok.

Er kwam een langpootmug over het bureau naar haar toe scharrelen, strompelend met zijn poten over de papieren. De professor liet het potlood vallen en leunde naar achteren. Ze had altijd een irrationele angst voor insecten met lange poten gekoesterd. Toen hij dichterbij kwam schoof ze haar stoel achteruit. Ze sprong overeind en zwaaide driftig met een stuk papier, maar het insect verhief zich alleen maar nijdig om vervolgens op de papieren te gaan zitten die vlak voor haar lagen. Ze joeg hem weg, maar deze keer, hoewel hij opvloog en fladderde alsof hij dronken was, viel hij bijna meteen weer terug, en even later zakten zijn poten een beetje door.

Hijgend staarde ze naar het insect, haar bril bungelend aan zijn kettinkje. Ze had gehoord dat deze dieren maar één dag leefden; deze ging zo te zien vlak voor haar neus dood. Ze joeg hem weer weg, maar hoewel de luchtstroom van het wapperende papier tegen zijn lijf botste, bewoog hij niet.

Ze deed haar ogen dicht en vloekte zacht. Er zat niets anders op: ze moest al haar papieren en de archiefdozen verplaatsen. Ze pakte de papieren aan weerszijden van het insect, huiverend, met een hart dat tekeerging omdat het beest haar elk moment in het gezicht, in het haar kon vliegen, en verhuisde naar het uiteinde van het bureau, maar ze had amper twee of drie zinnen gelezen toen ze besefte dat ze de papieren nodig had waar het insect op zat. Jammer dan, ze moest het maar doen met wat ze had; ze kwam niet meer in de buurt van dat ding, ze had er al genoeg last van gehad. Niettemin keek ze af en toe toch even naar het insect.

Het zat in de hete zon. 'Als je van plan bent om dood te gaan, heb je daar wel een domme plek voor uitgezocht,' zei ze. 'Waarom niet een lekker hoekje in de schaduw? Waarom niet onder een blad? In elk geval niet op mijn bureau. Allemachtig.' Ze werkte doelloos een kwartier verder. Toen ze weer naar het insect keek, probeerde het omhoog te komen, maar zijn poten gleden onder hem weg als bij een slechte schaatser. 'Ga nou maar dood,' mompelde ze. 'Ga alsjeblieft dood.' Ze las weer even verder. Toen ze weer keek bewoog het dier helemaal niet, al leek het haar dat een van de poten iets meer was doorgezakt.

Het duurde een halfuur voor ze weer keek. Deze keer zat het insect roerloos, scheef, één poot onder zich gebogen. Had het eerder zo gezeten? vroeg ze zich af. Ze dacht van niet. Nog twee keer ging ze terug naar het gedicht en nog twee keer keek ze even op, toen zuchtte ze diep en deed haar ogen dicht. Het ging gewoon niet, ze zou het moeten verplaatsen. Ze zou het nu doen en dat was dat. Ze zou hem buiten zetten. Dan kon hij daar doodgaan als hij dat wilde.

Haar hand beefde zo erg toen ze het vel papier aanraakte waarop het insect zat dat ze ertegenaan stootte en het dier blindelings weg scharrelde over het bureau en zij achteruit sprong. Ze deed een nieuwe poging, maar het strompelde tegen het grenen tussenschot aan de achterkant van het bureau aan en probeerde ertegenop te klimmen, met krabbelende poten. Ze staarde er vol ongeloof naar. Nu zat hij helemaal niet meer op enig papier, en om hem te verplaatsen zou ze een vel onder zijn poten moeten schuiven. Ze greep een van de gefotokopieerde bladzijden van *Four Quartets*, waarop ze jamben en spondeeën had aangegeven, en met gestrekte arm ging ze als een ridder op een draak af.

Ze schoof het papier naar de langpootmug toe maar duwde hem eigenlijk alleen maar vooruit. Ze liet het papier vallen, draaide zich om en wreef zich verwoed in de handen. Het duurde even voor ze zich weer kon omdraaien. Toen ze dat deed greep ze het vel en schoof het hard naar het insect toe. Hij ging woest omhoog en ze zag zijn woedende ogen en lange neus en vreemde snuit en haar hart ging zo tekeer dat het vertraagde en ze misselijk werd, en ze liet het papier vallen. Ze hapte even naar adem, wat bijna als een kreet klonk, en veegde in één beweging het insect naar de rand van het bureau met één hand, ving het met de andere op en rende naar het raam, waar ze het liet vallen – naar buiten was de bedoeling, maar omdat ze haar armen niet hoog genoeg optilde deponeerde ze het op de vensterbank, waarna ze zich met een snik weer omdraaide en haar handen herhaaldelijk over haar lichaam trok, alsof ze het wilde villen. Pas na enkele minuten kon ze omkijken.

Toen ze dat deed zag ze dat de langpootmug nog precies zo lag. 'Daar!' riep ze. 'Daar is het raam.' Alsof hij het gehoord had, verhief hij zich zwakjes, bleef even zweven als een beverig vliegend tapijtje, maar kwam niet verder dan een botsing met de vensterbank. Ze keek hoe hij zich weer probeerde te herstellen, maar deze keer lukte het niet en kon hij slechts met de punt van zijn voorpoot de vensterbank aaien.

Zonder dat ze het besefte huilde ze. Ik had hem eerder moeten verplaatsen, dacht ze. Nu gaat hij hier dood en dat is mijn schuld: ik heb hem te lang in de zon laten zitten. Maar ze kon het niet opbrengen om het insect nog eens op te rapen.

Ze ging terug naar haar stoel, zette met trillende hand haar bril weer op en pakte haar potlood, maar ze kon de draad niet vinden en niet lang daarna deed ze de archiefdozen dicht en liep het vertrek uit zonder om te kijken naar de vensterbank.

DE VIERDE DAG: MIDDAG

Die middag voelde het leeg in het archief. Professor Stone vroeg of de heren nog terugkwamen en kreeg te horen van niet. Ze wist niet waarom dit nieuws haar zoveel deed. Ze kon zelfs moeilijk blijven zitten. Eén keer wierp ze een snelle blik op de vensterbank, maar ze zag de langpootmug niet.

Ze had nog zes uur voordat ze Edward Hunt zou treffen en als ze niet snel haar ontdekking deed zou ze niet kunnen werken. Alle symptomen waren er: gebrek aan concentratie, zwetende handen, maag in de keel – niets voor haar en zeer zorgelijk. Ze had tussen de middag niets naar binnen kunnen krijgen en had op een bankje in het park naar haar handen zitten kijken. Ineens herinnerde ze zich dat ze zich één keer eerder net zo had gevoeld. Maar die keer zat ze niet op een zomermiddag aan een bureau maar 's winters, om middernacht, op een muurtje.

Enkele uren na middernacht, om precies te zijn, en eigenlijk eerder een balustrade dan een muurtje, maar Elizabeth Stone zit erop en het is winter, en onder haar voeten bevinden zich vijftien meter lucht, en daaronder vijf sparretjes in terracotta potten, en daaronder straatstenen grenzend aan het gras van een binnenplein. Op deze richel zitten overdag de duiven. Als ze in haar kamer zit te schrijven, houden zij haar altijd gezelschap; ze is gewend aan hun onophoudelijke gekoer, de dolle blik van een rond rood oog. Er zijn nu geen duiven; die zitten allemaal als brave, verstandige vogels lekker in hun nestjes, want het is koud, verrassend koud; zo koud dat ze zou moeten rillen, maar ze zit stil als een steen.

Maanlicht ligt als een vlies over sparren, bankjes, eetzaal en kapel. In het gewelfde donker boven ronkt een vliegtuig. Er is geen wind en het geluid draagt, raakt verwrongen in de vrieslucht. Het lijkt aan te geven dat er niets ongewoons is aan wat ze doet, aan het stuk steen onder haar benen, de duisternis onder haar schoenzolen.

In een plas lamplicht op het bureau achter het open raam liggen de verminkte resten van een essay. Het is haar tweede essay voor Edward Hunt en het is drie dagen te laat. Vanmorgen lag er een briefje in haar postvak met de tekst: 'Waar blijft verdomme mijn essay?' Het briefje was beangstigend; desondanks heeft ze het essay nog steeds niet af weten te krijgen.

Het probleem is tweeledig: niet alleen heeft ze te maken met teksten die weigeren over zich te laten schrijven, het is ook Edward Hunt zelf. Professor Hunt verwacht het onmogelijke, verwacht van haar dat ze uit de as van haar nederlaag herrijst en met een meesterwerk op de proppen komt. Drie dagen en drie nachten heeft ze in deze kamer gezeten; ze heeft gehuild en gevast en gebeden, maar tot nog toe is er niets herrezen behalve de zon drie keer, en die is steeds ook weer ondergegaan. Ze heeft gewacht tot de steen zou worden weggerold, maar er zijn geen engelen verschenen; en nu zou ze liever wegglijden in deze duisternis dan een essay inleveren dat weer een zesje waard is, want erger, eindeloos veel erger dan de dreiging van een nieuwe mislukking is de verwachting dat ze met goud zal aankomen. Wel, ze heeft dagenlang zitten spinnen, maar er is slechts stro.

Ze weet nu hoe essays werken, de grondslag, de insteek, de puntsgewijze ontwikkeling, maar dat is allemaal theorie; elk essay voor hem is een unieke, ongeëvenaarde verschrikking, waarin kleurcoderingen, woordfiguren, gedachtediagrammen en brainstormen, plan A, B en C allemaal niet helpen. Bovendien heeft hij hun deze keer teksten gegeven die geen lezer nodig hebben of erkennen, die elke aandacht of uitleg te boven gaan, die zichzelf omsluiten, projecteren, bevlekken; die zichzelf om niets tot onanistische hoogten opzwepen; teksten die verklaren: '*He that thinks more badly of me than myself, I scorne him fore he cannot*' – allemaal kenmerkend voor de krankzinnige, tegendraadse, ongerijmde, groteske, vulgaire wereld van de Elizabethaanse satire, maar niet zo handig voor de jachtige tweedejaarsstudent die wenst te excelleren.

Dus, gesteld voor een onmogelijke taak, heeft ze Edward Hunt aan zijn woord gehouden: hij had haar toch aangespoord om haar gevoelens te uiten? Ze heeft geschreven dat ze het heeft opgegeven, gesteld dat de teksten als een sjabloon genomen kunnen worden voor een soort literatuur waarop geen kritische grip valt te krijgen; dat de uitwisseling tussen schrijver en lezer de handeling van het interpreteren verplaatst van het vlak van een gedeeld discours naar een geheel ander vlak; dat wanneer verbale betekenis naar een non-verbaal domein wordt overgebracht dit domein meer verwant is met muziek en daarom niet besproken kan worden. Het is een trucje dat hij onmiddellijk zal doorzien.

Het verrast haar wel een beetje dat ze niet meer wil leven – althans, niet in een wereld waarin ze Edward Hunt heeft teleurgesteld. Ze heeft het leven nooit zo geweldig gevonden, maar het is toch vrij schokkend. Voordat ze naar de boekenstad kwam heeft ze, hoewel ze ongelukkig was, nooit zelfmoord overwogen. Nu is er zelfs geen twijfel. Het enige dat haar nog tegenhoudt is het idee dat er een kans is – een zeer kleine kans, toegegeven, maar niettemin een kans – dat ze zich voor niets van het leven berooft: dat het essay aanvaardbaar is, misschien goed voor een 7,5.

De hemel begint nu rood te worden in het oosten, het violet-oranje van de nacht maakt plaats voor echte kleur. Het zal niet lang meer duren voordat er iemand het binnenplein op komt. Als ze gaat springen, moet het nu snel gebeuren. Ze stelt zich nogmaals de vraag waar alles om draait: is het essay op het bureau achter haar een ramp? Ze probeert haar woorden te lezen alsof ze die nooit eerder heeft gezien, maar dat gaat niet; ze eet en ademt en droomt ze nu al ruim een week, en bij het wakker worden spreekt ze die woorden geluidloos uit.

Ineens bedenkt ze dat ze de beslissing om zich van deze richel af te laten glijden kan opschuiven: ze kan wachten tot ze gezien heeft welk cijfer hij haar geeft en dan teruggaan; dan zal ze niet meer aarzelen; dan kan ze zich met volle overtuiging aan de vergetelheid prijsgeven – misschien kan ze zelfs een minder openbare, onfeilbare manier vinden om te sterven. Ze is hier tenslotte heen gegaan omdat ze niets kon vinden wat ze aan de plafondarmatuur kon vastknopen en er op haar verdieping geen baden zijn. Waarom heeft ze hier niet eerder aan gedacht? Ze denkt niet helder na.

Zodra ze beseft dat ze de dood kan uitstellen, zakt haar lichaam naar voren en beginnen haar armen te trillen. Ze moet oppassen, moet de balustrade weer over zien te komen voordat ze de opluchting toelaat. Ze probeert haar gewicht naar achteren te verplaatsen, maar haar armen zijn nu zo zwak dat ze niet omhoogkomt. Haar hart slaat in haar keel. Ze doet haar ogen dicht en probeert diep adem te halen, maar daar wordt ze alleen maar flauw van. Ze doet ze weer open en schuift heel voorzichtig achteruit; ze schuift nog een stukje terug, en nog een stukje, en ploft dan ineens op het balkon.

Als ze daar een tijdje als een hoopje heeft gelegen, gaat ze op haar knieën zitten. Ze kan zich niet herinneren dat haar lichaam ooit zo zwaar of traag heeft gevoeld. Ze kruipt terug door het raam, haalt haar been daarbij open, en sluit het raam af. Dan gaat ze met haar ogen dicht naast de radiator op de grond liggen. Ze loopt naar het bureau, zet haar bril op, niet het essay aan elkaar en trekt haar jas aan.

Ze wandelt over berijpte binnenpleinen naar de portiersloge, met langzame pas omdat de grond dreunt, haar knieën meer doorbuigen dan zou moeten, en in de loge legt ze de envelop met haar essay in het postvakje. Halverwege de ochtend zal hij het in handen hebben. 'Ik heb het opgegeven,' schrijft ze voorop.

Dat moment ging voorbij en nu was hier weer een moment, oneindig veel belangrijker, al had ze zich dat destijds niet kunnen voorstellen. Haar hele carrière hing van dit moment af; haar hele leven; zo simpel was het. Als ze haar ideeën over muziek en poëzie nu niet op de rails kreeg, lukte dat nooit meer. De lezer – de lezer voor wie ze altijd had geschreven – zou haar vanavond vragen wat ze had ontdekt, en ze zou geen antwoord kunnen geven.

De zon stond nu laag boven de aarde en de stad stolde

als gesmolten metaal terwijl de hemel, die donkerblauw was, leek te dragen als een wond. De stad naderde de tijd tussen dag en nacht weer en professor Stone zag dat de avond bijzonder mooi zou worden omdat de warmte de dag had gekneusd, had gebroken, en de geur van de dag zou nog lang blijven hangen. De avond zou prachtig worden en als ze nu maar iets kon vinden om te zeggen, kon ze naar buiten gaan en er onderdeel van worden.

Ik ga een ander deel van het gedicht lezen, zei ze bij zichzelf. Soms werkt dat. Dat doe ik en dan laat ik het verder. De gedachte om het gedicht te laten zonder dat ze haar theorie had gevonden was een van de beangstigendste die ze ooit had gehad, maar sinds ze haar grote idee had gekregen had ze dit moment steeds uitgesteld; misschien had ze stiekem altijd wel geweten dat het onmogelijk was. Ze bladerde verder in het gedicht en begon in het tweede deel van 'Little Gidding' te lezen:

> In the uncertain hour before the morning
> Near the ending of interminable night
> At the recurrent end of the unending
> After the dark dove with the flickering tongue...

Ze zag ineens iets wat ze tot dan toe had gemist: Eliot liet in het midden, en soms ook aan het eind, onopvallend bijnarijm binnen, 'dat zo de herkenning afdwingt die het voorafgaat,' mompelde ze. De regels waren een parodie op poëzie; Eliot plaagde de lezer. Ze herinnerde zich iets wat hij had geschreven: 'Stilstand/ rust noch beweging,' had Eliot geschreven. '"Beweging vanaf noch naartoe,/ stijgen noch dalen... En noem het geen verstarring. We kunnen nooit aankomen,"' zei ze zacht, en op deze snikhete dag had ze het ineens koud. 'Er is geen einde, want aankomen zou betekenen dat de tijd verlost is. En dus onverlosbaar.' Onverlosbaar, want al verlost. Zou dat het echt kunnen zijn? Ze ging terug naar 'Burnt Norton', aftastend zoals je water met een wichelroede zoekt, ondanks het trillende potlood dat het niet makkelijker maakte:

/   / - - /   /

Time present and time past

- / - - / - - / / -

Are both perhaps present in time future

- / / -   - /   / /

And time future contained in time past . . .

/   / - /   / -

Time past and time future

-   / /   -   - - / /

What might have been and what has been

/ - / /   - - / - / -

Point to one end, which is always present.

    (r. 44-46)

De woorden zeiden dat tijd niet te verlossen was, maar de klank van '*time past*' zat opgesloten in '*time future*'; qua ritme was '*time future*' gelijk aan '*time past*' en '*Time present*'; '*what might have been*' was het omgekeerde van – en gelijkwaardig aan – '*what has been*'. 'En ze wijzen allemaal naar één einde,' zei ze. Ze had het kunnen verwachten. De paradoxale waarheid van het Evangelie, de weg omhoog de weg omlaag, de weg vooruit de weg terug. Er moesten twee ritmes zijn; er moest evenwicht zijn. Dat was de verborgen muziek, die niet gehoord werd totdat hij werd opgemerkt; daardoor kon het gedicht 'roerloos zijn en toch bewegen'.

'Eliot gebruikt "*present*" op twee verschillende manieren,' krabbelde ze neer, 'dubbel desoriënterend, maar uiteindelijk verhelderend. Want door het verdubbelen van ritme, klank, kunnen betekenissen versmelten, kan "*present*" zowel "nu" als "tegenwoordig" in de zin van aanwezig zijn. Hersens maken van alle "*presents*" één.' Ze was van plan om door te schrijven, maar zette haar bril af en legde haar hand op haar ogen. 'Bedankt,' zei ze, tegen niemand in het bijzonder. Ze had het.

BOEK III

'We had the experience
but missed the meaning.'

*

'The Dry Salvages'
Four Quartets, 1941

GELUK

Als de negentienjarige Elizabeth Stone haar tweede essay bij Edward Hunt inlevert, weet ze niet dat het de loop van de toekomst zal veranderen. Er stijgt grijze mist op van de rivierweiden als ze terugloopt van de portiersloge. Gezeten op de vloer van haar kamer ziet ze hoe de zon uit die mist tevoorschijn komt. En als het overal licht is en de duiven terug zijn op de richel en er beneden voetstappen en stemmen klinken en bellen en klokken oproepen tot gebed en ontbijt en je bussen en auto's door de hoofdstraat hoort rijden, kruipt ze haar bed in en slaapt de slaap der doden.

Die week ondergaat de boekenstad een merkwaardige transformatie. Enorme aantallen zeemeeuwen strijken neer op richels en torens en kantelen, vullen de droge stadslucht met de geest van zeewier en branding. De grote leeszaal van de bibliotheek is dicht vanwege een gesprongen waterleiding die de muur heeft opengerukt alsof het niet meer dan een gordijn was; sneeuw daalt neer als veren; in de kerk op het plein gaat een klok stuk, iets wat zeker driehonderd jaar niet gebeurd is, en er wordt een nieuwe geïnstalleerd die vreemd galmt tussen zijn hoogbejaarde collega's. Maar al deze dingen gaan voorbij aan Elizabeth; zij zit in de Round Room in plaats van de Upper Room, sjokt door de sneeuw; ziet geen meeuwen, ruikt geen branding, hoort geen klok.

Aan het eind van de week vraagt Edward Hunt haar om na de werkgroep nog even te blijven. Er valt natte sneeuw. Ze hoort de paardenkastanje ruisen in het duister achter het raam vanaf haar plek op de een-na-onderste trede van de trap, waar ze wacht tot de anderen weg zijn. De rozentuin is tumultueus vanavond, de huilende grijze lucht boven de bakstenen muren wordt geteisterd, donkere veren van taxus jagen onzichtbare nachtspoken na. Hij doet de deur open, roept: 'Oké!' en ze staat op en gaat naar binnen.

Hij maakt koffie, geeft haar de koektrommel, ploft neer in zijn fauteuil. Ze gelooft niet dat ze hem ooit zo geagiteerd heeft gezien. Zijn been zwaait, hij tikt op zijn pakje sigaretten, woelt door zijn haar. 'Heb je wel wat kunnen slapen?' vraagt hij. Hij niet, zo te zien.

'Ja,' zegt ze.

'Mooi.'

Ze besluit de kritiek voor te zijn, of in elk geval de klap te verzachten, en zegt: 'Het spijt me van het essay.'

De schoen zwaait hoger. 'Ik hoop dat je geen colleges hebt gemist om het te schrijven.'

'Nee.'

Hij trekt zijn wenkbrauwen op, zijn mond trilt.

'Een paar.'

Ze neemt nog een slokje koffie en geeft het dan op. Beleefdheid doet er niet meer toe. Het is kennelijk net zo slecht als ze had gevreesd.

Hij inhaleert en kijkt uit het raam. 'Waarom denk je dat

dit een slecht essay is?' Hij krabt zich op het hoofd, tipt af, krabt zich nog eens op zijn hoofd.

Ze weet wat hij doet: hij kijkt of ze misschien niet eens beseft wat haar tekortkomingen zijn; in dat geval belooft dat heel weinig goeds. 'Er zit geen betoog in,' zegt ze. 'Er wordt geen bepaalde denkrichting opgevoerd. Er zit geen structuur in; eigenlijk zit er niet veel in.'

Hij neemt nog een trekje, woelt weer door zijn haar; dan ineens werpt hij zich bijna voorover, pakt haar essay van een stapel naast zijn stoel en zeilt het naar haar toe.

'Ga je niet kijken?'

'Liever niet.'

'Dan kunnen we niet verder.'

Haar schouders gaan hangen. Ze bladert naar de laatste bladzijde.

> Ik zou eindeloos door kunnen gaan... met opmerkingen, maar geen kritiek... Gewoonweg het beste essay van een tweedejaars dat ik ooit heb gelezen.

Er verschijnt een aarzelende glimlach op zijn gezicht, die verdwijnt, explodeert en dan weer verdwijnt. Het is een interessant schouwspel. 'Wat denk je nu?'

Ze zit doodstil en er ligt een grote warmte om haar heen.

Hij snuift en duwt zijn haar omhoog. 'Ik heb het laatste stukje vanmorgen om halfzeven gelezen. Er is een hoop voor nodig om me op dat tijdstip tevreden te stellen. Ik riep maar steeds: "Dit is goed!"' De schoen wipt hoger dan mogelijk lijkt gezien het feit dat hij met de knieschijf van een mens is verbonden.

Ze zwijgt nog altijd, al haalt ze diep en snel adem.

'Nou?'

Ze slikt en schudt het hoofd.

'Wat?' Hij tipt af. 'Wat begrijp je niet? Elizabeth, critici kunnen niet schrijven zoals jij. Het is spontaan, origineel, bezield.'

'Ik dacht niet...'

'Wat dacht je niet?'

'Ik weet het niet.' Want ze denkt eigenlijk niet meer in de gewone zin van het woord, ze vibreert alleen maar zachtjes, dus kan hij niet van haar verwachten dat ze weet wat ze dacht of wat ze weet. Ze heeft geen idee hoe lang ze hier al zitten. Ze vermoedt dat dit geluk is, maar ze had het zich anders voorgesteld: het voelt eerder als verdriet; het is een gevoel van ontluiken, van openbreken; als dit geluk is, kan ze het maar net aan.

Dan zegt hij: 'Ik vind dat we bij elkaar moeten komen.' Alsof dat nodig was, zoals de zaken ervoor staan, ervoor stonden, in het licht van de situatie.

Weer gaat er enige tijd voorbij voordat ze iemand die klinkt als zij hoort zeggen: 'O...'

En de persoon die klinkt als professor Hunt zegt: 'Wat vind jij?'

En de persoon die klinkt als zij antwoordt: 'Oké.'

Hij maakt een grommend geluid dat 'Goed' zou kunnen zijn.

Dan komt hij overeind, en even staan ze alsof ze elkaar een hand gaan geven. En er is enig ongeloof dat ze zojuist hebben afgesproken wat ze steeds al hadden kunnen afspreken. Er is verbazing over deze macht die ze bezitten.

Hij zegt: 'Volgende week.'

'Ja.'

'Ik schrijf wel een briefje.'

'Goed.'

Ze kijkt hem heel even aan, loopt dan de kamer uit, langs de gegeselde tuin de heftige nacht in en vraagt zich af hoe lang er zit tussen het ontvlammingspunt en de dood bij zelfontbranding. Ze komt de portiersloge uit en een bejaarde don schrikt van haar. Oranje licht spat op haar haar en haar tas en haar essay als ze de straat in rent, het gezicht omhooggericht, nat van regen en tranen.

HET ROERLOZE PUNT VAN
DE WENTELENDE WERELD

Ze heeft hem vanavond ontmoet. Er zat regen op het glas en er was regen in de hoogte en ze kon niet naar buiten kijken, alleen zijzelf en de kamer, vol met licht en water dat stroomde. Ze was gewichtloos, moe van het wachten, hoorde uurwerken slaan, opvlammen en wegsterven; en kerkklokken die haar altijd luid en helder de tijd hebben verteld, klinken nu heel anders, lichten het anker; momenten blijven langer dan ooit hangen, en slagen hebben nog nooit zo lang en zo vertraagd geklonken.

Om acht uur ontmoeten ze elkaar. Buiten regent het en er is geen wereld, alleen een kamer en een bladzijde, een bijenkorf en een cel; elke zoeker, elk licht. De hele dag heeft ze woorden met haar vinger gevolgd, klokken horen slaan, tot ze nu eindelijk opstaat, papieren opbergt, boeken teruglegt op de stapel, een trap op loopt die zich om een muur heen kromt en langs een man in een plas wit licht komt.

Om acht uur zullen ze elkaar ontmoeten. Buiten zal het regenen en de kamer zal vol zijn en buigen van licht. Ze zal naar buiten kijken en op de slagen wachten die weigeren te slaan en de kamer uit gaan en een trap op lopen die zich kromt rond een steen als een kom, een baarmoeder uit, en uitkijken, naar de nacht vol regen en de regen vol licht.

De professor in de poëzie en zijn pupil wandelen van de Round Room naar een weg die van het plein af loopt. Het is acht uur in de boekenstad; donderdag, tweede trimester, februari 1980. Het meisje bleef staan in het portiek van het gebouw voordat ze naar beneden ging, om hem te zien wachten. Hij zag haar niet. Ze hield het moment vast, verspilde het niet. Ze hield het vast en zag hem, en toen ging ze naar beneden.

Zo gaat het, kijk, het moment gaat voorbij, zal voorbijgaan, is voorbij, gaat weer voorbij. De wind nam het toen mee of misschien de regen, voerde het mee hoog boven het plein en de stad en de spoorwegovergang, de brug en de rivier, de tuinen en de vlakte. Kijk, de tijd begint, zal beginnen, begint opnieuw. Een lamp beeft, een grendel gromt, ergens kraakt er iets. Eén voet, dan de andere, het ritme vangt aan en ook wij beginnen, want met de tijd zijn we terug.

Ze kijkt hem nu helemaal niet aan; veel meer dan 'hallo' zeggen ze niet; ze weet dat hij nat is en dat hij glimlacht. Ze denkt: dit is bezig te gebeuren. Dan niets meer.

Wat haar opvalt zijn schoenen, die als een raar paar naast elkaar slenteren: de passen gaan niet goed samen en overlappen elkaar. Schoenen die nog nooit samen kasseien hebben genomen, verschijnen en verdwijnen onder zwaaiende benen, links en dan rechts.

Hij zegt: 'Wat een weer,' en dan iets wat ze niet verstaat, en loopt dicht naast haar alsof hij haar beschutting wil bieden, maar dat hoeft niet want er ligt warmte om hen heen en een zeer groot licht.

Ze gaan een hoek om waar de wind uit twee richtingen samenkomt en gaan een deur door onder een uithangbord, aan een rinkelende ketting, met de afbeelding van een paard en een stalknecht. Het deinende vertrek is hel verlicht en even zijn ze overrompeld, met natte gezichten. Aan de bar vraagt hij: 'Wat wil je hebben?', ziet haar verwarring en glimlacht. 'Neem de tijd,' zegt hij.

Ze probeert zich te herinneren wat vrouwen drinken, beseft dat ze het niet weet en zegt op luide toon, zodat niemand het haar nog een keer hoeft te vragen: 'Een biertje. Graag.'

Maar de beproeving is nog niet voorbij. 'Welke?' vraagt de barvrouw.

Ze krijgt een kleur, wijst maar iets aan en wroet naar haar portemonnee. Hij legt zijn hand over het geld heen en glimlacht naar de vrouw. 'En een cola, graag.'

Ze vinden een tafeltje. Ze vraagt zich bezorgd af of ze ook cola had moeten bestellen. Ze is bang dat ze iemand van de werkgroep tegenkomen, ook al doen ze niets wat niet mag; ze weet niet wat ze dan wél doen, dat is het probleem. Is dit soms een soort informeel werkcollege? Ze heeft haar boeken en haar laatste essay bij zich in haar tas.

Ze besluit aan het bier te beginnen – ze had natuurlijk een kleintje moeten bestellen – nu ze alles nog in de hand heeft en doet bij de eerste slok een vervelende ontdekking: ze vindt bier niet lekker. Hij lacht hard en zegt: 'Laat maar staan, we halen wel wat anders voor je.'

Maar ze zegt fel: 'Ik vind het lekker' en neemt een nog grotere slok.

Hij kijkt de kroeg rond en neemt het eerste trekje van zijn eerste sigaret. 'Ik kwam hier vroeger als student,' zegt hij. 'Er was een don met een Deense dog. Daar was ik doodsbang voor.'

'Heb jij hier zelf dan ook gestudeerd?'

'Ja.'

'Op welk college zat je?'

'Newbury.'

'Heb je Engels gestudeerd?

'En klassieke talen.'

Ze pakt haar glas weer. Ze moet zich niet zodanig laten afleiden dat ze niet drinkt; dit is in elk geval een taak waarvan ze zich met enige eer kan kwijten. Als ze weer opkijkt, zit hij haar met zichtbaar plezier aan te staren. Hij buigt zich voorover en fluistert: 'Ben je ooit eerder in een kroeg geweest?'

Ze denkt even na, schudt dan het hoofd.

Hij lacht hard. 'Mijn god, Elizabeth, waar heb je dan gezeten? Ergens opgesloten in een ivoren toren?'

Ze veegt haar mond af. 'Bij mijn pleegouders.'

'Pleegouders?'

'Ja.'

'Dat wist ik niet.'

Ze kijkt over de drukte heen. 'Mijn moeder is gestorven toen ik klein was.'

'Wat akelig.'

'Het is gebeurd.'

'Heb je verder nog familie?'

Ze schudt het hoofd.

'Kun je het goed vinden met die pleegouders?'

'Ze gaan wel. Ik heb ze eigenlijk niet meer gezien sinds ik hierheen ben gegaan.'

'Wat, ben je hier in de vakanties gebleven?'

Ze knikt en grijnst naar hem.

'Wat ga je doen als je hiermee klaar bent?'

'Weet ik niet, doorstuderen, werk zoeken.'

Hij verhuist zijn sigaret naar zijn andere hand en pakt zijn cola. Hij lijkt bezorgd maar zegt: 'Nou, je hebt een talent, dus als je hier klaar bent, wanneer dat dan ook is, ligt de wereld voor je open. Je kunt alles doen wat je wilt.'

Ze neemt nog een forse teug, zet het glas terug op het bierviltje en ontdekt dat het noodzakelijk is om die beweging voorzichtig uit te voeren. Ze weet niet of het gevoel dat de gewrichtsbanden in haar nek zijn doorgesneden door het bier komt of door iets anders, maar ziet tot haar schrik dat er nog zeker een derde deel te gaan is.

'Wat zou je willen doen?'

'Iets schrijven.'

'Dat ga je vast en zeker doen. Je schrijfstijl heeft iets obsessiefs, iets dringends, alsof je iets moet uitbannen; dat is prachtig, dat geeft het die bezieling.'

Maar ze schudt het hoofd. 'Je weet niet hoe zwaar het is,' zegt ze, 'om die essays te schrijven.'

'Vergis je niet. Ik leek vroeger veel op jou, hoor. De enorme angst om te falen maakt je zo goed. Iemand die het makkelijker afgaat zou minder goed schrijven. Jij roept het op, haalt het op uit een of andere onpeilbare diepte.'

Maar hij weet niet wat ze bedoelt; het schrijven voor hem, dat soort angst.

Hij kijkt liefdevol naar de sigaret. 'Jij gaat iets schrijven.'

Hij kijkt het café rond en zijn gezicht betrekt een beetje, en ze zegt: 'Je bent hier niet van harte, hè? In deze stad, bedoel ik.'

'Hoe weet je dat?'

Ze haalt haar schouders op. 'Waar zou je liever wonen?'

'O, nergens in het bijzonder. Ik geloof echt niet dat er een bepaalde plek is waar ik me meer thuis zou voelen. Hiervoor heb ik in het noorden in een paar steden gewerkt. Ik denk niet dat ik meer op mijn plaats zou kunnen zijn in de academische wereld, en deze baan heeft ook goede kanten. Ik mag min of meer doen wat ik wil nu het college aan me gewend is; en af en toe duikt er natuurlijk iemand op die het werk de moeite waard maakt.' En hij kijkt haar aan.

Buiten knalt er iets tegen de muur. De ketting rinkelt als een gek in de wind. Ze krijgt een kleur en richt zich weer op haar bier en hij zegt: 'Voor iemand die nog nooit heeft gedronken gleed dat er makkelijk in.'

Ze legt haar hand op haar mond en hij draait zijn hoofd weg om rook uit te blazen. Als hij zich weer omdraait zegt hij: 'Had ik al gezegd dat je er veel beter uitziet als je lacht?' Dan fronst hij zijn wenkbrauwen. 'En waarom kijk je steeds op je horloge? Moet je ergens heen?'

'Nee,' zegt ze.

'Waarom tel je dan de seconden?'

'Omdat ik... gelukkig ben.'

'Gelukkig?'

'Ja.'

Hij lacht, dan sterft de glimlach weg en hij knippert met zijn ogen en tipt de sigaret af. 'Mooi. Nou, ik vind het ook leuk om met jou te praten, dus we staan quitte.' Hij trekt zijn hoofd een beetje terug en zegt, terwijl hij iets van zijn knie lijkt te vegen: 'En we kunnen nog een keer afspreken. Zou je dat willen?'

Ze zegt: 'Ik moet naar het toilet.'

Hij lacht. 'Goed, maar je kunt toch eerst wel de vraag beantwoorden?'

'Ja.'

'Ja, je kunt de vraag beantwoorden of ja, je wilt nog een keer afspreken?'

'Ja, graag. Afspreken.'

Hij kijkt hoe ze door de drukte heen loopt, eerst de ene kant op en dan de andere, helemaal verhit in haar mouwloze t-shirt, bril beslagen, en zegt als ze de tweede keer langskomt: 'Ik denk die kant op.'

Op het toilet staat ze in een hokje en leunt tegen de wand. Ze komt eruit, loopt naar de wasbakken en gaat voor de spiegel staan, maar kijkt niet op. Wanneer ze toch de ogen opslaat, zijn de pupillen zwart en gigantisch. Ze bezien de big-bleke wimpers, de bril, de pony, krullig door de regen, gaan dan weer dicht. Het duurt nog enkele minuten voordat ze weer naar buiten gaat.

Als ze terugkomt zegt hij: 'Weet je trouwens al over welke schrijver je volgend jaar je werkstuk gaat schrijven?'

'Milton.'

'O, wat goed. Je zult plezier aan Milton beleven. Ik heb een geweldige editie van *Paradise Lost* die je kunt lenen. Wat heb je gelezen?'

'Alles.'

'Wat, alles van Milton?'

'Ik geloof het wel.'

Hij schudt het hoofd. 'En wat vond je het beste?'

'Ik weet het niet. *Samson Agonistes* is erg goed.'

'Klopt...'

'*Samson Agonistes* zit in dat gedicht van Eliot dat je me stuurde: "*O, dark, dark, dark, they all go into the dark*", alleen gebruikt Eliot "*interstellar*" in plaats van "*interlunar*".'

'O ja?'

Plotseling fronst ze haar wenkbrauwen. 'Weet je die kwartetten?'

'*Four Quartets?*'
'Ja.'
'Wat is daarmee?'
'Ik dacht dat ik die eerder had gehoord.'
'En was dat zo?'
'Ik geloof het niet. Dat probeerde ik je in die brief duidelijk te maken. Al ging dat helemaal mis.' Ze slaat de ogen neer. 'Ik wilde indruk op je maken.' Buiten knalt er weer iets en ze horen de wind gieren en zichzelf te lijf gaan.

Hij zegt: 'Is het ooit bij je opgekomen dat ik misschien wel indruk op jou wil maken?'

Ze staan onder een lantaarn op de hoek van de straat in het centrum van de stad; ze geeft hem haar nieuwe essay en hij stop het in zijn jack. De regen komt met bakken naar beneden, de hemel is gek geworden, maar alles is stil. Ze neemt aan dat ze op de een of andere manier nog steeds de wereld bewonen ook al botst er niemand tegen hen aan, maar hoewel ze ziet wat de wind doet hoort ze die niet, en ze voelt de regen niet, ze voelt alleen een ring van vuur om hen heen. Ze weet zeker dat ze een of andere trilling afgeven, een of ander krachtveld, dat mensen zien dat ze een licht uitstralen, maar niemand blijft staan, niemand roept iets.

*

Drieëndertig jaar later loopt Elizabeth Stone van het archief waar ze heeft zitten werken naar de plek waar ze met haar vroegere mentor Edward Hunt heeft afgesproken.

Het is zeven uur, vrijdag, eind van het derde en laatste trimester, en de belofte van vakantie en vrijheid hangt in de lucht. De avond trilt van de warmte, de hemel is niet meer dan een waas en de grote bibliotheek zeilt als een galjoen door zijn zenit. Het gebouw heeft er nog nooit zo magnifiek uitgezien: elke vensterruit blinkend van licht en elke steen de kleur van barnsteen. Op dit moment doen de torenspitsen rond het plein haar denken aan klippen die in zee uitsteken. De hemel houdt het licht van de dag en de warmte nog vast, zoals de zee dat 's zomers doet. Het blijft merkwaardig, denkt ze weer, dat deze stad bij haar altijd Chaucers 'kleine plekje aarde' heeft opgeroepen 'dat door de zee omarmd wordt', want de zee is ver weg; sterker nog, het zou niet meevallen om ergens op de Britse Eilanden een plek te vinden die verder van de zee verwijderd ligt. Misschien komt het doordat het land hier zo vlak is, denkt ze, de hemel zo groot en zo vol licht. Of misschien komt het doordat de gebouwen pokdalig en afgevlakt en afgesleten zijn, als door water. Sommige lijken zelfs hoogwaterlijnen op hun muren te hebben staan. En dan is er de ruigheid van deze stad, de grimmigheid, de indruk van ontzaglijkheid die hij geeft, dat niets hem kan veranderen, dat de muren en torens en pleinen net zo onverzettelijk zijn als het strenge front van een ijzeren klif.

Ze komt langs de Round Room onder zijn blauwe koepel, de poort waar ze jaren daarvoor met professor Hunt had afgesproken, op een avond die in niets aan deze deed denken, maar niettemin hier, precies op deze plek. Deze plek hier, denkt ze als ze opkijkt naar de trap en nu, als ze verder loopt, die plek daar.

Overal ziet ze studenten die hun laatste tentamens achter de rug hebben met de armen om elkaar heen; ze zingen, drinken uit flessen, zwaaien met ballonnen en spandoeken, dragen capes, maskers, feesthoedjes, boa's, toga's die scheef hangen, overhemden die openstaan, stropdassen om hun hoofd, schoenen in hun hand, veel van de mannen met ontbloot bovenlijf. Als ze vanaf het plein een smal straatje in loopt wordt ze opgeslokt door een groepje van hen en voelt zich merkwaardig gelukkig, alsof hun feestgedruis een viering is van haar eigen persoonlijke triomf en de jaren die ernaar geleid hebben; de bijdrage die haar theorie aan de wereld zal leveren en het nieuwe onderzoeksveld dat ze ermee zal openleggen.

Als ze een paar minuten later bij de Horse and Groom aankomt, deint het ook daar van de zwart-witte lijven die met glazen en flessen zwaaien. Hij staat buiten om te voorkomen dat ze hem niet kan vinden en heeft ondanks de warmte zijn onvermoeibare spijkerjasje aan; hij oogt nogal jongensachtig, zijn haar is nog plukkeriger dan normaal en hij glimlacht om de chaos. Binnen is geen plaats, dus gaan ze onder plantenbakken aan een houten picknicktafel zitten. 'Goeie dag gehad?' vraagt hij, en ze antwoordt bevestigend. 'Al begon hij niet zo veelbelovend,' zegt ze. 'En jij?'

'Ja.' Hij glimlacht. 'Een goeie dag.'

Hij lijkt hartelijker vanavond, alerter, minder geplaagd dan tot nog toe. Vanwaar ze zitten hebben ze uitzicht op een brede straat die naar het centrum van de stad loopt, een lange lommerrijke weg met aan beide zijden colleges en officiële gebouwen die naar het noorden loopt, en kijken ze langs de grote bibliotheek en het plein naar het zuiden. Achter hen kronkelt in gouden beneveling een smalle straat die je, als je beneden bent en langs een hoge zandsteenmuur loopt, naar de rivier brengt; daarachter de vlakte; en een weg die naar het westen de stad uit loopt. Ze zitten in het centrum van de stad en de warmte heeft zich hier opgehoopt; er hangt een roze stoffigheid in de straat, het trottoir is te heet voor blote voeten, het wegdek is plakkerig. Ze zitten in het centrum van de stad, maar het voelt voor professor Stone alsof ze in het centrum van de wereld zitten, van een cirkel die om hen heen is getrokken – een heleboel cirkels, en elke cirkel heeft dit als zijn middelpunt, waar het stil is in weerwil van het gedrang en het rumoer. De avond ontluikt in het laatste licht en de lawaaierige drukte zondert die alleen maar verder af, als een aparte entiteit die in een persoonlijke dagdroom verkeert, en des te donkerder wordt omdat hij niet wordt opgemerkt.

Hij zegt: 'Zulk weer hebben we jaren niet gehad.'

'Ja,' zegt ze. 'Het was vandaag niet uit te houden in het archief. Ik moest aan die arme studenten denken die tentamen zaten te doen.'

Hij gebaart naar waar een jongen een groep meisjes die ondergoed over hun formele kledij aan hebben met champagne besproeit. 'Nou, deze hebben het overleefd.'

Met een ironisch lachje zegt ze: 'Ik weet het nog goed.'

Zijn ogen glinsteren ondeugend. 'Ik kan me jou niet dronken voorstellen.'

'Nee...'

'Hoe heb je het gevierd?'

'Met een aardbeientaartje van Marks & Spencer, geloof ik.'

Hij lacht hard, hoest dan. Een nieuwe ontwikkeling, denkt ze, toe te schrijven aan de leeftijd.

Ze zegt: 'Ik heb het in het gras bij de rivier opgegeten terwijl ik voor mijn doctoraal zat te lezen,' en heeft er meteen spijt van, want ze snijdt daarmee het pijnlijke onderwerp aan van haar laatste jaar in de boekenstad, het laatste trimester dat Edward Hunt haar docent was.

Maar misschien hoeft ze zich geen zorgen te maken, want niets wijst erop dat hij haar heeft gehoord; behalve misschien dat hij even naar beneden kijkt terwijl hij zijn sigaret aftipt voordat hij uitgebreid rondkijkt. Hij zegt: 'Schiet je al op?'

Op dit moment heeft ze lang gewacht en ze gaat wat meer rechtop zitten in een poging haar blijdschap in toom te houden. 'Ik moet je iets laten zien.' Ze legt twee stukken overtrekpapier vol potloodtekens op de picknicktafel, boven op elkaar.

Hij fronst de wenkbrauwen, kijkt van dichterbij en pakt er een vast bij de rand. Zijn handen zijn rood en dikker dan in haar herinnering. Hij houdt de sigaret weg van het overtrekpapier in zijn andere hand en die trilt. Dat trillen herkent ze van toen en dat doet haar genoegen.

'Waar kijk ik naar?'

'De ritmische sjablonen van *Four Quartets.*' Ook al wil ze het niet, ze bloost een beetje. 'In bepaalde delen van de *Quartets* probeert Eliot echt, voor het eerst in de Engelse poëzie, om van het gedicht een zuiver muzikale uitdrukkingsvorm te maken.'

Hij inhaleert en trekt de wenkbrauwen op.

'Het is als een inwijding in de mystiek.' Haar ogen stralen achter de brillenglazen. Ze gaat te hard. Stop, zegt ze tegen zichzelf. Stop. Maar ze vervolgt: 'Of misschien moet ik zeggen in de muziek, en hiervandaan, vanaf dit beginpunt, hoop ik het over andere gedichten te hebben, andere dichters... mogelijk ook proza...'

Ze pakt het overtrekpapier bij elkaar, klaar om over andere dingen te praten, want je moet niet te lang doorgaan over je succes – al heeft dit succes lang op zich laten wachten, een heel leven eigenlijk, en vindt ze dat het niet zo erg zou zijn om zich nog heel even in dit moment te koesteren.

Blijkbaar is hij het met haar eens, want zijn ogen glinsteren. 'Ik wist wel dat het je zou lukken.'

Ze haalt de schouders op en stopt het papier in haar tas, veegt iets van haar rok en trekt die recht met een vriendelijke glimlach, alsof er niet veel is gebeurd, en kijkt rond. Maar haar lichaam is in gesmolten materie veranderd; haar armen en benen zijn afgehakt en her en der verspreid – het gevoel is zeer intens; heel even hoeft ze de ongelijke, pijnlijke stukken van zichzelf niet meer bij elkaar te houden, maar kan ze die op de stroom van de avond laten meedrijven, in de weten-schap dat er niets verloren kan gaan en toch, terwijl de eerste golven van goud zachtjes wegebben en haar even niets kun-nen schelen, vraagt ze zich af of het werkelijk al die moeite, al die jaren waard is geweest; ergens vraagt ze zich onwillekeu-rig toch af of dit succes, dit ongehoorde, onverwachte, ont-zaglijke wonder, ooit werkelijk tegen dat alles kan opwegen.

Late zonnestralen zakken achter de daken van de grote bi-bliotheek. Auto's rijden de hoofdstraat en de lange, lom-merrijke weg naar het noorden in met een weerklank die de materie eromheen met voortdurend nagalmende, voortdu-rend wegstervende zuchten doet kromtrekken en ruisen. Ze ademt in en vraagt monter: 'Weet je nog de vorige keer dat we hier waren?'

'Nee,' zegt hij. 'Zijn we hier eerder geweest dan?'

De mengeling van warmte en opgewektheid verdwijnt. 'Ja, de eerste keer dat we hadden afgesproken. Het waaide zo hard dat het uithangbord de hele avond tegen de muur sloeg.'

'O ja. Sorry. Dat was een vreselijke avond, hè?'

Weer bestaat de wereld uit vloeibaar licht. 'Ik was nog nooit in een café geweest.'

'Je dronk een groot glas bier sneller op dan ik mijn cola.'

Haar mond trilt. 'Ik had ook nog nooit bier gedronken.'

Hij zegt: 'Ik neem aan dat je je inmiddels vertrouwd hebt gemaakt met dat afschuwelijke spul.'

Ze glimlacht, maar ze denkt niet aan wat hij zei, besluit dan plotseling dat ze iets moet zeggen, en al even plotseling weet ze dat ze hiervoor naar de stad is gekomen, al heeft ze dat tot op dit ogenblik niet geweten. Ze gaat rechtop zitten, doet haar mond open – en een jongen die met zijn rug naar hen toe heeft gestaan verliest zijn evenwicht op het trottoir en struikelt tegen hun tafel aan.

Zijn blik is glazig. 'Sorry,' zegt hij en wankelt meteen tegen de volgende aan. Zijn vrienden dragen hem naar de stoeprand, waar hij neerploft.

Hun glazen, met wat er nog in zat, zijn omgevallen. Edward Hunt tikt glimlachend druppels van zijn hand. 'We kunnen ergens anders heen gaan als je wilt,' zegt hij. 'Het probleem is alleen dat het er vanavond overal zo aan toe gaat.'

'Nee, nee,' zegt ze, 'het geeft niet.' En dan zegt ze: 'Edward...' en zijn naam valt zo vreemd in de luidruchtige sfeer dat ze even niet verder kan, tot ze beseft dat het zwijgen zelf overdrijving verleent aan wat erna komt. Ze lacht en legt haar viltje recht. Dan slikt ze.

Ze zegt: 'Het is nooit mijn bedoeling geweest om het zo te laten. Ik wilde niet dat het zou eindigen – op die manier. Ik wil dat je dat weet.'

Met een lichte frons op zijn gezicht bestudeert hij zijn cola, maar hij glimlacht ook en na een ogenblik zegt hij: 'Het geeft niet, Elizabeth. Ik weet het.'

'Goed,' zegt ze. 'Goed...' Ze lacht weer en dan, omdat de opluchting zo sterk is, doet ze haar ogen even dicht en beroert haar slaap.

'Hoofdpijn?'

'Nee hoor.' Ze haalt haar hand weg met een stralende glimlach. 'Gewoon moe, op een goeie manier.'

'Je werkt te hard.'

'Nou ja, ik moet eigenlijk wel,' zegt ze. 'Ik kan niet de hele tijd op en neer gaan naar Londen...' En dan vervalt ze tot zwijgen en vraagt zich af wat haar vanavond mankeert en of ze gedoemd is om voortdurend de verkeerde dingen te zeggen.

Maar opnieuw, na een ogenblik, redt hij haar en zegt zacht: 'Dan moeten we de tijd dat je hier bent maar zo goed mogelijk benutten, hè?'

'Ja,' zegt ze. 'En bedankt; bedankt dat je tijd vrijmaakt om me te zien.'

Dat brengt een flauwe glimlach bij hem teweeg. Weer lijkt het of zijn gezicht zal betrekken; maar na een ogenblik begint zijn been te zwaaien en zegt hij met een frons en tikkend met zijn sigaret op het pakje: 'Er is een concert voordat je teruggaat, een strijkkwartet. Ik vroeg me af of je zin had om erheen te gaan.'

Ze gaapt hem aan. Maakt hij nou een grapje? Hij had niets ergers kunnen voorstellen. Hoe kan hij met zo'n voorstel komen na wat er de vorige keer is gebeurd?

Maar zijn stem heeft die donkere toon gekregen waar ze zo van houdt en hij zegt: 'Wees gerust, het is Haydn, geen Beethoven. Dat wil ik je niet nog eens aandoen. Maar ja,' hij kijkt haar kwajongensachtig aan, 'als je het er liever niet op waagt...'

Ze glimlacht. 'Waarom niet? Het lijkt me gezellig, even iets anders dan werken.'

'Dat leek mij ook.'

'Ik hoor wel wat de kaartjes kosten.'

'Daar hebben we het nog wel over.'

ONVOORSTELBARE NULZOMER

Professor Stone ligt in bed. In het donker onder haar raam klinken gelach, gekrabbel en doffe ploffen. Vanuit de rivierweiden komt het geblèr van feesttoeters. Ze hoort beneden een klap en het slingerende geluid van keramiek dat over beton rolt. Uitgestudeerde studenten die in de wilde wingerd proberen te klimmen. De tuinman zal niet zo blij zijn.

Er valt iets zwaars op het gazon. Het gelach wordt zacht en slap. Er zijn ademloze stemmen, gehijg, een kreet; het geluid van struikelende voeten. De feestvierders trekken zich terug naar de overkant van het binnenplein. Ze gaan de poort door, hun voetstappen klinken zanderig op de flagstones. Ze hoort bomen zwaaien in de duisternis, de laatste bus in de hoofdstraat zuchten en vertrekken, dichtbij een vogeltje kwinkeleren in het struikgewas.

Ze wil slapen. Er is veel te doen nu ze weet hoe ze het gedicht moet benaderen. Morgen moet ze meteen naar het archief. Maar de pijn in haar borst staat niet toe dat ze in slaap valt en bepaalde dingen die ze heeft gezien en gehoord en geroken komen nu al dagenlang terug, in dit bed onder de overhangende dakrand, of als ze in de hoofdstraat op de stoeprand staat om over te steken, of als ze naar de winkel loopt om melk te kopen, of als ze bij de reling staat waar de grote rozen groeien, uitkijkt over de rivierweiden die een surplus, een overschot bezitten dat ze nergens uit kan afleiden: ze staat in het donker te kijken naar een bewegende gestalte in een verlicht raam; ze staat in een rozentuin en de randen van dingen verdwijnen in witheid; ze loopt in een straat die schuin omhoog lijkt te lopen.

Ze stelt zichzelf de vraag wat er is gebeurd en het antwoord is 'niets'. Maar er zijn momenten waar andere zich omheen verzamelen, momenten waarin ze, beseft ze nu, misschien wel werkelijk 'leefde', zoals Eliot zou zeggen.

In zijn laatste kwartet schreef Eliot over een 'onvoorstelbare/ Nulzomer'. Als iemand professor Stone had gevraagd naar de zomer dat Edward Hunt haar docent was, had ze die misschien in vergelijkbare termen beschreven. Die anderhalve maand stond op zichzelf, een trillende luchtspiegeling van hitte, licht en steen, en nu herinneren dagelijks wel honderd kleine dingetjes haar eraan: de warmte op de sportvelden, de wolkenprisma's in de ochtend, het geluid van haar schoenen in de kruisgang. Naderhand sprak ze slechts in de meest algemene bewoordingen over die zomer. Ze zei bijvoorbeeld dat ze dingen had gedaan die ze niet meer had gedaan sinds ze kind was: met haar armen gezwaaid tijdens het lopen, op stoepranden gebalanceerd, haar handen over oppervlakken laten trekken, liggend in het gras naar de langsschuivende wolken gekeken. Ze had kunnen zeggen dat de professor en zij door middel van een reeks terzijdes en replieken hadden gecommuniceerd, maar niet dat ze de briefjes jarenlang had bewaard, had genoten van de pennen en het papier, de ansichtkaarten en enveloppen, de vouw hier, vlek daar, e's als halvemanen, mierachtige g's, ambitieuze y's; de kenmerkende ellipsen, tantaliserend, schalks, een beetje koket, uitlopend op niets, opgaand in lucht...

Het is je gelukt, zoals je vast wel weet, om drie meesterwerken te scheppen in plaats van één. Ik zie het volgende essay met spanning en enig beven tegemoet; intussen probeer ik vol ontzag en enige verbijstering een nieuwe opdracht te bedenken...

Openluchtuitvoering van *The Duchess of Malfi* op St Catherine's, de 9e. Wil je mee?

Ze had kunnen zeggen dat ze verscheidene boeken van hem had geleend, maar niet dat ze dat eigenlijk deed om de muskusachtige geur van tabak in te ademen, dat ze de glimmende vlokjes lila as koesterde die tussen de bladzijden vandaan fladderden en uit elkaar vielen zodra je ze aanraakte; ze zou niet gezegd hebben dat ze deze boeken niet las om de gedrukte woorden op te nemen, maar de woorden die in de kantlijn waren geschreven en dat niets spannender was dan af en toe zelf een kleine opmerking toe te voegen: 'Sterne ziet de zondeval als het vervallen tot taal, maar Lockes hoofdstuk over associatie van ideeën verscheen pas bij de vierde druk van het *Essay* (1695), dus kan geen vormende rol hebben gespeeld bij het trapsgewijze wereldplan van de schrijver...'

Ze zou niet gezegd hebben dat hij haar muziek leende. Muziek zonder woorden, cassettebandjes in plastic hoesjes, Bach, Beethoven, Chopin, Mozart, met aanwijzingen welke passages de aandachtige luisteraar het meest te bieden hadden. De cassettes bleven, in tegenstelling tot de boeken, onaangeroerd. In plaats van te luisteren las ze recensies; die zomer repeteerde ze net zo vaak airs, adagio's, rapsodieën en sonates als dissonantie, opgesprongen ritme, beeldspraak en paradox. Soms stond er muziek aan in zijn kamer als ze binnenkwam en dan bleef ze nooit lang. Ze dacht niet dat hij ooit had geraden, zelfs niet na wat er bij het concert was gebeurd, wat haar ware gevoelens in dezen waren.

Soms gingen ze wandelen, meestal naar de rivier, over het pad tussen de kapel en de boomgaard; de wind wiegde dan de lichtende bloesems van de paardenkastanje en benam haar de adem vollediger dan honderd novemberstormen. Op een middag, toen de wolken zich tot verbluffende hoogte opstapelden, liepen ze naar de weiden ten noorden van de stad, ze is vergeten hoe ze heten. Op de terugweg naar zijn kamer door straten lauw van schemer, verbleekt door warmte en beheerst door maaltijdgeuren uit collegekeukens – ze gingen achterom het college weer in, door een kleine deur in de tuinmuur waar onkruid en veldbloemen uit groeiden – hoorden ze een paar keer klokken die drie keer achter elkaar wegstierven en elkaar antwoordden, alsof ze zich iets herinnerden om het daarna weer te vergeten.

Ze zou de wandelingen niet hebben genoemd, of de muziek. Ze had kunnen zeggen dat ze het nodig vonden om af te spreken om over werk te praten: Milton, de dichter als toneelschrijver, de gevaren van het schrijverschap, de kunst van Defoe, maar niet dat ze soms nog uren daarna bij een smeedijzeren hek naar de achterkant van zijn gebouw stond te kijken; dat het fris was bij dat hek, dat de wind de taxusbomen bewoog, nachtbloemen opengingen; dat er vele in het halfduister waren die hun geur afgaven.

Ze kwamen nooit in de rozentuin, al stond die in volle bloei, de bloemen chaotisch, in groepjes, een schitterende, dronken, wanordelijke overdaad; de deur zat op slot, net als het hek. 'Ik moet de sleutel vragen,' zei hij. 'Help me onthouden.' Maar dat deed ze niet.

Ze zou niet zeggen dat wanneer ze terugkwam in haar kamer – de schemer groeiend in de warmte onder de dakranden, onder haar het geluid van voeten en stemmen, het zilveren gerinkel van tafelgerei, soms de piano in de kapel – haar lichaam warm was maar ze toch rilde, dat ze uren later wakker werd als de dag al door licht en warmte gestremd was en tuinlieden kletsten, water verstoof, fietswielen tikten; ze zou niet zeggen dat dagen eigenlijk niet begonnen en nachten niet eindigden maar dat beide binnen iets groters plaatsvonden.

Als haar verstand vroeg waarom ze weinig sliep maar niet moe was, zich helemaal nergens op kon concentreren, het gevoel had dat ze vol zat ook al had ze niet gegeten, dat ze aanwezig was maar onlichamelijk, dat ze strak stond alsof ze met een touw aan de aarde vastzat maar op onmetelijke hoogte daarboven bestond, zei ze bij zichzelf dat ze niet kon uitsluiten dat andere mensen soortgelijke ervaringen hadden. Als haar verstand doorvroeg, met dingen aankwam die lastiger te verklaren waren – waarom Edward Hunt een keer het uiteinde van de ceintuur rond haar vest om zijn vinger wond en zei, terwijl hij zich naar voren boog, alsof hij hardop dacht: 'Ik wou dat ik ook zoiets had'; waarom hij tijdens een werkgroep haar potlood teruglegde in het doosje dat naast hem lag en het deksel dichtdeed niet alsof hij haar potlood opborg zodat ze het niet zou vergeten maar alsof hij haar ziel voor eeuwig in veilige bewaring nam; waarom zijn gezicht totaal veranderde zodra hij haar zag, in de supermarkt, op straat, op het plein, de overdekte markt, de portiersloge; waarom hij haar altijd als eerste zag, waarom ze alle twee maar bleven glimlachen, terwijl mensen uit elkaar gingen, terwijl er klokken luidden, buien vielen, fietsers ongeduldig belden of om hen heen gingen als kleinere planeten – dan antwoordde ze dat hij gesteld op haar was, dat ze zijn ontdekking was; logisch dat hij trots op haar was, logisch dat hij verheugd was.

Als haar verstand nog verder doorvroeg, wilde weten waarom ze wenste dat de tijd sneller ging als hij er niet was en stilstond als hij er wel was, waarom ze als ze bij hem geweest was daarna urenlang moest huilen en een pijn in haar borst voelde die haar het ademen moeilijk maakte, dan richtte ze het op andere dingen, herinnerde zichzelf eraan dat er vele onverklaarbare zaken in het leven waren; een middag tegen het einde van het trimester bijvoorbeeld, toen hij haar een envelop gaf met een kaartje voor een concert van een strijkkwartet. Ze bleef zo lang zwijgen dat hij zich bukte, om het gordijn van haar haren heen keek en zei: 'Waar ben je gebleven?'

Ze vocht moedig en zei ten slotte: 'Ik ben heel blij.'

'Nee,' zei hij. 'Je bent helemaal niet blij; hoe heb ik dat nou voor elkaar gekregen?'

MUZIEK DER SFEREN

Zolang ze zich kon herinneren leefde professor Stone al met pijn in haar borst. De pijn kwam op en verdween weer in verschillende maten van hevigheid, kon scherp of dof zijn, voelen als scheuren, knagen of schrijnen. Ze kon er maanden achtereen geen last van hebben, waarna hij geniepig weer opdook als ze even niet oplette. Ze ging ermee naar de dokter de winter nadat ze uit de boekenstad naar Londen was verhuisd. Ze was te jong om hartklachten te hebben, maar hij liet haar evengoed onderzoeken. Er werd niets ontdekt en hij raadde haar aan om rust te nemen, zich niet zo druk te maken en lid te worden van een of andere groep; ze had zulke extreme maatregelen echter niet hoeven treffen, want naarmate ze actiever werd, nam de pijn een beetje af.

De pijn in haar borst had ze al toen ze nog kind was, en de weinige herinneringen die ze eraan had waren zwaar, alsof er een sluier over lag waar ze doorheen moest drukken en die aan haar bleef kleven. De eerste herinnering was dat ze op een middag met haar moeder langs de strandboulevard terugliep uit de stad en een meisje van haar eigen leeftijd zag vallen en haar knieën schaven. De moeder pakte het meisje op, praatte zachtjes tegen haar en nam haar mee naar een bankje; ze ging zitten en bleef het meisje in haar armen houden. Even was Elizabeth nergens en was alles stil. Ze hoorde het verkeer niet of de voorbijgangers of de meeuwen of de branding, maar keek naar het kind en voelde in haar eigen lichaam een mysterieuze warmte waar de vrouw het lichaam van haar kind aanraakte, waar haar hand het hoofd, de benen van het meisje vasthield – een lading. Daarna liep ze door, met de pijn in haar borst, achter haar moeder aan, die niet doorhad dat ze niet naast haar liep.

De tweede keer dat ze zich de pijn duidelijk kon herinneren was op een regenachtige wintermiddag; ze klom op rotsen bij het strand, in de greep van een koppige drift, klom weg bij haar moeder, was van plan om te vallen en haar zo te straffen, waarvoor wist ze nu niet meer, toen ze per ongeluk uitgleed en in een poel terechtkwam die verrassend diep en verbluffend koud was en een slok water als een steen binnenkreeg. Haar moeder waadde de poel in en tilde haar eruit en rende met haar naar huis, bijna even nat als zijzelf tegen de tijd dat ze thuis aankwamen. Al die tijd dat haar moeder het bad liet vollopen, haar inzeepte, waste en afdroogde, haar warme, klamme armen en benen in droge kleren wurmde, de föhn op haar haren zette en haar met een beker warme chocola voor het haardvuur zette, hield ze die sterke woede, bleef haar lichaam stijf en ongemakkelijk, klappertandde ze als impliciete aanklacht – totdat ze ineens merkte dat haar moeder ook klappertandde, en dat haar gezicht bleek was, terwijl haar eigen haar op haar schouders druppelde. Ze keek naar wat ze had gedaan; de woede smolt, werd de vertrouwde kiespijn in haar borst die ze deze keer dagenlang niet kwijtraakte.

De pijn in Elizabeths borst was verbonden met één ding in het bijzonder, al waren de herinneringen daaraan nu samengesmolten: een bak in de voorkamer van het huis aan zee, op een plank in een alkoof naast de open haard; een grote bak, de kleur van de hemel, die muziek speelde. 's Avonds werden de kamers van het huis op de klip benauwend, en werden stilte en kalmte onheilspellend, voelbaar gemaakt door het razen van de zee achter het raam, die stil noch kalm was, en haar moeder had aan beide een hekel. Dus las ze hardop, speelde met het kind, nam haar mee naar het strand, naar de rotsen, naar de stad, en als het kind naar bed was gegaan speelde ze muziek. Dan schonk ze iets te drinken in, liep naar de bak op de plank en tilde het deksel op.

Naast de bak stond een verzameling grotere en kleinere glimmende zwarte schijven die de rest van die plank en de volgende in beslag nam. De schijven waren de enige dingen in het huis die uitdrukkelijk van haar moeder waren. Als er een kras op zat konden ze overslaan of kraken of herhalen; als je ze liet vallen konden ze aan scherven gaan; stof kon ze beschadigen en warmte ook; als je ze op de verkeerde snelheid draaide konden ze sloom en laag klinken, of schel en opgewonden.

Het kind mocht de schijven niet aanraken, maar ze had ze wel van dichtbij gezien, elk met zijn duizenden dunne concentrische kringen die in de zwarte materie gedrukt stonden als de ringen van een planeet. Het waren de kringen die het geluid maakten, zei haar moeder; ze mocht ze niet aanraken maar zo nu en dan, op regenachtige middagen of dagen dat haar moeder in een deken gewikkeld zat, te ziek om te lezen of te spelen of het huis uit te gaan, had ze gezien hoe ze een van de schijven uit de papieren hoes met patrijspoort haalde, voorzichtig in haar rode handen hield, haar handpalmen in een rechte hoek met de rand, de schijf op een draaitafel in de blauwe bak legde, een metalen arm optilde die aan een naald vastzat, een knop indrukte en de schijf in beweging zette. Er was een angstig moment wanneer de schijf plotseling viel – had haar moeder iets verkeerds gedaan? Maar het apparaat kende zijn taak en weldra schoot er een tweede arm naar voren, dikker en zakelijker, die zich behoedzaam liet zakken. Daaraan zat een naald die in het vinyl priemde, een kleine, resolute angel. De draaiende schijf begon dan muziek te spelen.

De muziek was zonder woorden; er was veel gestrijk en gezaag, gekreun en gekronkel. Het kind stond op een stoel en spiedde in de bak om te zien waar de muziek vandaan kwam. Ze keek hoe de arm op en neer ging over het zwarte water, hoe de naald steeds verder naar het midden schoof en dan op het allerlaatste moment opzij sprong, alsof hij zelf was gestoken, waarna hij zich ingetogen en houterig aan de zijkant liet zakken, alsof hij verlegen was, zich geneerde voor wat hij had gedaan. Tijdens het ronddraaien leken de kringen die in de schijven gegraveerd stonden op donker water dat met grote snelheid werd overgestoken. In de roos van elke schijf draaide een papieren rondje, blauw of rood, paars of geel, pirouettes als een kunstschaatser. Je zag dat de schijf bewoog aan het label dat tijdens het draaien een beetje golfde aan de randen; je zag dat hij bewoog aan het licht dat erop viel en een grillig wit pad maakte, zoals de maan, wanneer die naar de baai kwam om de mensen te laten weten dat er iets boven hen was, op de zee maakte. Maar ook al trilde het label, als je je ogen half dicht deed leek het stil te staan; en ook al flikkerde het pad alsof het leefde – en misschien ging er op dat ogenblik wel iets doorheen – het bleef steeds op dezelfde plaats liggen.

Het apparaat had iets onnatuurlijks, geen duidelijke relatie tussen de ronddraaiende cirkel en het geluid dat de lucht vulde. Het ene was tastbaar, het andere niet; het ene was zichtbaar, het andere bestond nergens; of overal. De ogen van het kind verslonden elk moment: de naald die nauwlettend zijn taak uitvoerde als een soort zuigorgaan dat voeding opnam; de schijf zelf, die leek te golven en aan zichzelf te ontstijgen als door een vreselijke hitte. De schijven verwonderden haar meer dan de bak; met zijn toestanden, hendeltjes en armen leek die tot op zekere hoogte wel in staat om iets te laten gebeuren. De schijven waren saai en plat, niet bij machte om wat dan ook te produceren totdat ze door de naald werden aangeraakt – al moesten ze wel iets bevatten, iets niet-waarneembaars dat erin was gegrift, gegraveerd, en plotseling tot leven kwam.

Ze had de blik van haar moeder donker zien worden bij het luisteren naar de muziek. Ze had haar zien verdwijnen hoewel ze voor haar zat, hier in slaap zien vallen en ergens anders wakker zien worden. En nu gebeurde er echt iets. Dus dit was muziek; dit deed muziek. De eerste keer dat ze de muziek hoorde was ze bang en daarna elke keer opnieuw. Ze werd lijkbleek en doodstil. Ze vroeg dan of ze naar buiten konden gaan. Ze haalde een boek. De muziek verontrustte haar; bezorgde haar pijn in de borst. Soms was de pijn zo hevig dat ze haar aandacht op de draaiende cirkel zelf richtte, alsof ze door het fysieke medium van dit fenomeen te bestuderen het beangstigende effect ervan kon tegengaan. Misschien zag haar moeder een keer hoe stil ze was als de muziek speelde; misschien zag ze haar roerloos zitten. Meestal speelde ze de muziek niet voordat Elizabeth naar bed was. Als ze dat wel deed, was dat meestal na een dag van uitgesproken zwijgzaamheid van haar kant, meer dan gebruikelijke waakzaamheid van het kind, en een doordringende stilte die niet verdreven kon worden. Hun machtigste bondgenoot tegen de stilte was poëzie. Poëzie kon de stilte even lucht geven, er een patroon in aanbrengen, er eigen ritmes tegenoverstellen.

Muziek was anders dan boeken. Als haar moeder voorlas, beheersten ze de woorden; de woorden konden alleen maar dingen doen die zij toestonden. Bovendien bestonden ze allebei in hun eigen koninkrijk van woorden, maakten er hun eigen woorden van, ook al waren de woorden identiek. Maar de muziek deed met hen wat die wilde, was tomeloos en schonk elk van hen niet een eigen afzonderlijk domein, maar bond hen onverbrekelijk samen. Het was onmogelijk om alleen te blijven: ze merkte dat ze tegen haar moeder aan gleed, aan schoof. De muziek besloeg geen regels, vulde geen bladzijden die je een voor een kon omslaan. Ze kon niet zeggen: 'Daar waren we gebleven', of 'Hier zijn we nu'. Het was een gewelf, een netwerk dat hemel en aarde omsloot. De woorden die ze in boeken lazen schiepen werelden, maar muziek veranderde het weefsel waaruit die werelden bestonden; vervormde, verdraaide, verweefde ze. Woorden scheidden, lieten haar veroveren en objectiveren en verdelen; muziek maakte alles één. Het kind wilde niet één zijn; één zijn vond ze beangstigend.

De eerste keer dat de muziek haar wakker maakte, ging ze rechtop in bed zitten en vulden de klanken het huis. Het kwam op haar over alsof dat precies was wat de muziek deed: de muren binnendringen als water in een zandkasteel, door de vloeren sijpelen, tree voor tree de trap bestijgen; zwellen, barsten, de volgende tree blank zetten; over de overloop kruipen, plotseling dramatisch om de poten van haar bed krullen, alsof de zee die ze in dromen ontvluchtte nu het huis vulde. Ze probeerde zich hard te maken toen het steeds verder kwam, de scheuren te dichten, een steen te worden of een stok of een houten bank, iets wat zou drijven, of zinken, maar wat niet doorbroken kon worden, niet doorstoken, niet binnengedrongen. En dat lukte haar niet.

Ze probeerde weer in slaap te komen, maar haar borst deed zeer. De pijn was één met de muziek. Met elke ademhaling nam de pijn toe en weer af. Ze strompelde huilend naar beneden; ze zou het tegen haar moeder zeggen, ze zou zorgen dat het ophield, maar toen ze bij de voorkamer kwam hoorde ze nog een geluid, een geluid dat boven in het huis niet te horen was: het geluid van een vrouw in tranen. Ze had haar moeder nog nooit horen huilen; even twijfelde ze of het haar moeder wel was. En toen wist ze dat zeker.

Het huilen duurde langer dan zijzelf ooit had gehuild; ze vroeg zich af wat het veroorzaakt kon hebben, kon zich niet indenken wat er zo erg kon zijn. Het moest de muziek zijn, besloot ze – maar als die zo vreselijk was, waarom luisterde haar moeder er dan naar? Ze probeerde te bedenken wat ze moest doen maar door de pijn in haar borst vielen gedachten midden in een zin uit elkaar in haar hoofd. Ze wilde de deur opendoen maar kon haar hand niet zover krijgen dat die aan de deurkruk draaide. Ze wilde vluchten maar vond dat ze de kamer in moest gaan. Als ik dapper was, ging ik naar binnen, dacht ze. Maar ze was niet dapper, ze kon het niet aan, en ze bleef staan waar ze stond. Ten slotte ging ze op de onderste traptree zitten en schikte zich erin, in het op en neer gaan, moment na moment. Het huilen stopte kort voor het aanbreken van de dag, vlak voor de muziek zelf stopte. Voordat haar moeder de deur van de voorkamer kon opendoen, was ze weer in bed gekropen.

De volgende dag had haar moeder een grauw gezicht met rode ogen, maar verder leek ze niet anders. Ze vroeg niet aan haar moeder waarom ze had gehuild en of ze dat eerder had gedaan, maar daarna lag ze elke avond te luisteren. Als ze niets hoorde, ging ze over de overloop naar de kamer van haar moeder om te zien of ze in bed lag. Als ze muziek hoorde wist ze dat haar moeder niet naar bed was gegaan. Soms liep ze naar beneden en ging op de onderste tree zitten. Soms hoorde ze huilen. Soms had ze de moed niet om naar beneden te gaan en kroop ze in elkaar onder de dekens; slapen kon ze niet door de pijn in haar borst. Als ze toch in slaap viel, was het van grote hoogte en werd ze wakker om vervolgens weer te vallen, en de muziek bleef het huis maar vullen. De volgende dag werd ze dan wakker met een restant van iets, een droom, een geur, een deel van de muziek, en wist ze dat ze haar moeder in de steek had gelaten en dat de muziek had gewonnen. Soms hoorde ze de muziek helemaal niet maar wist ze 's morgens dat die er wel geweest was omdat het huis dan uitgezet leek, alsof er sprake was van osmose; de muren waren kromgetrokken, vloerkleden gekreukeld, haar moeder was bleek, rilde misschien, had slap hangend haar, soms een deken om zich heen geslagen, alsof ook zij doorweekt was aangespoeld en op een van de leunstoelen in de huiskamer geworpen.

Elizabeth herinnerde zich maar één avond dat ze de muziek duidelijk hoorde en dat was in de zomer dat haar moeder verdween. Ze hoorde het in haar slaap en ging onmiddellijk rechtop zitten, alsof ze erop gewacht had, of de muziek op haar; alsof het allemaal al eerder gebeurd was en zij het zich plotseling herinnerde. Er stond een grote maan achter het raam en het wit leek te bladderen. De zee zuchtte, bood zijn bekende platitudes, maar vanavond luisterde ze niet. Toen ze in de hal kwam was de voorkamer leeg en stond de deur op een kier. Ze wist dat haar moeder niet in het huis was en dat het geen zin had om haar te roepen. In de muziekbak draaide de cirkel nog rond; het licht van de maan flikkerde erop, vormde een wit pad op het zwarte water. De schijf kwam haar ineens duivels voor, steeds maar ronddraaiend, het grillige pad op het zwarte water een voorteken van onheil. Ze liep er achteruit bij weg en kroop op de onderste tree van de trap in elkaar, drukte haar vingers tegen haar oren, verdroeg de pijn in haar borst en wachtte.

Ze wist niet hoe lang ze daar had gezeten maar ze wist dat ze meer dan eens in slaap was gevallen toen ze voetstappen bij de voordeur hoorde en haar moeder direct daarop binnenkwam en de deur zachtjes dichtdeed. Haar gezicht was krijtwit, haar ogen waren groot en donker en haar haar was verwaaid. Ze liep langs Elizabeth de voorkamer in en zette de muziek uit, kwam toen naar de trap en schrok toen ze haar zag. De woeste blik verdween van haar gezicht, dat zachter werd; ze kwam naast haar op de trap zitten en legde een hand op haar hoofd.

Ze voelde de kou aan de kleren van haar moeder en rook het zout erin en wist dat ze bij de zee was geweest. Het duurde lang voor ze iets kon zeggen en toen dat lukte was het fluisterend. 'Waar was je?' vroeg ze.

'Het is zo'n heerlijke avond, ik ben naar het strand gegaan,' zei haar moeder. 'Het spijt me; ik had willen vragen of je meeging maar ik dacht dat je sliep.'

'Dat was ook zo,' zei ze. 'Maar de muziek...'

Haar moeder pakte haar handen, die klein en warm en klam waren, in de hare, die groot en koud en gevlekt door wind of water waren. Het kind wendde het hoofd af en weigerde haar moeder aan te kijken en haar moeder zweeg een tijdje. Toen zei ze: 'Ik zal het je laten zien.'

Ze sloeg een jas om haar heen en nam haar in haar armen

en liep naar buiten en deed de deur zachtjes achter hen dicht en ze stapten die schitterende nacht in onder de opgezwollen maan die de zee deed zwellen en een pad op het water legde, langs de nachtbloemen die op de klip groeiden, en het kind rook de zee en de bloemen en de wilde, lekkere geur van de nacht en dacht niet meer aan muziek en het huis.

Boven hen hingen de grootse sterren, en rond elke ster stond een kleine lichtkrans, alsof de ster een beetje trilde, hier was en daar, onbeweeglijk en bewegend. Overal om het kind heen was er helderheid, en daarmee zekerheid, elk ding als van kristal, belicht als een negatief, en ze dacht: het komt goed.

Ze liepen langs de waterlijn, lieten één stel voetafdrukken achter; de vrouw praatte op zachte toon over van alles en nog wat maar zei eigenlijk steeds weer hetzelfde: dat er niets ten einde was en dat er niets verloren was, een boodschap die de zee overnam en herhaalde, en al luisterend verdween de pijn in de borst van het kind en vergat ze de zwarte kringen in de bak en het grillige pad van wit licht en keek op en zag andere kringen, die ronddraaiden in het hemelzwart; een ander pad, door de maan op het water gelegd, en de zee die 'nog eens' zei, die 'nu' zei, die 'altijd' zei, steeds maar weer.

DE ZEVENDE DAG: MIDDAG

Elizabeth Stone stond bij de wastafel in de kleine badkamer en probeerde haar haar te doen. Veel werk was het niet maar haar vingers waren niet vaardig: creatieve inspanningen werden meestal aan haar hersens overgelaten en ze was moe. Ze was de hele dag al moe, ondanks het vooruitzicht van het concert die avond, of misschien juist daardoor; ze had het gevoel dat er nog iets was wat ze niet kwijtraakte, een droom of een regel uit een liedje; iets wat ze zich niet kon herinneren maar ook niet helemaal kon vergeten.

Ze hoorde stemmen beneden op het binnenplein en fietswielen die over kasseien hobbelden. Het was verbazingwekkend hoe warm het zelfs op dit tijdstip nog was, al was de hemel betrokken en zo roerloos dat geluiden eerder wegvielen dan ze hoorden te doen, als een tennisbal die met een racket dood werd neergelegd. Tussen elke twee geluiden zat ruis en achter de ruis zat een voelbare stilte.

Ze liet het haar zitten, boog haar pols, die stijf was, en deed een stap achteruit. Poeder, lippenstift, rode jurk; niet zo'n soort rood, een zedig paarsrood; maar toch rood; niet zo'n soort jurk, maar wel zijde; niet eens een elegante jurk, maar toch een jurk. Was het een afschuwelijke vergissing? Ze had zich de hele dag in de drukte van het zondagse winkelpubliek bewogen om iets geschikts te zoeken (sinds wanneer winkelden er zoveel mensen op zondag?) en de verkoopster had haar verzekerd dat de jurk geschikt was voor een intiem concert, en helemaal niet overdreven chic. Maar nu ze haar rug, armen en kuiten in hun bescheiden slapheid zag blootgelegd, nu ze haar buik schuchter zag uitsteken onder de stof die haar volgens de verkoopster door zijn schuine snit absoluut zou flatteren, had ze haar twijfels.

Ze bekeek haar gezicht; nou ja, je moest je wel een beetje opmaken met zo'n jurk, maar de kleuren voelden vreemd en opzichtig. De oogschaduw was de grootste vergissing. Die had ze die middag gekocht, maar ze had er niet aan gedacht om ook remover te kopen en nu kon ze de make-up alleen weg krijgen met water en zeep; niet echt een optie nu ze weg moest, eigenlijk al weg had moeten zijn. Ze pakte haar blauwe regenjas en liep naar de deur; het weer maakte de jas niet noodzakelijk, maar de jurk wel.

Terwijl ze het zwarte trappetje afliep moest ze weer aan die andere avond denken, aan dat andere concert. Maar er was geen reden dat deze avond ook zo zou uitpakken, bracht ze zichzelf in herinnering. Geen enkele reden.

*

Ze is negentien, houdt Elizabeth Stone zichzelf voor, er zijn een heleboel dingen die ze nog nooit heeft gedaan, ze hoeft zich er niet voor te schamen dat ze nog nooit bij een concert is geweest. Maar eigenlijk is dat niet de reden dat ze in alle staten is. De ware reden is iets wat Edward Hunt als het aan haar ligt nooit zal raden: dat ze zolang ze zich kan herinneren een hekel aan klassieke muziek heeft. Zelfs al zou ze haar geheim opbiechten, dan nog zou hij haar niet geloven, want wie heeft er nou een afkeer van muziek? Niemand, zeker niet iemand die van poëzie zegt te houden, waarbij toon en ritme in de oorschelp weerklinken. Muziek en poëzie bestaan uit vrijwel identieke elementen; het zijn klanklandschappen, ze hebben stilte nodig om verwezenlijkt en geapprecieerd te worden, maken gebruik van harmonie, refrein, timbre, toon, contrapuntiek. Dus heeft ze net gedaan alsof ze van muziek hield, soms zelfs heel veel, en dat heeft ze geweldig gedaan; ze is ervan overtuigd dat hij geen idee had dat ze een beroemd andante nog nooit had gehoord toen ze het erover had, dat ze de termen waarmee ze de loftrompet stak over een flitsend slot van piano en orkest, vol temperament en puntige accenten, in de *Classical Review* had gelezen. Maar vanmiddag zal ze beter moeten veinzen dan ooit, want dan zit ze minstens een uur lang naast hem naar een spelend strijkkwartet te luisteren. En toch, ondanks deze zeer moeilijke opgave, is ze opgetogen, en die opgetogenheid duurt zelfs al de hele week, terwijl ze wist wat haar in het weekend te wachten stond. En ze kan het. Ze weet het zeker. Ze kan voorwenden dat ze er helemaal in opgaat, misschien zelfs dat ze verrukt is.

Het is zondag, eind van het laatste trimester, en ze loopt een smal kasseiensteegje door met aan beide kanten zwart-witte huizen met houten gevels. Ze blijft staan voor een lage zwarte deur, een deur die als een brandmerk in het materiaal van het huis lijkt te staan – of misschien is het huis eromheen gegroeid, want de lateibalk en de stoep staan uit als een ring van schors rond een boom –, kijkt of het huisnummer goed is en klopt aan. Hier is het dus. Ze heeft vaak geprobeerd zich voor te stellen waar de professor woont, en dat is dus hier, hartje centrum, vijf minuten van het plein en de bibliotheek waar ze al haar dagen doorbrengt. Ze hoort gebonk op iets wat als een trap klinkt, dan gaat de deur open en zegt hij: 'Kom erin, kom erin...'

Zijn haar heeft blijkbaar een aanvaring met een borstel gehad, want het ligt plat en een beetje narrig op zijn hoofd; zijn gezicht glimt alsof hij het met een warm washandje heeft geboend, en hij heeft een overhemd en een colbertje aan; het colbertje lijkt door een wasmachine te zijn gegaan en het overhemd is niet gestreken, maar goed, het is toch een soort gedaanteverandering. 'Ik pak even mijn sleutels,' zegt hij.

In de gang is het donker en ruikt het naar boeken. Er is een barometer en een kapstok en een spiegel in een lijst met houtsnijwerk van bladeren. Door een open deur naar rechts ziet ze een eikenhouten tafel vol met boeken en schrijfblokken en papieren en tijdschriften; er is ook een kamer, maar de aandacht wordt gegrepen door de tafel, die het vertrek vult als iets uit *Alice's Adventures in Wonderland*. De kamer heeft een laag balkenplafond; er staan boekenkasten langs de muren en er hangen boekenplanken en ook die puilen uit. In de hoek is een trap naar boven. Ze wacht naast een bank. Er valt licht van de straat door een diep glas-in-loodraam en hoewel het een klein raampje is, dringt het licht door het halfduister van het vertrek. Door een ander, nog kleiner raam, ziet ze een achtertuin: sokken aan een waslijn, dik en wit; en in de vensterbank een rij plantjes in de bekende staat van verval. Haar blik gaat weer naar de enorme tafel, en een rood omslag met gouden belettering valt haar op.

Ze kan maar een stukje van een afbeelding zien, maar ze schrikt toch een beetje. Ze komt dichterbij om beter te kijken en haalt het boek dan uit de stapel. Een vrouw met glanzende lange haren zit op een wit paard, een ridder met een maliënkolder aan kijkt naar haar op. Haar adem stokt. Hij komt de kamer weer in en ze bloost.

'Neem me niet kwalijk,' zegt ze, en ze legt het boek terug.

'Dat is een oudje,' zegt hij.

'Hoe kom je eraan?'

'Ik heb zo'n beetje elk boek dat je kan bedenken,' zegt hij. 'Ik weet niet meer waar ik dit vandaan heb.' Hij klopt op zijn zakken. 'Zullen we?'

Ze wil het boek erg graag openslaan, maar hij wil weg, hij is ongeduldig en opgewonden als een schooljongen. Zo heeft ze hem nog nooit gezien; ze staat op en knikt, maar dan zegt hij: 'O ja, ik heb iets voor je,' en hij loopt naar een boekenkast en trekt er een rimpelig zwart boek uit met de woorden *Paradise Lost* in het gitzwart gegraveerd en geeft het aan haar. 'Het is oud, wees er zuinig op,' zegt hij.

Ze staart naar het boek, zegt: 'Bedankt.'

Hij draait de deur op slot en al pratend over Milton lopen ze de straat uit; met het boek dat hij haar geleend heeft stevig beet vertelt ze haar ideeën over *Samson Agonistes*, over de zuilen in de tempel, over aantekeningen en bouwmaterialen, dissonantie en verbale verwarring – allerlei vergezochte, vernuftige, enthousiaste, jeugdige ideeën – en hij knikt, met stralende zwarte ogen.

Ze zijn gelukkig; zo zouden ze op een voorbijganger overkomen. Zelf zijn ze zich nergens van bewust, behalve misschien van een snelheid, een ongedwongen manier van bewegen, een vage hilariteit; ofschoon de een niet weet of de ander dat voelt, en het op dit ogenblik zelfs hoe dan ook moeilijk te zeggen is wie de een en wie de ander is. Ze lopen een straat in waar een wit gebouw met zuilen en een rond raam wat verder van de weg staat, en hij zegt dat dit de Music

Room is. Ze gaan een klein portaal in en een dubbele deur door en worden omspoeld door een geur van hout en ouderdom — van de tijd zelf, denkt Elizabeth Stone: vergeeld en krullend; eeuwen van knipperen met de ogen en tikken met de dirigeerstok, nagels en poetsmiddel, hars en kattendarm. Er is een houten podium, dat leeg is op vier stoelen en vier muziekstandaards na, en er zijn houten stoelen in een halve cirkel die al aardig vol zit; het kwartet is zeker populair. 'Ik heb ze nu twee keer gehoord,' zegt hij. 'De eerste keer werd ik helemaal overdonderd door hun uitvoering van Haydns "Farewell".'

Hun plaatsen zijn bijna bovenaan en zodra ze zitten beseft ze dat ze niet weet wat ze met haar lichaam moet doen en dat ze dat de komende vijf kwartier ook niet zal weten. Ze weet niet waarom het zo anders zou moeten zijn om hier te zitten dan in een kroeg of een park of zijn kamer; misschien komt het doordat ze in gezelschap is van deze chique vreemden, die voor het merendeel ook in paren zitten; misschien komt het door het beschaafde geschuifel, het beleefde gemompel in afwachting van; of misschien komt het gewoon doordat ze voor het eerst naast elkaar zitten en dat, in tegenstelling tot wat ze had verwacht, veel verontrustender is dan tegenover elkaar.

Middagzon stroomt door het ronde raam boven hun hoofd en geeft de zaal, in combinatie met het hoge witte plafond en de kale muren, het gevoel van een kapel, van ootmoedige wijding. De zon schijnt op zijn pasgekamde haar, dat nu alweer overeind begint te staan. Het licht glinstert in de zwevende stofdeeltjes die hen omringen, belicht de nerf in de banken onder hen en verandert de huid van hun handen in eindeloze woestijnen. Het zonlicht lijkt één te zijn met de stilte, die vloeiender is dan geluid, en ineens ziet ze in dat deze stilte, slechts minimaal bedekt door het gemompel en geschuifel, de bron van haar onlust is; dat de zaal gebouwd is om stilte te kweken en te koesteren.

Hij straalt. 'Gaat het?'

Ze knikt driftig.

'Ik denk dat het mooi wordt,' zegt hij. 'Ik verheug me vooral op Beethoven, het zijn de late kwartetten.'

'Wanneer begint het?' vraagt ze luchtig.

'Nu zo'n beetje.'

'O, mooi.'

'Wist je dat Haydn deze zaal heeft laten bouwen?'

'Nee.'

Hij vertelt iets over de geschiedenis van de Music Room, maar ook al probeert ze wel te luisteren, ze is zich alleen maar bewust van de stilte, die overal om haar heen lijkt te groeien en te stromen, als de zee. Hij breekt zijn verhaal af als twee mannen en twee vrouwen, allen in het zwart gekleed, het podium betreden, een buiging maken en hun plaats innemen, en het drijfhout van conversatie en gerommel en geschuifel hoog boven hun hoofd wordt overdonderd door een golf van opspattend applaus, een geraas van witte ruis; ze vindt de geestdrift gênant, de overweldigende eenheid, het feit dat ze mee moet doen, en is opgelucht wanneer ze haar handen op haar schoot kan samenvouwen.

Even blijft het stil; de violisten zetten hun instrument onder de kin. Dan zijn ze vertrokken.

En ze hapt naar adem. Is dit Bach? Het is een belediging. Het is een bestorming. Het is onmenselijk! De bezetenheid, de grootsheid, de genadeloosheid. Ze had geen tijd. Ze is meegesleurd, honderd kanten tegelijk op gegooid, in haar stoel gedrukt. Ze krijgt een hartaanval, ze gaat flauwvallen, ze vindt het ongelooflijk dat hij dit wíst, dat al die mensen hier het wisten en het vrijwillig ondergaan. De muziek buldert, stijgt tot grote hoogte, staat doodstil in de lucht; het is ondraaglijk. Ze gaat het tegen hem zeggen – maar als ze naar Edward Hunt kijkt, zit hij te glunderen.

Bach houdt even abrupt op als hij begon en ze leunt achterover, armen langs haar zij. 'Mooi?' Zijn gezicht straalt. Ze knikt zonder een woord, hoopt dat hij haar sprakeloosheid voor ontzag aanziet; en daar lijkt het op, want zijn glimlach wordt nog breder en zijn been begint te wippen. En nu vertelt hij, lieve god, nu vertelt hij haar over het volgende stuk.

Het tweede muziekstuk begint met één enkele viool: trillend, fonkelend, dan het akkoord, mysterieus, teer – bijna grappig. Het is een verschil van dag en nacht met het eerste stuk, maar dit is eigenlijk nog erger; ze had dit niet voor mogelijk gehouden. Het enige wat ze kan doen, en moet doen, is stil zijn. Dat zegt ze bij zichzelf. Ze zegt: dit kan toch niet moeilijk zijn? Ze roept woorden aan, sleurt ze uit de hemel, worstelt met wat er gebeurt, verklaart het met afgemeten, weloverwogen zinnen. Woorden zullen haar bondgenoten worden: dapper, resoluut, ordelijk, met zulke andere ritmes dan de muziek. De woorden moeten toch wel winnen? Maar haar constructies zijn tevergeefs, de woorden zijn volstrekt kansloos: tegen het vlak van water dat zich verheft zijn ze een vloot van luciferhoutjes, in een mum van tijd uit elkaar geslagen, hoog de lucht in geslingerd als een muis door een kat, in stukken gebroken. Dat komt, beseft ze, doordat ze slechts ogenblikken duren, de woorden zijn niet continu en de muziek is dat wel; ze moet voortdurend aan woorden blijven denken als ze wil blijven drijven; ze moet schip na schip eropuit sturen. Dus ze wordt gepijnigd, uitgerekt, verzwakt door fluitspel, strijkstokken, kronkelingen die zo subtiel zijn dat het gedachten en geen geluiden moeten zijn; door kabbelingen licht als een veer. De muziek neemt haar mee van de ene naar de andere kant – en is toch meedogenloos, vult haar, trekt haar strak en doet haar pijn, doet haar hijgen. Ze weigert hieraan mee te doen. Ze balt haar vuisten, beveelt haar borstkas om niet te zwoegen, haar kaak om niet te trekken – zou zichzelf bevelen om niet te bestaan als dat kon – maar haar lichaam laat haar in de steek: haar knieën glijden tegen elkaar, een spier speelt op, haar ademhaling is onregelmatig. Ze moeten haar eruit laten. Ze zal het tegen hem zeggen. Maar als ze kijkt, is zijn mond open; hij slikt en ze ziet dat dit alles is wat hij kan missen, dat zijn lichaam niet meer van hem is. Hij is hier in slaap gebracht en ergens anders wakker geworden. Dit is dus muziek. Dit doet het dus.

Op een bepaald moment voelt het alsof ze is gestroopt, alsof haar lichaam met al zijn bescheiden mechaniekjes bloot is komen te liggen; de kleine onderdeeltjes, de orgaantjes, het murmelen en trillen en intieme kloppen, de geheime gangen, alle afweermiddelen zijn publiekelijk zichtbaar geworden; of onderdeel geworden van de lichamen van de andere mensen. Ja. Dat is wat er gebeurd is; en iedereen in de zaal is één kloppend lichaam, één monsterlijke, pulserende massa. En in dat proces is haar lichaam ook het zijne geworden.

Terwijl het gaande is begint ze iets te begrijpen: niet de klanken zelf vervullen haar met afschuw, maar wat ze tot stand brengen. De wetenschap bereikt haar met het soort inzicht waar je op momenten van crisis wanhopig naar graait: het werkelijke probleem is niet de muziek maar degene die naast haar zit; of is zij het probleem, die naast hem zit? Is dit het, en de andere lichamen die dicht om hen heen zitten, en het vreemde wezen dat tussen hen groeit? Het is al vreemd genoeg om naast elkaar te zitten en niet tegenover elkaar, maar om naast elkaar te zitten en deze klanken te horen is iets heel anders: het is het verschil tussen wandelen en dansen, samen met iemand eten en samen één vork gebruiken. Is dit wat muziek doet, dingen laten samensmelten? En hij heeft het ook gevoeld, dat weet ze zeker.

Bewegingen zijn een reeks intens geladen gebeurtenissen geworden die rimpelingen veroorzaken die golven van warmte in haar teweegbrengen. Ze zit stokstijf maar voelt dat ze wegglijdt, naar hem toe schuift. De stoelen staan niet waterpas. Die van haar helt naar links. Ze grijpt de randen beet, zet haar voeten schrap, maar het maakt niet uit. Hun lichamen kloppen samen, hun borstkassen zetten gelijktijdig uit. Ze gaat anders ademen. Hun ogen kijken samen, zien elkaar waar ze ook kijken. Ze gaat niet kijken! Ze gaat naar de musici kijken, maar hij kijkt ook naar hen. Hun handen. Die zo braaf naast elkaar liggen; zo schandalig, zo vleselijk, zo zalig in hun verraderlijke heimelijke verstandhouding. Ze verbergt haar handen; dat kan ze in elk geval doen.

De muziek wordt trager, streelt, fluistert, psalmodieert, strekt zich uit als haren die uitstaan van haar hoofd. De haren knisperen. Ze huilt onzichtbaar, haar gezicht een masker. Haar borstkas gaat op en neer. Ze drukt zich zo hard in haar stoel dat ze beeft. Ze knijpt haar ogen dicht. Het gaat door. De viool siddert, de cello kreunt, de klanken blijven zich eindeloos, meesterlijk, ondraaglijk verder slingeren – o, het is wreed. Het is niet uit te houden! Het is niet te verdragen. Elk deel van haar staat op knappen; elke zenuw, elke spier, elk bot is verkrampt en wankelt op een randje. Het is een lied, zegt ze tegen zichzelf. Er komt een eind aan. Het maakt niet uit.

'De laatste,' zegt hij. Zijn gezicht heeft een kleur. 'Nu komt Beethoven.'

Ze probeert te glimlachen, maar de spieren in haar gezicht trillen. Ze hoopt dat hij haar natte wimpers niet ziet. Maar deze keer lijkt ook hij blij dat hij weer naar voren kan kijken.

Het laatste stuk is vreemd, helemaal uit de maat, en dringt ongemerkt het bewustzijn binnen, half kinderversje, half klassiek, half tragisch, half ironisch, en zodra ze de eerste maten hoort weet ze dat ze onwel gaat worden. Er wordt iets om hen heen of boven hen geschreven, in de lucht boven hun hoofd gepend; de rest van de wereld valt weg als het decor in een toneelstuk en er komt zweet onder haar haren vandaan. Ze wordt verstrooid, uitgerekt langs een onmeetbaar grote hemel, ragfijn uitgesponnen. Ze voelt niet meer alleen dit moment, dit lichaam – haar lichaam, zijn lichaam – maar vele lichamen en vele momenten; het gevoel zit diep geworteld en gaat ver terug en ze is volledig overstuur. Met de grootste moeite kan ze praten in het tumult van hemel en aarde die zich oprichten en neerstorten, en de woorden die in haar opkomen zijn simpel: laat het ophouden; het is gekomen, laat het nu weer gaan. Dat zegt ze. Ze werpt zich ter aarde, maar de muziek is sterker. Die wil haar stukmaken. Die blijft maar raken, blijft haar maar aanraken.

Het wonder bestaat erin dat ze blijft ademhalen. De muziek zit nu in haar, komt tot aan haar borst, bedekt haar hart. Wanneer haar keel wordt gesnoerd, staat ze op. Rugleuningen klappen omhoog als ze de rij afloopt. Ze struikelt over de laatste tree, rent de lounge door en geeft buiten voor de deur naast een goudenregen over. Even later verschijnt hij en vraagt: 'Wat is er gebeurd? Gaat het wel?' Ze kijkt niet om, loopt voor de trap langs. 'Elizabeth,' roept hij. 'Waar ga je heen?' Ze draait zich niet om. Hij roept nog een keer en ze hoort zijn voetstappen achter zich, maar dan heeft ze het al op een rennen gezet, gaat ze de hoek om, is ze uit het zicht. Het begint zacht te rommelen boven de stad. Er vallen grote druppels. Ze rent door, zuigt lucht in haar longen alsof ze bezig was te verdrinken. De regen is lauw; het voelt niet alsof hij van buiten komt, maar alsof hij uit de poriën in haar huid sijpelt. Als ze niet meer kan, leunt ze tegen een muur. Een vrouw van middelbare leeftijd met een regenjas aan loopt voorbij met een gele paraplu. De vrouw huilt. Elizabeth ziet het niet.

*

Zich haastend op hoge hakken die ze niet gewend was en buitengewoon blij met de blauwe regenjas vroeg professor Stone zich onwillekeurig weer af wat Edward Hunt die middag had gedaan. Ze wist dat ze had moeten uitleggen wat er aan de hand was. Maar dat wist ze niet. Nog steeds niet. Ze was sindsdien naar concerten geweest, al waren het er niet veel. Het was niet makkelijk geweest, maar na een paar jaar lukte het om ze uit te zitten als de muziek niet te heftig was. Daarna ging ze samen met collega's en kennissen, leerde hoe je over muziek moest praten, wist zelfs vage voorkeuren te vormen. Tegenwoordig, kon ze met voldoening zeggen, zou niemand enig idee hebben van haar werkelijke gevoelens over dit onderwerp. Vanavond gingen ze naar dezelfde Music Room als dertig jaar geleden, maar dan om het eerste pianotrio in bes groot van Schubert te horen, een serie rustige, lichtvoetige genoegens; geen jachtige Bach of verknipte Beethoven. Er was geen reden, zei ze andermaal tegen zichzelf, dat deze avond ook maar enigszins op die eerste zou lijken.

Het hek voor de grote bibliotheek zat op de ketting toen

ze over het plein liep, de ogen van de Upper Room waren dicht, de Round Room met zijn donkere ramen onder de koepel oogde magnifiek op deze slaperige zondagmiddag. Matte stralen verdikt zonlicht lieten hun onpartijdige goud op het brokaat van de professors hoge hakken vallen, deden haar panty glinsteren en het rood oplichten van de zijden jurk die wulps onder de regenjas uitstak. Haar kledij kwam haar met de minuut potsierlijker voor, maar ze haastte zich zo goed en zo kwaad als het ging, waarbij de jurk op zeer onbevallige wijze opkroop; fijn, die schuine snit.

Ze was plakkerig toen ze het kasseienstraatje in liep, haar haar zat plat en ze was maar liefst tien minuten te laat. Ze klopte aan en wachtte, te veel afgeleid door het feit dat ze te laat was om erbij stil te staan hoe ongelooflijk het was dat ze hier een leven later voor exact dezelfde deur stond. Toen hij opendeed kon ze zijn gezichtsuitdrukking niet duiden. Er leek evenveel verbazing in te zitten als verwarring en als ze zich niet vergiste ook angst. Ze wist direct dat de jurk een afschuwelijke vergissing was, de hoge hakken ook. Alles.

Hij draaide zich om en pakte zijn jasje. Ze verontschuldigde zich dat ze te laat was. Hij zei alleen: 'Ik ben onder de indruk,' en ze wist niet precies hoeveel humor en hoeveel ergernis daarin zat. Hij keek haar totaal niet aan toen ze de steeg door liepen en ze zei, bij wijze van verklaring voor de jurk: 'Ik dacht, laat ik maar eens wat moois aandoen...'

Maar hij zei alleen: 'Het was me niet opgevallen wat je aanhad.'

Zijn gezichtsuitdrukking was merkwaardig, ontoegankelijk, glazig als de hemel. Ze concentreerde zich op het overeind blijven op de kasseien, keek één keer even naar hem toen ze bij de hoofdstraat aankwamen. Kwam het misschien gewoon doordat ze te laat was? vroeg ze zich af. Nou ja, er zat nu nog maar één ding op. Ze moest naar de muziek gaan luisteren. Ze moest rustig zitten en dan naar huis. Ze dacht dat ze dat net aan zou kunnen.

'En, hoe vond je het?'

'Goed, erg goed.' Elizabeth drukt haar bril omhoog. 'Vooral zoals de violist het andante benaderde.'

Eerlijk gezegd had ze het andante vervelend gevonden, maar alles bij elkaar was ze dankbaar omdat het een aangenaam concert was geweest, rustig, waardig, zij het een beetje voorspelbaar.

Ze zitten aan een houten picknicktafel op de binnenplaats van een taveerne die achter een wirwar van daken verscholen ligt. Omdat het zondag is zitten er onder de parasols aan de picknicktafels toeristen in plaats van feestende studenten en kunnen ze zichzelf horen praten.

'Ja, het was niet slecht.'

Hij is ontspannener nu, heeft één hand om zijn cola heen en tipt met de andere een sigaret af; hij kijkt de hemel in, waar de wolkenbanken zich opstapelen ook al is de avond nog immer verstikkend. Zijn vreemde stemming van eerder is verdwenen. Hij glimlacht zo nu en dan naar een klein meisje dat met tussenpozen rondrent zoals heel jonge kinderen dat doen: hun zenuwstelsel lijkt steeds korte tijd actief te worden en daarna kortsluiting te maken, alsof hun informatie op is. Als hij niet naar het meisje glimlacht, tuurt hij in zijn glas; als hij niet in zijn glas tuurt, bezichtigt hij zijn sigaret; als hij zijn sigaret niet bezichtigt, kijkt hij over zijn schouder naar een groep Amerikanen; hij kijkt, kortom, overal heen behalve naar haar, en dat is de hele avond al zo.

Ze probeert hoogte van hem te krijgen en geeft het weer op; ze is moe; ze steekt haar hand uit om haar glas te pakken en ineens uit het niets schiet er een fel licht door de linkerkant van haar hoofd en wordt het haar zwart voor de ogen.

Ze zet het glas onhandig neer, een deel van de inhoud klotst over de rand, maar hij ziet het niet, zit uit te kijken over de binnenplaats. De pijn ebt weg. Ze doet haar ogen open, de wereld is er nog. Ze blijft roerloos zitten, ademt oppervlakkig, en wordt dan teruggehaald doordat hij lacht.

'Sorry?'

Hij draait zich naar haar toe. 'Je luistert niet eens.'

'Neem me niet kwalijk. Wat zei je?'

Hij kijkt haar aan.

'Neem me niet kwalijk,' zegt ze. 'Ik hoorde niet wat je zei.'

'In je eigen wereldje.' Hij schudt het hoofd. 'Het is echt een soort handicap, Elizabeth.'

'Ik was gewoon even ergens anders met mijn gedachten.'

'Dat ben je altijd.' Hij zucht. 'Ik had het over een idee voor een artikel over een vergelijking tussen Goethe en Schubert.'

'O.'

Ze neemt een beverig slokje, zet haar glas weer neer en raakt haar hoofd aan.

'Concert te veel voor je?'

'Nee.'

Hij tikt op zijn glas en kijkt om zich heen. 'Maar goed, ik zei dus dat Goethe een aanzienlijke invloed op Schubert gehad schijnt te hebben en het leek me interessant om eens de problemen te bekijken waarmee je te maken krijgt als je in één taal over de literatuur van een andere schrijft... Eigenlijk wat jij ook doet, hè?'

Dan doet de pijn zijn oog weer open en snijdt haar deze keer de adem af. Ze zegt: 'Zo terug,' en hij staart haar na als ze de pub in loopt.

Ze vraagt aan de bar om een glas kraanwater en haalt een doosje pijnstillers uit haar zak. Ze slaat de pillen achterover, wil het glas terugzetten op de tap, mist die en bukt zich om het glas op te rapen, maar komt dan niet meer overeind. In plaats daarvan gaat ze op haar hurken zitten en houdt haar handen voor zich in de lucht, als een kind dat iets afweert wat veel groter is, zoveel groter dat het geen zin heeft om te vluchten of te vechten of om hulp te roepen.

Een vrouw vraagt of het wel gaat. Na een ogenblik helpt ze haar overeind. Een man geeft haar haar tas en vraagt of hij soms iemand moet bellen. Ze zegt tegen hen dat er niets aan de hand is. Ze bedankt hen en gaat weer naar buiten.

Bij de tafel zegt ze: 'Hoofdpijn. Ik moest even wat water drinken.'

Maar hij kijkt niet naar haar, hij kijkt naar zijn glas. Dan wendt hij zich naar de hoge muur met bloempjes die zich aan het steen klampen en licht beven in de wind. Hij heeft een wat wrange glimlach op zijn gezicht.

Ze vraagt: 'Is er iets grappigs?'

'Nee, nee...' Maar hij glimlacht nog steeds, en dan lacht hij. 'Ik vond eigenlijk dat je je goed door de avond heen sloeg, alles welbeschouwd.'

Ze zegt zacht: 'Ja, hè?'

Hij vertoont weer zijn nieuwe, vreemde glimlach, fronst dan het voorhoofd, alsof hij iets niet begrijpt. 'Weet je wat er al die jaren terug aan de hand was?'

Ze trekt haar wenkbrauwen op en knippert met haar ogen, kijkt peinzend naar het bierviltje. Na een korte stilte zegt ze: 'Nee. Dat weet ik niet meer.'

Hij blaast een kring rook uit en kijkt ernaar met opgetrokken wenkbrauwen. 'Gewoon nieuwsgierig.'

De pillen werken. Het zijn fantastische dingen. Of misschien is de pijn uit zichzelf weggegaan, bedenkt ze. Misschien zou die hoe dan ook zijn weggegaan. Misschien hoeft ze niet ongerust te zijn en is het niets gevaarlijks. Hij is nu voor de tweede keer in evenzovele dagen teruggekomen, aan de linkerkant. Maar misschien is het niet wat ze vreest; misschien is het iets wat geen kwaad kan, littekenweefsel, iets wat weer aangroeit, kleine aanpassingen die het lichaam maakt nadat er iets in is binnengedrongen. Van zulke dingen heeft ze gehoord. Misschien is het zelfs een goed teken, een teken van herstel, als een vinger die begint te jeuken wanneer hij bijna genezen is. Maar dit is geen jeuk; dat is het zeker niet. En waarom heeft Wright haar hier niet voor gewaarschuwd? Nou ja, het is zinloos om je zorgen te maken; ze gaat naar hem toe als ze terug is in Londen, om het te vragen.

Ze zegt: 'Ik voelde me rot dat ik die middag was weggegaan.'

'Uiteraard.'

Ze kijkt hem vinnig aan, maar er klinkt geen spoor van onoprechtheid in zijn toon en zijn wenkbrauwen zijn onschuldig opgetrokken.

Ze zwijgen enige tijd. Het kleine meisje dat rondrent begint te zingen en ze glimlachen naar haar, niet omdat ze zo'n zin hebben om te glimlachen maar omdat niet glimlachen een bevestiging zou zijn van het tamelijk donkere water waarin het gesprek ongemerkt is terechtgekomen. Dan zwaait haar vader haar hoog de lucht in en beweegt haar heen en weer zodat het gelach uit haar geschud lijkt te worden, als water uit een fontein. Elizabeth Stone kijkt zonder te zien, denkt aan andere dingen. Ze zou dat concert van toen moeten loslaten, maar de pijn in haar hoofd heeft haar strijdlustig gemaakt, vooral nu hij weer weg is; pijn waar hij niets van wist, toen niet en nu niet. En er is nog iets, wat haar de hele avond al dwarszit, vanaf het moment dat hij de deur opendeed, het gevoel dat ze wordt geringschat, op de een of andere manier onredelijk wordt beoordeeld, en ze is het zat om beoordeeld te worden, dus zegt ze op iets luidere toon, maar met een glimlach om de lippen gekruld: 'Wat dacht je? Dat ik was gevlucht omdat ik me verveelde?'

'Nou,' zegt hij, ook met een glimlach, 'ik wist niet wat ik ervan moest denken. Bij jou weet je dat nooit.'

Haar kaken klemmen zich op elkaar, maar ze laat het passeren. 'Wat deed jij? Ben je weer naar binnen gegaan?'

'Ik ben achter je aan gegaan, maar toen ik de hoek omging, was je al verdwenen. Ik geloof dat ik naar huis ben gegaan.'

Ze volgt met haar vinger de kring die het glas op de tafel heeft gemaakt. 'Ik voelde me schuldig,' zegt ze, 'omdat jij het kaartje had betaald en alles had geregeld...'

'Is dat zo?'

'Ja, dat is zo.'

Dan lacht hij en zegt rustig, bijna vriendelijk: 'Elizabeth, serieus, wat kunnen andere mensen jou nou schelen?'

Ze fronst haar wenkbrauwen, dan lacht ze. Dan zegt ze: 'Pardon?'

'Nou.' Machteloos haalt hij zijn schouders op. 'Je lijkt geen enkel benul te hebben van hoe de dingen worden gedaan; dat heb je nooit gehad; of anders interesseert het je gewoon geen moer. Je fladdert lekker door het leven, laat dingen vallen en raapt ze weer op als je daar toevallig zin in hebt. Volgens mij geef je echt alleen om je werk.' Hij glimlacht nog steeds. 'Al die jaren heb ik me afgevraagd hoe het met je ging, verwachtte ik iets van je te horen. Nu kom je ineens zomaar aanwaaien alsof er niets is gebeurd en denk je dat we gewoon weer door kunnen gaan waar we gebleven waren, want dat is wat je nu wilt. Maar straks misschien niet meer. En waar blijven we dan, waar blijf ik dan?'

Het voelt alsof ze een stomp in haar buik heeft gehad. Ze hapt naar lucht, en zegt dan: 'Ik moet toegeven dat ik dit ontzettend oneerlijk vind.'

'Dat zat er dik in natuurlijk.'

Ze staart hem aan. 'Waar komt dit vandaan?'

Dan verdwijnt zijn glimlach plotseling en hij zegt: 'Waar kom jij vandaan? Waarom duik je ineens uit het niets op? Na een heel leven?'

Ze slikt en zegt: 'Dat heb ik gezegd. Om de stukken van Fliot te lezen.'

'Een pak muf oud papier waar je geen bal aan hebt, dat weet iedereen. En heb je iets gevonden?'

Ze gelooft haar oren gewoon niet. Ze zegt: 'Dat heb ik je laten zien.'

'Dat was jouw ontdekking, Elizabeth, dat had niets met die stukken te maken. Die doen er niet toe en dat weet je. Anders waren ze wel gepubliceerd. Je had terug kunnen komen wanneer je maar wilde; je had tien, twintig jaar geleden terug kunnen komen. Waarom nu, Elizabeth? Waarom juist nu?'

Ze knippert met haar ogen. 'Ik... ik had een sabbatical. En – wat je ook denkt, ik wou de Hyland Bequest echt zien.'

'Dat lieg je.'

'Pardon?'

Ze kijken elkaar aan.

Ze zegt: 'Ik weet niet waar je het over hebt.'

'Jawel.' Hij drukt de sigaret uit. 'Jij begrijpt altijd veel meer dan je jezelf laat geloven. En je leven is, en is dat altijd geweest, een leugen.'

Mensen kijken nu naar hen, en ze zwijgen allebei even.

Ze wil wel iets zeggen, maar kan niets bedenken en is bang dat haar stem zal beven. Wanneer ze weer kan praten glimlacht ze, richt ze zich op en zegt monter: 'Nou, ik denk dat ik maar eens terug moet. Het is vast al over negenen.'

'Het is nog geen halfnegen,' snauwt hij.

Ze glimlacht en trekt haar wenkbrauwen op. 'Ja,' zegt ze, 'maar ik heb alweer een dag verspild en ik...'

'Verspild?' Hij keert zich naar haar toe.

Ze is bezig de ceintuur van haar regenjas aan te snoeren maar stopt daarmee. 'Nee,' zegt ze. 'Nee.' Ze lacht snel. 'Zo bedoel ik het niet.' Maar hij wendt het hoofd af en kijkt om zich heen. Ze zegt: 'Ik bedoel dat ik niet zo lang meer heb hier, in de stad...'

'Deze avond was zeker ook tijdverspilling?'

'Nee, Edward. Het is altijd plezierig om bij jou te zijn.'

'Plezierig?'

'Ja. Nee. Veel meer dan dat. Ik vind het... heel fijn. Het voelt of we oude vrienden zijn. Ik weet niet waarom je dat denkt. Ik weet niet waarom je denkt dat ik dat zo bedoelde.' Maar een beetje had ze het wel zo bedoeld, dat het een verspilde dag was. En nu wilde ze alleen maar terug naar haar kamer en haar werk; ze wilde afmaken waar ze jaren geleden aan begonnen was en het aan hem aanbieden; dat was wat ze altijd had gewild, en nu had ze nog maar zo weinig tijd.

Maar hij zei: 'Volgens mij zijn we geen vrienden, Elizabeth. In de verste verte niet. Vrienden verdwijnen niet dertig jaar en doen dan net of er niets gebeurd is wanneer ze weer opduiken. Vrienden zijn in elkaar geïnteresseerd. Vrienden spreken de waarheid. Maar jij doet altijd alsof. Al weet je net zo goed als ik dat er destijds iets gebeurd is wat je niet kunt negeren, wat je niet kunt verzwijgen – wat hier is, nu, tussen ons tweeën, wat in onze nek hijgt.'

Ze gaat staan en zegt opgewekt: 'Bedankt voor een gezellige avond. Ik vond het echt heel genoeglijk.'

Dan gaat hij ook staan en zegt: 'Hoe kun je zo godvergeten afstandelijk doen?' en ze staart hem aan alsof hij haar heeft neergeschoten, te verrast om al pijn te voelen.

Hij wendt het hoofd af met een gebaar van walging en zegt: 'Ik geloof eigenlijk niet dat ik je nog eens wil zien voor je teruggaat, Elizabeth. Ik betaal dit wel.' En hij pakt de glazen van tafel en loopt de pub weer in.

DE ZEVENDE DAG: AVOND

Professor Stone dacht alleen maar aan haar theorie toen ze naar huis liep, aan haar ontdekking en het werk dat op haar lag te wachten. Er was een heleboel gebeurd sinds die morgen en ze was blij dat ze er nu weer naar terugging – en nog wel met een schat, want het was makkelijk om in het licht van de laatste ontwikkelingen haar triomf in het archief te vergeten. Ze had een dag verloren, maar dat kon worden rechtgezet: in plaats van slapen zou ze die nacht werken. Als de hoofdpijn terugkwam nam ze gewoon meer pillen. Nee: ze zou de pillen van tevoren slikken. Vannacht moest ze zonder afleiding kunnen werken; om preciezer te zijn: ze moest werken.

De stad trok zich weer in zichzelf terug voor zijn nachtwake, het violette uur al aangebroken, maar vandaag was de verandering nog minder zichtbaar dan normaal, want de hemel was niet anders dan overdag, alleen misschien wat donkerder, wat samengepakter, al was er zonder twijfel iets op komst; de torenspitsen waren niet langer dromerig maar gereed, prikten in een grijze, groeiende stilte. Ze wankelde op de hakken en was blij met de regenjas; er is niets ergers dan gekleed te gaan op een manier die je niet wilt terwijl het steeds lijkt of je dat wel wilt. De uitdossing herinnerde haar eraan dat de avond voorbij was, en niet was verlopen zoals ze verwacht had, zo anders zelfs dan ze verwacht had dat ze amper kon geloven dát hij voorbij was en de gedachte bij haar opkwam dat de tijd zelf misschien niets meer dan een hersenschim was.

De merel en de lijster zaten te fluiten toen ze Deer Park in liep, bloemetjes sloten zich, floxen gaven hun geur af. Er zaten muggen in de wolken – er waren wolken; er waren dagenlang geen wolken geweest. De wind ruiste luid door de toppen van de dennenbomen, het koor zong vesperpsalmen. De avond was mooi, wat de dag niet geweest was, en bezig te verdwijnen, werd door de lucht het donker in getrokken, en daarmee verdween ook de substantie van de dingen in al hun door de tijd bepaalde specificiteit; want het zingen kon net zo goed de dageraad als de avond begroeten, de bloemen konden evengoed voor de zon als voor de maan opengaan, en de hemel, verstoken van een zon – nu nog slechts een gaas van herinnering dat het grijs boven grasveld en bomen vaag maakte – kon net zo makkelijk dag als nacht aankondigen. Uit een stapel snoeisel en dode bloemhoofdjes in een hoek kwam de geur van gisting, zwaar van de hitte van de middag, scherper naarmate hij zich met het koude donker vermengde. Ze rook liguster en aarde, op zijn sterkst op dit uur van de dag, waarop de tijd zich had verzameld en verdikt. De enige onmiskenbare aanwijzing dat de nacht eraan kwam waren vleermuisvleugels die door de vochtigheid tussen de dennen schaarden, al waren hun vormen weinig meer dan snippers van de duisternis zelf en verdwenen ze het element waar ze waren uit gekomen weer in zodra ze werden opgemerkt. Professor Stone voelde zich als los zand, haar hoofd verstrooid als kaf, maar haar lichaam zwaar, alsof ze over de zeebodem liep, en overal om haar heen was ook de stad van slag, als verbijsterd door de stromen van tijd voor en tijd na.

Ze kleedde zich uit tot op haar onderrok, stopte de jurk en de schoenen in een zak voor de liefdadigheidswinkel en veegde de make-up in de pedaalemmer. Ze boende haar gezicht met warm water en zeep, slikte vier pijnstillers en liep naar het raam. Ze kon de rivier nu bijna niet zien; de weiden gingen schuil in schaduwen en het sportveld was niet te onderscheiden van het pad, al glommen de witte doelpalen een beetje. De wind ritselde in hoge bomen naast de rivier, wolken dreven laag boven de horizon. Meestal hield ze 's zomers van dit uur van de dag, als het laat was maar nog niet donker en het weer veranderde – dan waren er zoveel indicaties van andere werelden – maar deze avond zoog haar geest elk onderdeel van het uitzicht alleen maar in zijn eigen ruis op, ook al leek het moment zich speciaal voor haar aandacht gearrangeerd te hebben, met veranderend licht en wolkengordijnen en een hol gerommel van vleugels in het duister.

Ze liep naar het bureau. Er lagen twee stapels aantekeningen: een halfjaar werk en wat ze in het archief had gevonden. Ze had geen idee waarom hij gezegd had dat de papieren waardeloos waren; had hij ze gelezen? Hij had dat aangenomen, alleen maar omdat er geen honderden wetenschappers over gebogen zaten. Nou, het was wel waar dat de Hyland Bequest minder had onthuld dan ze had gedacht, vooral 'The Music of Poetry': Eliots ideeën over de auditieve verbeelding waren niet zo radicaal als de verwachting die bij haar was gewekt; zoals zoveel van zijn theorieën waren ze veelbelovend maar losten ze die belofte niet in, terwijl ze wel steeds dat idee gaven. Maar hij had geen recht om te zeggen dat ze de papieren als een smoes had gebruikt om hier terug te komen. Nou ja, als 'The Music of Poetry' minder verhelderend was dan ze had gehoopt, had zij wel meer ruimte om creatief te zijn; wat zou haar eigen theorie tenslotte voorstellen als Eliot die al had beschreven? En wat betreft die andere dingen die hij had gezegd, over afstandelijkheid, over doen alsof, over haar leven dat een leugen was, dat waren pure waanideeën.

Het was net als vroeger, dacht ze terwijl ze de titel typte: bureau, essay, lamp, het enige verschil was dat ze nu een laptop gebruikte in plaats van pen en papier. Maar ze voelde geen opwinding, alleen de pijn in haar borst die haar min of meer voortdurend gezelschap had gehouden sinds ze terug was in de stad; alleen een rusteloosheid die ervoor zorgde dat ze wilde opstaan en ijsberen. Ze wist wel dat ze die moest negeren: de eerste versie was altijd het moeilijkst, het moment dat het vage concreet moest worden, dat je zag of iets zou werken. De fundamenten moesten nu gelegd worden, want in de tweede versie zou dat moeilijker worden, nog moeilijker in de derde, in de vierde misschien wel onmogelijk. Snelheid en concentratie waren essentieel. Haar beste werk schreef ze vaak in één keer. Het was misschien net als een schilder die een goede gelijkenis wist te krijgen, bedacht ze: het lukte snel, of helemaal niet, de eerste streken waren cruciaal, iets waar je op kon terugvallen als de kans bestond dat je ontspoorde. Een eerste versie kon zinnen bevatten die er tot het eind toe in bleven, zinnen die een urgentie, een directheid bezaten die ze ontbeerd hadden als er meer afweging aan vooraf was gegaan; het was de muziek waar hij al die jaren terug over had gesproken, het equivalent van een volmaakte lijn bij het tekenen. Nou, ze ging ze vanavond op papier zetten, die fundamenten. Zo had ze alle grote projecten aangepakt. Maar nu was er nog een drijfveer: een geratel als van de wielen van een strijdwagen en het suizen van de lucht achter haar raam zeiden tegen haar dat ze alleen deze nacht nog had.

Ze begon te typen:

In 'The Music of Poetry' (1942) stelde Eliot vast dat 'het gevoel van ritme en het besef van structuur' de muzikale aspecten zijn die voor de dichter het meest van belang zijn. De eerste regels van 'Burnt Norton', het eerste van zijn *Quartets*, maken ons attent op de manier waarop het ritme van een gedicht opereert aan de 'grenzen van het bewustzijn, waarachter woorden tekortschieten maar nog wel betekenis bestaat': *'time is unredeemable'*, zeggen de woorden ons, maar ritmisch gezien omvat *'time future'* wel de spondee van *'time past'*.

De poëzie gaat ervan uit dat er op deze wereld dingen zijn die niet met louter verstandelijke middelen kunnen worden begrepen, 'verder dan de sterren en dichterbij dan het oog'. Der sterren raadselen wil zij niet doorgronden, maar de 'sterrenkunst' verstaat zij wel. De buitengewoon vruchtbare kruisbestuiving in *Four Quartets* tussen woorden die een fysiek gevoel, geluid en emotie overbrengen (*'foot-falls'*, *'echoes'*, *'feel'*, *'move'*, *'tone'*, *'trilling'*, *'moving'*, *'movement'*, *'voice descanting'*, *'heaving groaner'*, *'ground swell'*) duiden op het lichaam als het middel waardoor de geest met het spirituele in contact wordt gebracht. De muziek van het gedicht moet fysiek gevoeld worden, een 'trilling... die minder sterk en sterker' is, 'een besef van muziek die... meer gevoeld dan gehoord wordt', zoals Elizabeth Barrett Browning het noemt in een van de bronnen van 'Burnt Norton'. In *Prière et poésie*, een mystiek boek dat Eliot had

gelezen voordat hij aan *Four Quartets* begon, schrijft Henri
Brémond, en citeert daarmee Père de Grandmaison, dat het
verrukt opgaan in muziek laat zien hoe we in 'wereldlijke
gemoedstoestanden... de ruwe schets van de mystieke staten
van de ziel... kunnen onderscheiden', want bij het luisteren
'verslapt de inspanning om te begrijpen'. In tegenstelling tot
semantische zekerheid is zulke aandacht vergelijkbaar met
metafysische kennis, die ook meer wordt ervaren dan verstandelijk opgenomen, en 'in staat is om mimetisch diepe
schokken van herkenning te voelen'.

Er waren momenten in haar eigen leven geweest, bedacht
ze, met name sinds haar ziekte, dat ze niet zeker wist wat
echt was en wat niet; dat door een speling van de klok of van
het licht, een of ander toeval van chemische, zintuiglijke of
beweeglijke aard, de grenzen tussen wat bekend was en wat
niet tot gissing waren vervaagd. Ze wreef haar ogen uit en
bracht haar handen in positie om weer te gaan typen, zag
toen dat het scherm zwart was geworden. Bij het licht van de
lamp ontwaarde ze er een gezicht op, niet meteen herkenbaar
als het hare. Ze zag oogkassen, ingevallen slapen en wangen,
een brede schaduw geworpen door de neus die zweefde in
een troebele substantie die niet op vlees leek. Ze tikte op de
spatiebalk; de woorden keerden terug.

In de tijd dat Eliot de *Quartets* schreef [begon ze te typen],
was hij geïnteresseerd in 'overtollig' mystiek materiaal dat
zich niet voor het voetlicht liet brengen. Hij schrijft dat
Tourneurs afkeer van de mensheid het objectieve correlaat
daarvan te buiten gaat, een 'onbeschrijflijke gruwel' is; Kyds
Spanish Tragedy bleek 'lastig materiaal' voor *Hamlet* te zijn,
en *Hamlet* op zijn beurt 'zit vol met iets wat de schrijver niet

voor het voetlicht wist te krijgen, wist te beschouwen, tot kunst om te vormen, gedomineerd wordt door een emotie die niet valt uit te drukken omdat die de gepresenteerde feiten te buiten gaat.

En wat had Edward Hunt gezegd? 'Afstandelijk'. 'Godvergeten afstandelijk', had hij gezegd. Wat bedoelde hij daarmee? Was ze dat? In dat geval was het nogal ironisch, omdat afstand bewaren juist de door haar ontwikkelde eigenschap was waar ze het meest trots op was. Maar er was nog een vorm van afstandelijkheid, toch, een waar je niets aan had? 'Een soort handicap', had hij gezegd. Kon het waar zijn, vroeg ze zich af, dat zij een van die 'hulpelooze, bedeesde & wapenlooze wezens' was, 'zeer onbekwaam om datgene te doen waarnaar elke sterveling streeft'? Nee. Ze was een gerespecteerd academica, iemand die zich met zaken van enig belang bezighield; nee, het was niet waar. Ze leverde een zinvolle bijdrage aan de wereld, zij het een kleine; wie kon er meer doen? Dit was geen waanidee van haar; ze was op zijn minst een 'strijder die bovenal het best geoefend was in kennis van zichzelf'.

Ze ging door met typen, sloeg iets harder op de toetsen dan noodzakelijk en stopte toen weer, want ineens kwam het haar voor dat ze zich haar leven lang al tegen zulke beweringen verdedigde. Ze begreep het precies, had hij gezegd. Goed: wat viel er nou precies te begrijpen? Dat ze drieëndertig jaar geleden met Edward Hunt naar een concert was geweest. Dat er in de loop van die middag of misschien kort daarna iets tussen hen was veranderd. Meer niet. Wat daarna kwam waren snippers. Buiten bij een verlicht raam wachten, hem een bundel papieren geven, in een rozentuin staan, door een straat wandelen die omhoog leek te lopen. Er was toch niets gebeurd als er geen woorden waren om het te beschrijven? En er waren geen woorden om die zomer te beschrijven. Er was niets gebeurd als er niets te vermelden was, en er was niets te vermelden; de tijd zelf leek de weg kwijtgeraakt te zijn tijdens de laatste weken van dat trimester. 'Er valt niets te begrijpen,' zei ze, 'want er is niets gebeurd.' Misschien is er voor hem iets gebeurd, maar voor mij niet. Niets. Ze stelde zichzelf de vraag of dit waar was, en ze vond dat ze ongestraft ja mocht antwoorden. Het zou hem er wel in zitten dat elke ervaring in wezen voor een ander onkenbaar was. Zijn fantasie was gewoon op hol geslagen. Dat was begrijpelijk: de jaren gingen tellen. Misschien was hij nostalgisch; misschien had hij spijt. Toen herinnerde ze zich dat ze had gezegd dat ze de dag verspild had en deed haar ogen dicht.

Maar even later ademde ze in, deed ze weer open en ging rechtop zitten. Ze tilde haar handen op om te typen en haar linkerarm werd voor haar ogen slap; ze probeerde hem recht te krijgen en dat ging niet. Ze probeerde haar hand te openen en die was tot een klauw verkrampt. Ze staarde naar haar hand, haalde amper adem. Ze staarde naar de sproeten en de plooien, de reepjes huid naast haar nagels, de haartjes die boven op haar vingers groeiden, het grillige litteken dat over drie van haar knokkels liep en haar nu al drieëndertig jaar vergezelde, naar de inkeping in de middelvinger waar zelfs nog langer al pennen en potloden rustten, en kon niets bedenken.

Toen ze haar hand nog eens aanspande, lukte het om die boven het toetsenbord te houden. 'Hou het vandaag nog vol, alsjeblieft,' zei ze tegen de arm. 'Alleen vandaag nog.' Ze dacht verder niet meer aan wat er was gebeurd of wat het betekende, en vroeg verder niets van haar arm. Ze vond dat ze het recht niet had. Even later spande ze haar hand weer aan, en hoewel hij stijf was begon ze te typen, met lichte druk op de toetsen – zo licht dat ze het opnieuw moest typen, wat niet zo goed ging omdat ze zat te trillen. 'Zou het kunnen,' typte ze, 'dat Eliots ervaring die de grondstof voor *Four Quartets* vormde "de feiten te buiten ging"?'

Ze was niet van plan geweest om te stoppen, maar merkte dat ze was gestopt. Was het waar, vroeg ze zich af, dat sommige ervaringen niet in woorden gevat konden worden? Eliot zei dat je de ervaring zou kunnen missen als je uitsluitend op woorden vertrouwde, omdat de ervaring bijzonder subtiel kon zijn, niet meer dan een trilling 'die minder sterk en sterker' is. Als dat zo was, op welk niveau bevond zich dan de kennis van zulke ervaringen?

En nu, ondanks het feit dat de tijd drong, meer drong dan haar leven lang was gebeurd, zakten de handen van professor Stone op haar schoot en stelde ze zichzelf de vraag wat er drieëndertig jaar geleden werkelijk was gebeurd, en of daar iets over te zeggen viel.

WERELD EN TIJD GENOEG

De dag nadat Elizabeth Stone bij het strijkkwartet is gevlucht, vindt ze in haar postvak een briefje van Edward Hunt
die vraagt of alles goed met haar is. Ze antwoordt niet. Als ze
haar vertrek erkent zal het meer betekenis krijgen dan nodig
is, maar dat is niet de reden dat ze niets laat horen. De reden
is dat ze niet begrijpt wat er bij dat concert is gebeurd en dus
niet kan verklaren waarom ze is weggegaan.

Er komen geen nieuwe briefjes van professor Hunt. Het
einde van het studiejaar komt naderbij, de onverbiddelijke
kringlopen van de boekenstad worden versneld door de belofte van zomer en vakantie; er zijn nog vier weken te gaan;
nog drie; nog twee. Ze werkt langer maar heeft moeite met
haar concentratie. Haar gedachtelijnen drijven halverwege
uiteen, als de rookpluimen van vliegtuigen bij harde wind.
Woorden zijn onbevattelijk, worden boompjes, figuren, in-
sectensporen, schorsstukjes, grashalmen, zandkorrels. Ze begint een eerst vage en dan nadrukkelijke ongerustheid te voelen. Dan zit ze in de collegezaal of werkt ze in de bibliotheek,

komt terug van de supermarkt of loopt door de bewolkte straten en moet ze haar aandacht eraan wijden. Maar er is niets te doen aan het gevoel. Het laat zich niet verzachten. Ze kan het niet wegdrukken of er dichtbij komen.

De laatste werkgroep van professor Hunt breekt aan. Ze loopt op een van de laatste dagen in juni met de anderen naar het college. Volgend jaar zal hij geen docent van haar zijn; van geen van hen, want ze hebben de tijd van koningin Elizabeth I en koning James I gehad en gaan door naar de periode van de Restauratie. Misschien zijn er daarom geen grapjes vandaag, geen imitaties; sterker nog, ze zijn allemaal erg stil, zelfs de jongens, die het aan het begin van het jaar nog zo leuk vonden om hem na te doen, en ze weet dat ze stuk voor stuk zonder aarzeling zouden zeggen dat professor Hunt, met al zijn eigenaardigheden, de beste docent is die ze ooit hebben gehad.

In de loge ziet ze de portier. Hij zegt: 'Ik zal u missen volgend jaar, Miss Elizabeth. U moet wel bij me langskomen, hoor,' en ze zegt dat ze dat zal doen, al weet ze dat ze een terugkeer naar het college voor onbepaalde tijd zal uitstellen. Ze lopen het tunneltje door, het binnenplein over, het gebouw in en de gang door, langs de zonovergoten rozentuin, en kloppen bij hem aan. Ze probeert het allemaal in haar geheugen vast te zetten, maar het bonken van haar hart belet haar het denken; op een of andere rare manier voelt ze ook niets, bestaat ze slechts, bezet ze dit moment, dan het volgende.

Zodra ze binnenkomen hoort ze aan zijn stem dat er iets op til is. Die is donkerder, rustiger – stiller, als dat kan, als een stem donker kan zijn, stil kan zijn. En er zijn nog meer aanwijzingen dat er iets niet goed is: hij maakt zijn haar niet door de war, zijn schoenen bewegen niet, Hannah is haar boek vergeten, maar er volgt geen onvertogen woord, er vliegt geen exemplaar luidruchtig naar haar toe; hij loopt gewoon naar de plank, pakt een boek en geeft het aan haar. Bovendien gaat hij blijkbaar niet hardop lezen, iets waar ze inmiddels naar uitkijken, want professor Hunt leest geweldig voor, is een van de besten; het is wel gebeurd dat ze naar hem luisterde en een tekst die haar wekenlang voor een raadsel had gesteld zich in één ogenblik opende, helder, transparant, springlevend werd. Maar vandaag verzoekt hij David om voor te lezen, een gedicht dat zo'n honderd jaar na Thomas Wyatt is geschreven, door Andrew Marvell.

> Had we but world enough, and time,
> This coyness, Lady, were no crime.
> We would sit down, and think which way
> To walk, and pass our long love's day...

Marvell is alleen geïnteresseerd in de beminde om haar te bespotten; verborgen in dit gedicht zit een van de onbarmhartigste aanvallen op de liefde die ze ooit heeft gezien: de prijs voor het tijdverspillen waarvan de dichter zijn geliefde beticht, zo maakt hij haar duidelijk, is haar dood; een hoge prijs, mag je wel zeggen, voor het negeren van de roep van het moment. Maar om deze redenen had Elizabeth Stone het juist met plezier gelezen. Ze had zich verheugd over het ontmaskeren van de romantische liefde en haar mores.

'Een akelig werkje, ondanks al het vergulden,' zegt hij. 'Wat vinden we ervan?'

'Het is sarcastisch,' zegt David. 'De Humber is geen romantische bestemming.'

'"*Lower rate*" doet niet alleen aan "*slower*" denken, maar ook aan "*lower*" in de zin van betaling; het wordt als commercie benaderd, goedkoop gemaakt,' zegt Kirsty zelfvoldaan.

'En de beminde wordt met een marmeren gewelf bedreigd; fallische wormen stellen de *"long-preserved virginity"* op de proef,' besluit Hannah.

'Prima.' Hij is tevreden over hen: ze zijn de groentjes van negen maanden terug niet meer, maar volwaardige studenten. Hij is tevreden, maar het been zwaait niet, de schoenen blijven op hun plaats en ook zij zit nog steeds op het kleed; een verdoving heeft bezit van haar genomen en ze zit nu als versteend, een standbeeldje.

'De *Metaphysical poets* zijn meestal meer geïnteresseerd in hun vergezochte metaforen dan in het onderwerp dat de aanleiding daarvoor vormde,' zegt hij, 'en Marvell is geen uitzondering. Dit is absoluut geen conventioneel liefdesgedicht, hoewel we inmiddels wel weten dat zoiets niet bestaat. Heeft iemand iets op te merken over *"quaint honour"*?'

'"*Quaint*" was een eufemisme voor "kut",' zegt David.

'Klopt. Niet overdreven romantisch. In plaats van zijn geliefde om haar maagdelijkheid te waarderen, benadrukt de dichter de *"quaint honour"* daarvan, een oxymoron waarin *"honour"* wordt ontkracht door er *"quaint"* voor te zetten – een verwijzing naar vrouwelijke geslachtsdelen in de middeleeuwse literatuur die bij Marvells lezers bekend was. Er zijn nog meer eufemismen: *"youthful glue"*, *"tear our pleasures"*, *"rough strife"*, *"iron gates"*, *"grates"* in een andere editie...'

Het gesprek verplaatst zich naar Ovidius en carpe-diem liefdespoëzie. Dan gaan ze terug naar Marvell.

> But at my back I always hear
> Time's wingèd chariot hurrying near;
> And yonder before us lie
> Deserts of vast eternity.

'Naast elkaar worden hier gezet een lege toekomst en een heden dat geplaagd wordt door het gevoel dat de tijd verstrijkt,' zegt hij. 'En wat te denken van de slotregels: "*Thus, though we cannot make our sun/ Stand still, yet we will make him run*"?'

De twee slotregels zijn het enige deel van het gedicht waar ze niet uit was gekomen. Ze begreep het niet: het was toch geen prestatie om een zon te versnellen die niet stil te zetten was? En als de zon zich inderdaad haastte was de klacht zinloos, want die had ogenschijnlijk niet tot doel de tijd te versnellen, maar juist tijd te winnen. En ze snapt het nu niet beter, verstijfd als ze is, haar hersens en haar lichaam dobberend.

Ze laat haar aandacht afdrijven naar buiten, achter het raam. Wanneer ze terugkomt hoort ze hem zeggen: '...*"till the conversion of the Jews"*. Waar doelt Marvell hier op? Elizabeth?'

Haar hart valt terug in haar lichaam; haar geest begint te gonzen. De bekering van de joden? Hoe speelt hij het klaar om haar vragen te stellen waar ze nooit het antwoord op weet? Hij spreekt haar voor het eerst in weken aan – voor het eerst sinds die vreselijke avond van het concert – en dan vraagt hij iets wat ze niet weet. Ineens is ze het zat, zat om altijd maar een goede beurt te maken, te imponeren, te presteren. Ze wou dat hij haar nooit had ontdekt, nooit had uitgekozen, maar haar samen met de anderen in een zee van anonimiteit had laten drijven. En dus, in plaats van iets te verzinnen, in plaats van zich zelfs maar te verontschuldigen, zegt ze botweg: 'Ik weet het niet.' Ze kijkt niet eens op.

'O.'

Het blijft even stil.

'Iemand anders?'

Kirsty zegt: 'Er was rond deze tijd een golf van chiliasme.

Marvell kwalificeert de hoop op een duizendjarig vrederijk hier pesterig als onmetelijk klein,' en ze haat Kirsty.

'Klopt.'

Het woord is een klap in haar gezicht die pijn doet, maar in plaats van haar hoofd te laten zakken verheft ze het en kijkt uit het raam, alsof ze zich verveelt.

Ze hoort hem zeggen: 'De joden zouden zich bij de wederkomst des Heren bekeren, dus de datum valt onder het kopje Onmogelijk. Maar honderden jaren later was het niet meer verboden. Cromwell trekt de wet in. Voor de revolutionairen was het duizendjarig Godsrijk aanstaande. Marvell verwijst niet alleen naar een Bijbelse non-tijd, hij verwijst naar een zeer exact moment in de geschiedenis. De echte tijd begint heel dreigend te worden in dit gedicht.'

Een paar minuten later is het voorbij. 'Essays in een stapel op de tafel graag,' zegt hij. Alle anderen lopen naar de tafel, maar zij gaat naar de deur. Hij vraagt: 'Elizabeth, heb jij iets voor me?'

'Nee,' zegt ze.

Iedereen kijkt haar aan.

Hij fronst de wenkbrauwen, glimlacht dan. 'Wat,' zegt hij met een lach, 'helemaal niets?'

'Nee.'

De glimlach trekt weg. 'Zelfs geen verontschuldiging?'

'Nee.'

De derde keer klinkt definitief, wat niet de bedoeling was.

Hij lijkt wakker te worden uit een korte slaap. Hij zegt: 'Degenen die hun werkstuk terugkrijgen, nog even blijven, de rest van jullie wens ik een fijne zomer.' Dan draait hij zich om en begint een stapel fotokopieën uit te zoeken.

Verdomme. Ze heeft niet meer aan haar werkstuk gedacht. Ze blijft samen met Jessie en David en Marcus, half verscholen achter hen.

Wanneer ze aan de beurt is, zegt hij: 'Welke schrijver doe jij ook alweer?'

Nu is zij degene die staart. 'Milton,' zegt ze.

'O ja.' Hij geeft haar het werkstuk.

Ze kijkt hem aan. Als ze kon zou ze nu iets zeggen, niet meer doen alsof het haar niets kan schelen, maar de hele wereld spant tegen haar samen: de lichtheid van de dag achter het raam, de volgende groep die op de gang wacht, het gevoel dat ze buiten adem is. In een andere wereld, op een ander ogenblik, zou ze iets kunnen zeggen; maar niet hier en niet nu – nu hij absoluut niet genegen is om haar te helpen.

Ze blijft nog even staan terwijl hij de werkstukken verzamelt en ze vlot tot een gelijk stapeltje laat tikken tegen het hout, pakt dan haar tas en loopt de deur uit.

DE ZEVENDE NACHT

Waarom deed je dat? vroeg ze aan zichzelf. Waarom deed je zo bot tegen hem?

Ze zei: ik was bang.

Waarom reageerde je niet op zijn briefjes? vroeg ze. Waarom ben je weggelopen bij dat concert?

Ik was bang.

Waarvoor?

Dat was een lastige.

Voor wat ik voelde.

Wat voelde ze dan?

Ze deed haar ogen dicht. Ze zei: ik weet het niet.

Even voor elf uur deed het hoofd van professor Stone weer pijn aan de linkerkant en werd het zicht in haar linkeroog wazig. Staand voor de wastafel met haar ogen dicht nam ze nieuwe pillen in. Het was koel in de badkamer en donker; ze kamde water in haar haar en bleef een paar minuten over de wasbak geleund staan alvorens terug te gaan naar haar bureau.

Ze hield haar hoofd voorzichtig in haar handen en zei: 'Zo meteen gaan de pillen werken en voel je je beter. Je bent goed opgeschoten, Elizabeth. De inleiding is klaar en het is nog geen middernacht. Nu moet je het eerste hoofdstuk op papier krijgen.' Maar waar ze aan dacht was wat ze eerder die avond tegen Edward Hunt had gezegd over het verspillen van de dag, en ze zei: 'Ik wou dat ik dat niet had gezegd; ik wou dat ik wat dan ook had gezegd, maar niet dat.'

Het was warmer nu, het donker een deken; de wereld bestond slechts uit geluidjes en niets bewoog. Om kwart over begon ze eindelijk weer te typen, maar na een paar woorden hield ze alweer op. Was het waar wat hij had gezegd? Dat ze niet voor de stukken van Eliot was teruggekomen? Nee. Want waar was ze dan voor teruggekomen? Niettemin liet ze de vraag even voor zich bungelen en probeerde er rustig naar te kijken. Toen schoot haar nog iets te binnen wat hij eerder die avond had gezegd, en nu ze er goed over nadacht ook al bij hun eerste ontmoeting: hij had gezegd dat ze alles begreep, veel meer dan ze zichzelf liet geloven.

Ze hield haar hoofd in haar handen en drukte erop. 'Goed,' zei ze. 'Goed. Stel dat de stukken niet de reden zijn dat ik hier terug ben; nou, dan weet ik niet wat de reden dan wel is. Het is waar dat ik eraan dacht om hierheen te gaan voordat ik "The Music of Poetry" ontdekte; ik dacht eraan toen ik ziek was, toen ik dacht dat ik doodging. Ik heb dat niet gezegd, maar hij wist het. Hoe wist hij dat? Hoe wist hij dat wat ik was vergeten?'

Toen ging ze recht overeind zitten en zei: 'Denk na, Elizabeth, maar niet daarover. Je leven lang wacht je al op het moment om dit werk te schrijven, en vannacht ga je dat doen.' Maar hoewel ze het moment in handen had, kon ze ternauwernood op haar stoel blijven zitten. Ze hoorde een stem zeggen: *'Thus, though we cannot make our sun/ Stand still, yet we will make him run'* – en nog altijd snapte ze die twee ergerlijke slotregels niet. Het was net als met Eliots *'Only through time time is conquered'*.

Ze voelde angst en dwong zichzelf weer aan de lange weg te denken, de bestemming die nu heel dichtbij was. Wat vreselijk om nooit verder te komen, om je leven lang dezelfde fouten te blijven maken, nooit vooruit te gaan maar altijd in kringetjes rond te draaien. Ze begon weer snel te typen: 'Herhaling is een belangrijk muzikaal middel waarmee Eliot zijn lezers ertoe wil brengen om het tijdloze moment in zich op te nemen,' toen ze opkeek door een rinkelend geluid. Het leek uit de lamp te komen. Met haar teen drukte ze de stekker steviger in de muur, maar het hield aan. Ze zette de lamp verder weg, maar het licht van het scherm was te schel. Ze zuchtte, zette haar bril goed en vervolgde: 'Wat wordt het: verlossing of herhaling? Een leven lang elk moment vlammend of een leven lang verspild? De dichter antwoordt: *"There is no end but addition".'*

Rinkel.

Een spier in haar slaap spande zich en ontspande.

'Teruggaan maakt vooruitgaan mogelijk en wijst ons er tegelijkertijd op dat het om vooruit te kunnen gaan nodig is het verleden het heden binnen te halen.'

Rinkel.

Ze deed haar ogen dicht, herinnerde zich toen wat hij had gezegd: dat het verleden hier was, nu was, hun in de nek hijgde. Maar dat was belachelijk. Hoe kon het verleden iets anders dan voorbij zijn? Het kon niet eeuwig stilgezet worden: dat zou het vagevuur zijn, het voorgeborchte, de hel op aarde. Het verleden herbeleven als je wakker werd en ervan dromen in je slaap, nooit bij machte om je uit de steeds grotere kringen te bevrijden...

Rinkel.

Ze deed de kraag van haar nachthemd wat losser. Hij had gezegd dat haar leven een leugen was. Waar haalde hij het lef vandaan? Hoe kon iemand zeggen dat andermans leven een leugen was? Hoe moest hij dat weten? 'Mijn leven is geen leugen,' zei ze. 'Ik heb me gewijd aan datgene waar ik in geloof. Dat is meer dan veel mensen kunnen zeggen en het is niet altijd makkelijk geweest.'

Rinkel.

Ze krabde zich op het hoofd en begon razendsnel te typen: 'Eliot schreef zelf: *"Love is the unfamiliar name"* die ons roept, die ons lokt, waardoor we op onderzoek uitgaan, bij het begin aankomen, bij wat we altijd al wisten.'

Ze lachte. Wat een raar woord. Lui, lummelend; lelijk bijna. Love. Woorden kregen vaak iets onwerkelijks als je lang over ze nadacht. Ze fronste haar voorhoofd, ging toen verder: 'Deze "eerdere bestaanstoestand", het idee dat er langs parallelle lijnen, als bij een partituur, bestaansnoten lopen, bepaalde frequenties, die met elkaar resoneren'

Rinkel.

'zou kunnen verklaren waarom Eliot het gevoel had dat poëzie'

Rinkel.

'door middel van muziek kon communiceren voordat ze werd begrepen, door gebruik te maken van een database in het bewustzijn die'

Rinkel.

Er trok een golf van licht over haar heen en ze hoorde de lamp tegen de verre muur kapotslaan.

Ze zat roerloos in de gloed van het scherm, stond toen op en deed de plafondlamp aan. Het tl-licht gaf de kamer het gevoel van een bunker en maakte de oneffen muren, het morsige tapijt en het allegaartje aan meubels zichtbaar. De voet van de lamp was in tweeën gebroken. Ze pakte de stukken en het kapotte peertje en wond het snoer om de voet. Ze zette de lamp op het salontafeltje en ging terug naar het bureau. Wat bezielde haar? Ze zou hem morgen moeten vergoeden. Ze zou zeggen dat hij van de tafel was gevallen. Ze hield haar handen in haar schoot omdat ze beefden. Er zat bloed onder haar nagels. Ze wist niet hoe het daar terecht was gekomen.

Wat maakt het uit? zei ze tegen zichzelf. 'e kunt dit ook morgen schrijven. Het hoeft niet nu. Maar de pijn in haar hoofd en de stijfheid van haar arm en de verstilde wereld achter het raam zeiden allemaal dat ze alleen deze nacht had.

Ze maakte koffie en dronk die met haar ogen dicht, luisterend naar iets wat als krekels achter het raam klonk. Zomernachten hadden een heel eigen klank; het was alsof je de aarde hoorde tikken. 's Winters sliep hij zo diep dat hij wel dood leek. Het was nu middernacht, '*midnight moment's forest*' – dat was Hughes, en de nacht leek nu wel een beetje op een woud, blind, benauwend; als het een moment was voelde het als een eindeloos moment.

Ineens kwam het haar voor dat ze deze avond verder was gereisd dan in haar hele leven. Het was een vreemde gedachte, die haar bang maakte. Ze probeerde aan iets anders te denken. Ze dacht: ik ben nu bijna aan het einde; maar Eliot antwoordde: '*Or say that the end precedes the beginning,/ And the end and the beginning were always there/ .../ And all is always now.*' '*Now*': nog zo'n woord waar je niet te veel over moest nadenken, maar dat gold voor alle woorden als je dicht bij ze kwam. Het is verbijsterend, bedacht ze ineens, dat dingen – klanken, voorwerpen, kleuren – voor ons alleen door taal bestonden, betekenis kregen. De wereld was zo immens, zo wonderbaarlijk, zo divers, en toch waren woorden nodig als tussenstation. Hoe ging dat voordat er taal was? Hoe zou het dan zijn om de wereld te ervaren? Dat zou niemand wel weten, dacht ze, die ervaring dateerde van voor de ontwikkeling van het geheugen. Waren woorden en tijd dan onverbrekelijk? Kon het een zonder het ander als context bestaan? Een woord zonder het volgende?

Ze liep terug naar het bureau en keek vol spanning naar wat ze had geschreven. Ze kon niet zeggen of het goed was of slecht, maar ze had nog nooit van haar leven zo snel, zo vloeiend geschreven. Ik moet voorzichtig zijn, dacht ze. Ik ben mezelf vanavond niet.

De pijn in haar hoofd kwam vlak na drieën ineens weer op en haar linkeroog vertroebelde. Ze legde haar hand erop, voelde de oogbol trekken en trillen en wist dat de dageraad niet ver meer weg was. Ze zei tegen haar oog: 'Als je het nog even volhoudt zal ik je belonen.' Ze probeerde te bedenken hoe ze dat zou doen. Ze zei: 'Dan krijg je een week rust.' Ze had het nooit eerder zo toegesproken, maar voelde nu een zeldzame steek van medelijden met haar lichaam in al zijn glorie, inclusief winterhanden, spataderen en Marks & Spencer-verpakking. Het was raar om te denken, zelfs in abstracte zin, dat het misschien wel zijn eigen intelligentie bezat. Had het gedacht dat het hier in zijn tweeënvijftigste jaar zou zitten? vroeg ze zich af. Dat het trouwens het grootste deel van zijn leven zou zitten, voor een vel papier of een beeldscherm of een boek, gehoorzaam gebogen over de uit te voeren taak; zittend en lezend, lezend en schrijvend, schrijvend aan een meesterwerk. Nou, het had dertig jaar geduurd – langer; het was een ontzettend lange tijd. Een stem zei: 'In plaats van het feestmaal voor de zintuigen, de materiële beloning van de overwinnaar.' En wat had ze veroverd? Zichzelf waarschijnlijk; en ze had gewonnen. Voelde zo de overwinning?

Voor de eerste keer stond ze zichzelf toe om na te denken over wat ze zou doen als dit betekende wat ze dacht dat het betekende, en ze kwam erachter dat ze het niet wist. 'Maar ik ga wel iets doen,' zei ze. 'Er is altijd iets te doen.' De gedachte bezat echter weinig realiteit en ze werd bevangen door het verlangen om de kamer uit te vluchten; zo sterk was dit verlangen dat onwillekeurig de gedachte bij haar opkwam dat wat ze geschreven had misschien wel waardeloos was, omdat in haar huidige gemoedstoestand bepaald geen sprake was van 'afstand bewaren'. Ze ging door:

> Hierin ligt de zege van de poëzie op de tijd [typte ze]:
> de gedenkwaardigheid, het weergalmen door de eeuwen
> heen, het doorgronden van dat wat vlees en bloed heet, het
> vernieuwen daarvan zodat het weer helemaal opnieuw kan
> worden begrepen, zodat we ons kunnen herinneren wat we
> zijn vergeten, kunnen weggaan en terugkomen.

Toen, voordat ze verder kon gaan, vielen haar handen in haar schoot. En ik dan? dacht ze. Waarom ben ik teruggekomen? 'Waarom juist nu?' had hij gevraagd en het antwoord was ze hem schuldig moeten blijven.

Ze was altijd op haar hoede geweest om te veel achter dingen te zoeken, om subtekst voorop te stellen, dus niet zonder scepsis stond ze zichzelf nu toe om de laatste weken van dat trimester nog eens te beschouwen. En als er inderdaad iets gebeurd was? dacht ze. Het is nu allang weg. Hoewel hij gezegd had dat het verleden niet weg was; het was hier bij hen, had hij gezegd. Het 'hijgde hun in de nek'. Ze had gedacht dat ze Edward Hunt niet meer zou zien na die laatste werkgroep, maar ze was Milton vergeten. Ze was Milton steeds blijven vergeten, het was bijna een gewoonte geworden. Dus was ze hem op een middag met schitterend licht gaan terugbrengen. Eliot had in 'Burnt Norton' over een bassin geschreven, '*dry concrete, brown edged*', '*filled with water out of sunlight*'. Nu ze eraan terugdacht, zou professor Stone het licht van die middag precies zo beschrijven, iets wat verblindde terwijl het verlichtte.

Haar ogen stonden vol tranen toen ze het beeldscherm weer opzochten; ze knipperde ze weg en typte verder.

> Dantes overtuiging dat het laatste visioen onzegbaar is bepaalt zijn cumulatieve beeldspraak, en daardoor ook zijn substituten ervoor; een droom, smeltende gedaanten in sneeuw, de sibillijnse spreuken die verwaaien op de wind, een schaduw in de zee; het mislukken van zijn uiting de modus en de maatstaf van zijn succes. 'Want het is uiteindelijk de taak van de kunst om... door enig besef van een orde in de werkelijkheid te bewerkstelligen ons in een toestand van sereniteit, kalmte en verzoening te brengen; en ons daarna door te laten gaan, zoals Vergilius Dante liet gaan, naar een gebied waar die gids ons niet meer van nut kan zijn.'

Het mislukken van een uiting was de maatstaf van het succes ervan; was die van haar dan succesvol of niet? Nou ja, hoe dan ook compleet. Ze had hier het eerste hoofdstuk en de kern van haar betoog. Ze hoefde alleen nog deze techniek toe te passen op de andere schrijvers die ze in gedachten had en een afronding te schrijven. Ze sloeg het bestand op een cd op en klikte de laptop dicht. Ze zou het morgen – nee, vanmorgen aan Edward Hunt geven. Ze zou hem aanbieden wat ze hem sinds hij haar de *Quartets* had gestuurd al wilde aanbieden. Ze hoopte dat hij er blij mee zou zijn.

Het was inmiddels halfvijf en het begon licht te worden, en professor Stone wist dat deze dag niet op die daarvoor zou lijken; op geen enkele dag daarvoor. Ze was van plan om naar bed te gaan, maar viel in slaap toen ze even haar hoofd op haar armen legde.

Ze droomde van het huis aan zee, van die keer dat de zeehonden naar de baai kwamen, de hemel loodgrijs, de rotsen standbeelden en de zee onmogelijk uitgestrekt. Samen met haar moeder keek ze naar hun zijdeglanzende kopjes die op het water deinden en de zilveren spiralen die ze achterlieten als ze onderdoken en die zich als olie verspreidden en zich bleven verspreiden, alsof hun vertrek er meer toe deed dan hun komst; alsof ze bleven vertrekken wanneer ze allang verdwenen waren. Toen zat ze alleen in de erker en de zeehonden lieten nog steeds hun vreemde prehistorische geblaf over het water schallen en ze miste haar moeder. Toen ze wakker werd, wist ze de droom niet meer en was haar hoofd zwaar, alsof ze uit de dood en niet uit de slaap was teruggekomen, en ze zat vol angst en verdriet en met de kracht van een openbaring kwam het besef door dat ze niet wilde zijn waar ze was, niet wilde doen wat ze hier deed, wat dat ook was, woorden op een beeldscherm schrijven; en ze vroeg zich af hoe lang ze dat al zo voelde, want ze was altijd van het tegendeel uitgegaan.

Ze probeerde op te staan om naar bed te gaan, maar haar hoofd was te zwaar en even later sliep ze weer. Deze keer droomde ze niet van het huis aan zee, maar van de keuken met de grote tafel waaraan ze zat te werken en de vreemdeling wiens gelaatstrekken ze niet kon zien. Er was nu verder niemand in de keuken en ze zat met de vreemdeling in een hoekje bij de open haard die haar eerder niet was opgevallen. Haar blote voeten rustten op het vuurscherm en haar sokken hingen te drogen op de haardrand. De vreemdeling had nattig haar en rode wangen, alsof hij buiten in zwaar weer was geweest. Hij las voor uit een rood boek met gouden letters op de rug en het omslag met de vrouw met glanzend haar en de ridder in een maliënkolder, en ieder woord dat hij las viel als gesmolten lood in de stilte om hen heen en stolde. Nu glimlachte hij en vroeg: 'Heb je al een idee?' maar ze schudde het hoofd, en ook al wilde ze graag weten wat er aan het eind van het boek gebeurde, ze moest er niet aan denken dat het boek uit was, want ze wist dat hij dan weg zou gaan. Toen bedacht ze dat de vreemdeling ook zichzelf bedoeld kon hebben, gevraagd had of ze wist wie hij was, maar haar antwoord zou hetzelfde zijn geweest, want ze kon zijn gezicht nog steeds niet goed zien.

Deze keer werd ze wakker van gesuis gevolgd door knallen, haar haren plakkerig van zweet, gekleurde lichten in de lucht achter het raam. Ze probeerde haar hoofd op te tillen, maar dat voelde zwaarder dan ooit en ze viel terug in een dagdroom waarin ze student was en in de grote bibliotheek het laatste deel van de trap naar de Upper Room op rende, waar boeken op haar lagen te wachten, boeken die ze had aangevraagd – de belangrijkste boeken ter wereld – maar bij de ingang aangekomen mocht ze niet naar binnen: er was iets mis met haar pasje; het was verlopen, er ontbrak een cijfer in de code, haar foto was niet goed zichtbaar, ze wist niet precies wat ermee was, maar ze moest opzij gaan staan kijken hoe anderen voor haar naar binnen gingen, een lange rij. Ze kon het vertrek niet in kijken, maar uit de deuropening stroomde helder licht.

Toen wandelde ze op een weg die noordwaarts de stad uit liep, en de huizen maakten plaats voor heggen en de heggen voor akkers, en ze was niet jong meer en ze huilde, en werd wakker met een schok, haar mond malend op lucht.

De professor wilde nu heel graag in beweging komen, wilde opstaan, alsof haar leven ervan afhing, maar voordat ze haar hoofd kon opheffen zat ze alweer in de volgende droom, en deze keer gleed ze weg, klauwde ze, werd steeds verder omlaaggedrukt; het bloed klopte in haar oren en haar hart stond op springen. Ze staat op de overloop van het huis aan zee, het waait en de maan schijnt. Muziek klinkt van beneden en de muziek is vreemd, uit de maat, half kinderversje, half klassiek, half tragisch, half ironisch en ze weet meteen dat er iets mis is, weet dat ze naar beneden moet; als ze ooit naar beneden moet, is het nu; als ze ooit dapper moet zijn is het nu. Ze moet naar haar moeder om haar weg te trekken, stukje voor stukje terug te sleuren uit wat het ook is, zorgen dat haar moeder haar hoort en ziet, maar ze staat roerloos als een standbeeld.

Hoe meer ze zichzelf aanspoort om in actie te komen, hoe meer ze verstijft, en hoe langer ze eraan denkt, hoe minder ze kan denken. 'Ga weer naar bed,' zegt de zee achter het raam. 'Dit is eerder gebeurd. Niets is eerder gebeurd; niets gebeurt; steeds opnieuw. Het zal blijven gebeuren. Alles is zoals het was.' Maar de muziek zegt iets anders. Die schrijft woorden boven haar, schrijft ze in de lucht boven haar hoofd. Ze probeert beide naast elkaar te zetten, om te zien welke klopt. Dan heft ze haar hoofd op een rare manier op, als een kind dat verdrinkt, en zakt langs de muur op de grond.

Ze weet niet hoe lang ze daar in elkaar gedoken blijft zitten, maar op een bepaald moment hoort ze iets anders: ze hoort dat iemand die naar buiten gaat de voordeur zachtjes open- en dichtdoet. Nu het te laat is, nu ze niet meer in beweging hoeft te komen, wordt de ban gebroken: ze holt naar het raam en kijkt omlaag. Er loopt een lange gestalte naar het rotspad toe, met een jas aan die de wind als een zeil doet bollen. Boven op de rots aangekomen staat de gestalte als een silhouet tegen de hemel en wekt even de indruk van een reiziger op het toppunt van een geweldig avontuur. De persoon, wie het ook is, lijkt niets te doen: de handen niet in de zakken maar langs de zij, en terwijl de wind de jas en het haar teistert, staat de gestalte onbeweeglijk. De duisternis achter de gedaante is immens, de hemel laag, maar de gedaante trekt de jas om zich heen, laat het hoofd zakken en loopt het donker in.

Ze wordt verstrooid, uitgerekt langs hemelen, ragfijn uitgesponnen. Er klinkt een gebulder dat haar angst aanjaagt als ze na de overloop de eerste, tweede, derde trap af rent. De voordeur is dicht, lijkt helemaal niet open geweest te zijn. Even denkt ze dat er niets aan de hand is, dat ze haar moeder in de leunstoel zal zien zitten als ze de kamer in loopt. Maar wanneer ze de deur opendoet is de kamer leeg, op de muziek na die uit de blauwe bak met het deksel stroomt. Ze heeft een fout gemaakt. Ze is te laat.

Ze rent terug naar de voordeur en worstelt met het slot, glijdt uit, blijft haken met haar arm en wankelt achteruit. Ze schreeuwt, het wordt zwart voor haar ogen, ze valt en staat op, worstelt weer met het slot. Ze hoort een raam slaan, de wind opsteken, voelt het huis tollen. Dan vervagen het huis en de muziek en zijzelf, zakt haar lichaam weg in iets wat dikker is dan lucht, ziet ze hoe het steeds verder weg raakt, en weet ze dat alles voortaan na dit moment zal plaatsvinden; het moment dat ze opnieuw zal vergeten zodra ze wakker wordt.

Deze keer bezweek de professor in razende vaart toen ze wakker werd en schreeuwde het uit; ze wist niet of ze bijkwam of verdronk, al waren er geen zeemeerminnen die zongen, alleen vuurwerk dat boven haar hoofd uiteenspatte.

Ze wist bij het bureau overeind te komen en ging in bed liggen. Dit zijn de dingen die mensen berouwen in het zicht van de dood, zei ze tegen zichzelf. Maar ik niet. Ik heb mijn visioen gehad. Ik heb de donkere kamer gekozen, ik heb het diepe water voorbij alle bakens gekozen. Het was niet makkelijk, maar nu is het voorbij. Je mag slapen, Elizabeth, je mag slapen.

Ze trok het dekbed over zich heen en ging heen en weer met haar been omdat de pijn in haar hoofd terug was. Ze begon te huilen en deed nu eens geen moeite om de geluiden te smoren, maar luisterde ernaar alsof ze werden gemaakt door een of ander vreemd beest dat zijn ongenoegen over wilde, vijandige wateren brulde.

Een mensenleven is niet zo lang: dat was de gedachte waarmee de professor de slaap in gleed. Het feit dat een groot deel ervan misschien wel verspild is, lijkt eerder een reden tot verwondering dan bezorgdheid te zijn. Dat het zo snel is gegaan, zo gauw voorbij is.

WATER VAN ZONLICHT

Er staan klaprozen in de rivierweiden. De lucht is van blauwe zijde. Elizabeth Stone is op een middag met schitterend licht onderweg naar de kamer van Edward Hunt met *Paradise Lost* en haar laatste essay. Milton voelt zwaar in haar tas maar het essay dat ze in haar armen houdt geeft stroom af, alsof het bij haar weg wil rennen. Ze loopt snel, maar de middag lijkt geen haast te gedogen. Verstilling sluit elke kassei, elk boomblad luchtdicht af, zonlicht drenkt de stad in een soort transcendentie, dompelt hem in vloeibaar barnsteen. En trekt hem ook krom. Lucht fonkelt als glas boven tuinen en plooit zich midden op de weg als rook; de rivier zweeft, de torenspitsen zijn als aan de grond genageld. Ze hoort het suggestieve gerinkel van tafelgerei in tuinen en de klap van een cricketbal op het sportveld, altijd en overal een geluid in de verte, maar vandaag twee keer zo ver, alsof het in een droom gebeurt. Alles is gehypnotiseerd, tijdelijk uitgeschakeld; de zon heeft de stad in zijn armen genomen en gewiegd, en de inwoners slaapwandelen; fietsers ploeteren, duiven strompelen; ze voelt zichzelf wankelen op de stoeprand. De zon is zo sterk, het is alsof vele middagen in één zijn samengeperst, het felle licht van eeuwen in een uur. Haar ogen gaan ervan tranen; het komt door de zon, maar een voorbijganger zou gemakkelijk kunnen denken dat het magere meisje dat haar bril optilt om haar ogen af te vegen huilt.

Ze loopt het college door, het eerste binnenplein over en de tunnel in, en wanneer ze daar uit komt valt het licht in scherven door haar vingers, spat in rood, wit en goud uiteen, als de tonen van de slagen op een aambeeld. Muren, gras en paden worden met vlagen zichtbaar en ze loopt blind, voelt de slagen, en haar stappen vinden ergens ver onder haar plaats. Het college is uitgestorven. Ze gelooft niet dat ze het ooit zo stil heeft meegemaakt. Er zou geluid uit de keukens moeten komen, iemand zou op een van de paden moeten lopen, een trappenhuis in gaan of een donkere paneeldeur door. Misschien is er een evenement, al kan ze zich niet herinneren dat er iets zou zijn. Het is het eind van het studiejaar, maar er zijn nog wel een paar colleges en werkgroepen, en sommigen hadden nog tentamens.

Ze gaat via de trap bij de paardenkastanje het gebouw binnen en loopt de glazen gang in. De rozentuin kan ze vandaag niet zien. Het licht verbergt die achter een gordijn van verblindend water, lijkt het wel, en een andere weg dan dit droge pad is er niet. In het donker voorbij de gang klopt ze aan zijn deur, en terwijl ze dat doet verdiept de stilte van de middag zich, krijgt de dag een significantie die ze nog niet had opgemerkt. Dan roept een stem: 'Binnen!'

Knipperend met haar ogen gaat ze naar binnen. De kamer is vol bundels en strepen, gonzende stofjes en wazige wimpers. Er lijkt chaos te heersen, en het lijkt door de zon te komen, want de gordijnen zijn opgetrokken en stroken licht stromen het vertrek in, lijken het overhoop te hebben gehaald, voorwerpen uit hun duisternis te hebben opgepord en lukraak rondgestrooid: dozen, boeken, cassettebandjes, platen, foto's, bekers, asbakken – niets is op zijn plaats. Een waterkoker staat op een fauteuil, een globe staat in de gootsteen, Bach staat ongehoord in de prullenbak en de Fender overziet de kamer vanaf de bank. De hortus verdorde potplanten bezet de tafel; naast een stoelpoot staat een beker waarin een tuintje groeit.

'Ik ben hier.'

Ze draait zich om en ziet hem boven op een keukentrap balanceren, zijn gezicht rood aangelopen van ergernis maar ook inspanning – een primeur, denkt ze: twee hele planken zonder boeken.

'Wat doe je?' vraagt ze.

'Afstoffen.'

Het woord lijkt op de een of andere manier tekort te schieten.

'Sorry dat ik stoor. Ik kom mijn essay brengen,' zegt ze.

Hij komt van de trap af, vervaarlijk zwaaiend, en laat een paar boeken op het bureau vallen. 'Nu al?'

'Ja.'

Ze hoopt dat hij het zal aanpakken, maar hij laat zich in zijn stoel ploffen en pakt zijn sigaretten. Ze gaat naast de groeizame beker staan en vraagt zich af of ze alweer naar de deur kan lopen, maar uit angst hem te beledigen gaat ze uiteindelijk ook zitten.

De middag strekt zich uit, bleek van de hitte achter het raam. Wiegende kamperfoelie tekent ranken op het kleed, rozen in een groepje bij de vensterbank, maar verder kan ze niets zien van de buitenwereld omdat het licht zo fel is.

Hij neemt een eerste trekje, blaast de rook uit en zegt: 'Ik neem aan dat je hersteld bent.'

'Wat?'

'Van je "aanval" bij het concert.' Flink getrek van spiertjes en gefrommel aan haar. 'En je botte vertoninkje bij de laatste werkgroep.'

'O.' Ze slaat de ogen neer. 'Ik geloof het wel.'

Een hoop gezwaai van de schoen. 'Kwam het niet bij je op om me even te laten weten dat ik me geen zorgen over je hoefde te maken na het concert?'

'Jawel.'

De sigaret stopt op weg naar zijn lippen. 'Dat kwam wel bij je op?'

'Ja.'

'Juist...'

'Maar ik wist niet waarom ik was weggelopen. Dus ik wist niet wat ik tegen je moest zeggen.'

'Je had toch wel even kunnen zeggen dat ik me geen zorgen hoefde te maken.'

'Jawel. Maar ik wist niet of dat zo was. Ik weet niet wat er gebeurde. Het is een raadsel.'

'Een raadsel?'

'Ja.'

Zijn mond trilt alsof hij gaat glimlachen, maar dat doet hij nog niet.

Even blijft het stil, dan zegt ze nog eens: 'Ik kom mijn essay brengen.' Nog steeds zonder op te kijken steekt ze het hem toe, en deze keer pakt hij het aan.

Zijn gezicht verandert als hij het gewicht voelt. 'Hoe lang is dit wel niet?'

'Zo'n vijftienduizend woorden.'

Hij zucht en schudt het hoofd. Hij blijft het schudden terwijl hij het doorbladert, perst zijn lippen op elkaar om niet te glimlachen. Fronsend zegt hij: 'Dat je dit gekriebel kunt lezen.'

Ze haalt haar schouders op.

Hij draait een bladzijde om zodat hij een grafiek beter kan bekijken. 'En wat is dit?' Hij maakt een lichtelijk verontwaardigde indruk.

'Dat is een diagram.'

Hij legt het essay neer en steekt zijn sigaret opnieuw aan; het been is weer gaan zwaaien. Hij blaast rook weg en zegt: 'Ik hoop dat je hiervoor geen colleges hebt gemist.'

'Alleen een paar onbelangrijke.' In werkelijkheid is ze haar kamer tien dagen niet uit geweest.

Het begin van een glimlach verovert eindelijk zijn gezicht; de ooghoeken trillen licht, de lippen worden even opgetrokken, vreemde tendensen die verschijnen en weer verdwijnen, als wolken die over water schuiven. 'Je beseft dat dit veel en veel verder gaat dan in deze fase van je studie wordt verwacht?'

Ze haalt weer haar schouders op.

'Je beseft dat alle essays die je voor me hebt geschreven veel en veel beter zijn dat wat alle anderen hebben ingeleverd?'

'Dat weet ik niet.'

'Dit zal wel het laatste essay zijn dat je voor me schrijft, dus je dacht, laat ik er maar iets gedenkwaardigs van maken.'

Ze blijft naar haar knieën kijken. Ze wil nu weg; ze wil het moment van afscheid uit de weg hebben.

'Je hoeft mij niets te bewijzen, dat weet je toch?'

'Ja.'

'Dit telt allemaal nergens voor mee.'

'Dat weet ik.'

'Schrijf je net zoveel voor de andere docenten?'

'Dat weet ik niet.'

Een leugen: voor de anderen zou ze nooit zoveel kunnen

schrijven. De pijn in haar borst snoert die helemaal dicht. In een poging om afleiding te zoeken verplaatst ze haar blik naar het vloerkleed. De zon maakt de vezels zichtbaar. De kleuren lijken dieper dan anders, de uitzichten verder, de taferelen beweeglijker.

Hij zegt: 'Ik vind het onbeschrijflijk deprimerend dat dit misschien wel het laatste essay is dat je voor me schrijft.'

Als ze niet droomt verschijnen er nu vogeltjes in het kleed; wat ze voor fleurs de lis heeft gehouden zijn paradijsvogeltjes. De vogels dansen, buigen hun nek. Hoe heeft ze deze magnifieke dieren voor abstracties, objecten, louter patroon kunnen aanzien? Patronen zongen niet en dansten niet. Maar deze vogels zingen wel: hun snavel is open, ze roepen naar elkaar; ze balanceren op de takken; hun lange staartveren hangen af.

Ze zegt: 'Mag ik iets vragen?' Ze zorgt ervoor dat haar blik op het kleed gericht blijft.

'Ga je gang.'

'Als ik er niet meer ben...' Ze corrigeert zichzelf: 'Als ik weg ben... hier...' Ze slikt. 'Als ik afgestudeerd ben...'

'Ik begreep het de eerste keer al, Elizabeth.'

'Als ik dan... als ik dan...' Ze schraapt haar keel; ze krijgt niet genoeg lucht. 'Als ik dan... als ik dan iets doe... en jij hoort daarvan...'

'O, dat zal ik zeker horen.' Zijn toon is laag. 'Ik hou je in de gaten.'

De pijn in haar borst is ineens zo scherp dat ze moet oppassen om niet naar adem te happen of te schreeuwen, dus zwijgt ze verder en blijft naar de paradijsvogels in het kleed kijken, ook al ziet ze die niet meer.

Het is zo warm in de kamer dat ze bijna niet kan nadenken, en wanneer ze weer iets zegt is ze zich niet meer bewust van haar stem of de kamer of zelfs de professor, alleen maar van het licht om hen heen en de uitzonderlijke pijn in haar borst. 'Maar als het dan iets slechts is...' zegt ze met hese stem.

'Dat zal het niet zijn. Het zal iets goeds zijn.'

Dan slaat ze haar ogen op en kijkt hem aan en ziet iets waarvan ze tot dan toe maar een paar keer een glimp heeft opgevangen. Er valt iets weg van zijn gezicht, het lijkt donkerder te worden. Hij lijkt overeind te gaan komen, maar buigt zich naar voren in zijn stoel en zegt: 'Elizabeth...' Er wordt aan de deur geklopt.

Hij doet zijn ogen dicht en zegt: 'Fuck.' Dan doet hij ze open en zegt: 'Binnen.'

Een student kijkt om de hoek van de deur. Zijn gezicht is grauw en glimt, van de zenuwen, denkt ze. Dat heeft ze eerder gezien rond de laatste tentamens. De jongen lijkt zo te zien de hele week niet geslapen te hebben. Hij zegt: 'Heb je even, Edward? Het gaat over mijn scriptie.'

Hij draait zich naar haar toe. Hij zegt: 'Wacht buiten op de trap. Niet weggaan.'

Als ze de deur achter zich dichttrekt, hoort ze hem zeggen: 'Zeg het maar, Simon.'

Ze blijft voor de deur staan. Ze was van plan om meteen weg te gaan, maar in plaats daarvan leunt ze langzaam naar voren, alsof ze aan katrollen wordt neergelaten, en laat haar hoofd tegen de deur rusten. Ze voelt zijn stem door het hout heen. Ze doet haar ogen dicht.

Ze weet niet hoe lang ze zo blijft staan, maar als ze zich opricht voelt ze de fysieke kracht van de deur tegen haar schedel, de trekkracht die uitgaat van harde voorwerpen waar je een tijdje tegenaan hebt gedrukt; aan het gevoel te oordelen moet de deur wel van graniet zijn.

Het trekken houdt aan als ze door de gang met de glazen muren loopt, langs de rozentuin achter zijn watergordijn van licht komt, de deur naar het binnenplein opent en naar buiten stapt.

DE ROZENTUIN IN

Ze is net halverwege de straat als een bult in haar tas haar eraan herinnert dat ze *Paradise Lost* is vergeten.

Ze kan niet teruggaan. Menselijkerwijs voelt dat niet mogelijk. Haar lichaam protesteert; haar benen weigeren in beweging te komen. Maar het moet. Want het is ondenkbaar om *Paradise Lost* in het postvak van de professor achter te laten. Dus keert ze op haar schreden terug door het kasseienstraatje, de portiersloge, de tunnel, het binnenplein over, en al lopend bekruipt haar het gevoel dat ze diep water in waadt.

Ze gaat de trap op, de koelte van het gebouw in, loopt de glazen gang in en blijft dan staan, want het gordijn van licht is nu gescheurd waardoor ze iets ziet wat ze nooit eerder heeft gezien: de deur, open. Daarachter zindert de tuin; ze ruikt het pasgemaaide gras, ruikt de rozen, voelt de warmte op haar huid. Het maakt haar bang dat de deur open is, al weet ze niet waarom. Ze overweegt hem dicht te doen, staat even in opperste verwarring, loopt dan haastig door.

Ze klopt bij hem aan. Er komt geen reactie en opgelucht sluit ze haar ogen. Nu moet ze het boek wel in zijn postvakje leggen, zonder dat het haar kwalijk genomen kan worden. Nee, ze heeft een beter idee: ze vraagt de portier of hij het achter de balie wil bewaren en het hem dan persoonlijk wil geven. Waarom heeft ze daar niet eerder aan gedacht?

Mopperend om haar eigen domheid spoedt ze zich terug door de gang en ziet dan een gedaante in de tuin. Ze blijft staan; het is zo verrassend om iemand in de tuin te zien dat ze even denkt dat ze het zich verbeeldt, dat het vreemde licht haar een streek levert, een luchtspiegeling veroorzaakt, dat ze spoken ziet. De gedaante staat met de rug naar haar toe. Ze probeert te zien wie het is, maar het licht is zo fel dat ze slechts een rookzuil onderscheidt. De persoon lijkt niets te doen, zelfs niet rond te kijken, en heeft de handen niet in de zakken maar langs de zij, alsof hij versteend is. Dan, angst-aanjagend, als in een droom, draait de figuur zich om. Ze wankelt naar achteren, met bonkend hart, maar de gedaante heeft haar gezien, het is te laat; er zit niets anders op dan de tuin in te gaan.

De hitte is ontstellend; dat is het eerste wat haar opvalt als ze door de deuropening stapt – de zon kaatst van het baksteen af en stuitert op van de paden. Het tweede wat haar opvalt is de rozengeur, die zo sterk is dat hij in de lucht lijkt te stremmen. Het derde zijn de bloemen zelf: reusachtig, ruig, gepluimd; fluwelig, zijdeachtig; geplooid, vlezig; als ruches, ziedend; opgerold. Ze loopt naar de professor toe – want hij is het – en steekt hem het boek toe. 'Vergeten terug te geven,' zegt ze, maar hij schijnt haar niet gehoord te hebben. Iets duidelijker zegt ze: 'Bedankt voor het lenen van *Paradise Lost*. Sorry dat ik het daarnet ben vergeten terug te geven.' Maar nog steeds beweegt hij niet.

Ze had verwacht dat hij boos zou zijn omdat ze niet op de trap was blijven wachten zoals hij had gevraagd, maar dat lijkt niet zo; al krijgt ze geen hoogte van wat hij wel voelt. Hij zegt: 'Ik dacht dat ik je gevraagd had om te wachten.'

Ze kijkt naar haar schoenen. 'Het leek me beter van niet.'

'Waarom niet?'

Ze schudt haar hoofd minimaal, alsof ze pijn heeft.

Hij wendt het hoofd af en kijkt uit over de tuin. Hij zegt: 'Ik ging even een luchtje scheppen. De deur stond open. Ik geloof dat de tuinman hier ergens is.'

Ze kijkt nog steeds niet op als ze hem het boek toesteekt.

Deze keer pakt hij het aan, een beetje ruw, en zegt: 'Ah, Milton, de grote afzweerder.' Hij bladert door het boek en klapt het dicht.

Ze probeert iets te bedenken om te zeggen waardoor ze weg kan gaan, maar ze krijgt de tijd niet want hij zegt: 'Wat zijn je plannen voor de zomer, Miss Stone?'

'Lezen, denk ik.'

'O ja. Derde jaar. Serieuze zaak. En daarna?'

'Hoe bedoel je?'

'Als je klaar bent.'

Ze veegt haar pony opzij. 'Dat weet ik niet.'

'Een andere beurs, een andere instelling voor hoger onderwijs – een schitterende academische loopbaan.' Er zit iets prikkelbaars in zijn toon, bijna iets wreveligs; ze zou het vermakelijk vinden als haar borst niet zo'n pijn deed.

'Ik weet het niet.'

Hij schommelt een beetje op zijn hielen. 'En kom je nog terug om je bescheiden mentor op te zoeken of ontgroei je hem en ga je je met grotere, betere zaken bezighouden?'

Zacht zegt ze: 'Ik geloof niet dat iemand jou kan ontgroeien.'

'O jawel hoor, jij wel!' Hij is stellig, lijkt genoegen te scheppen in het idee.

Ze weet niet waar dit heen gaat, maar ze is nu al langer gebleven dan ze van plan was. Ze voelt iets in haar ontluiken, en als ze niet wegkomt wordt ze misschien wel beroerd.

Ze doet haar mond open om te zeggen dat ze weggaat, maar dan draait hij zich om en zegt op een andere toon: 'Wat wil je, Elizabeth?'

Ze kijkt hem aan. 'Wat zeg je?'

'Ik vroeg: wat wil je?'

Ze knippert snel met haar ogen. 'Ik... ik wil...' Om de een of andere reden is het moeilijk om na te denken. Ze stamelt: 'Ik wil schrijven...'

'Waarom?'

'Wat?'

'Waarom?'

'Omdat...' Ze slikt.

'Waarom?'

'Omdat ik verder niets kan.' Ze kijkt hem woest aan, wendt zich dan af.

Op kalmere toon zegt hij: 'Ik hoop niet dat ik heb bijgedragen aan het vormen van die overtuiging.'

'Nee,' zegt ze. 'Dat heb ik altijd al geweten.'

Dan vraagt hij: 'Wat is er met je moeder gebeurd, Elizabeth?' en ze gaapt hem aan alsof hij haar een klap heeft gegeven, stapt achteruit, struikelt over de rand van het pad en begint vlug naar de deur te lopen.

Hij zegt: 'Ik weet wat er is gebeurd. Daarom zit je zo vol zelfhaat.'

Ze versnelt haar pas. Ze is bijna bij de deur wanneer hij 'Elizabeth...' zegt, op zo'n vreemde toon dat ze blijft staan.

Ze hoort hem zeggen: 'Ik weet wat er is gebeurd, en je

bent daar nog. Je wordt er zo door in beslag genomen dat je niet ziet wat er hier en nu is. Kijk, Elizabeth. Kijk dan.'

Ze stapt de deur door, maar hij staat voor haar, verspert haar de weg, pakt haar bij de handen. Zodra hij haar aanraakt, verstijft haar ruggengraat en wordt haar hoofd in de nek geworpen. Zijn ogen zijn zwart en glanzend en hij verzengt haar ermee, kijkt haar zo intens aan dat het voelt alsof ze verdampt is, onzichtbaar. Haar eigen blik richt ze op een punt iets boven zijn middel; ze ademt snel en haar ogen zijn half dicht.

Op zachtere toon zegt hij: 'Je moet het zien, want zoiets als dit gebeurt niet zo vaak, soms helemaal niet, en dit is het, ja, ik weet het zeker.'

Ze geeft een ruk, onwillekeurig, als een soort stuiptrekking, maar hij laat haar niet los. Het wordt haar zwart voor de ogen en haar lichaam is vol bevend bloed. En nu, liggend in deze kamer onder de overhangende dakrand, komt het professor Stone voor dat er op dat moment echt iets gebeurde – maar als iemand haar toen had gevraagd wat het zou kunnen zijn, had ze dat zelfs in de meest abstracte bewoordingen niet kunnen zeggen; alleen dat haar lichaam leek te pulseren, dat het niet anders kon dan dat ze licht uitstraalde. Dat het zou kunnen dat ze maar half bij bewustzijn was, want ze hoorde vervormde stemmen en flarden gezang en zag vreemde beelden, alsof ze op een oude filmcamera werden afgedraaid: de stemmen niet synchroon, de frames te vroeg of te laat, de film schokkerig en flakkerend. Alleen dat ze in diep water was gegooid, met de snelheid van het licht reisde, door golven werd gegeseld, bovenkwam om adem te halen en weer onderdook. Alleen dat ze allebei door een tunnel denderden, dat dingen achteruitvlogen; alleen dat ze er belachelijk uitzagen, verstrengeld in een of andere eeuwige worsteling; papier, schaar, steen; 'Mijn duim is sterker dan jouw duim' – tot ook die gedachten wegschoten met de lichtsnelheid.

Maar als je het de professor nu vroeg, zou ze zeggen: 'Handen. De palmen waren warm en de vingertoppen koel. Handen, net als die van andere mensen – en heel anders dan die van andere mensen.' Ze zou zeggen: 'De absurditeit van die handen die de mijne aanraakten; ze verrassend stevig vastgrepen. De sterfelijkheid van knokkels, teerheid van vlees, vreemde vrolijkheid van halvemaantjes; de wonderbaarlijke druk van levende vingers.'

Ineens laat hij haar handen vallen, alsof hij inziet dat hij er niets aan heeft. Als verlamd en met de ogen dicht blijft ze staan terwijl hij wegloopt.

De kasseienstraat loopt omhoog. Ze herinnert zich niet dat hij zo steil was. Ze herinnert zich ook niet dat lucht zo dik was, maar deze middag voelt lopen door lucht als lopen door water. Halverwege de straat blijft ze staan en gaat over haar nek in de schaduw van een muur, en als ze weer doorloopt voelt ze dat ze bezwijkt. Ze is niet meer in haar lichaam maar weer in de tuin. Ze kijkt hoe ze er steeds verder van weg raakt terwijl ze verder door de straat loopt en weet dat alles voortaan na dit moment zal zijn, op een totaal andere plek zal plaatsvinden, een plaats waar alles permanent te laat gebeurt. De lucht op het binnenplein en op straat, de lucht die door poorten en passages stroomt is helder, vol kleur, vol licht en steen en de geur van onheuglijke zomertuinen. Helderheid heerst overal om haar heen en daarmee zekerheid, alles als van kristal, transparant, belicht als een negatief, en ze ziet de stad, voor het eerst en voor het laatst; in zijn geheel; een plattegrond van stegen en poorten, tuinen en straten, de ramen en torenspitsen, alles als koperdruk op haar netvlies gegrift; de snee van een rivier, de donkere naald van een torenspits, de pleinen van honingkleurig steen, de spookachtige torens, de blauw gekleurde koepel; de straten en lanen, schimmen en schaduwen die als geesten passeren, over en onder en door elkaar heen glijden; snel, traag, hortend; die geheiligd worden, zoals de blik door een poort zich voor eeuwig in het geestesoog kan vastzetten.

BOEK IV

'Quick now, here, now, always...'

*

'Little Gidding'
Four Quartets, 1942

BOEK IV

DE ACHTSTE DAG: OCHTEND

Professor Stone werd die morgen later dan normaal wakker, de pijn in haar hoofd was al behoorlijk. Ze reikte naar de pillen, maar haar linkerarm was slap. Ze probeerde haar vingers te strekken, maar haar hand was tot een klauw vertrokken. Met haar linkeroog zag ze wazig. Herstelpijn, littekenweefsel: geloofde ze het zelf nog? Er kon eigenlijk geen twijfel over bestaan dat de kanker terug was.

Ze ging overeind zitten. Toen besefte ze hoe doodmoe ze eigenlijk was. Haar hoofd duizelde, haar lichaam was stuurloos. Ze drukte de pillen met haar rechterhand door en nam er twee, gezeten op de rand van het bed. Ze bleef daar lang zitten, zonder ergens aan te denken, stond toen op en liep naar het raam.

De hemel was loodgrijs, de populieren standbeelden, de rivierweiden uitgestrekter dan ze die ooit had gezien. Ze moest deze keer zo sterk aan het uitzicht uit dat andere raam denken dat de herinnering met een schok kwam. Ze bleef nog even zo staan, tot de pijn in haar borst haar dwong om zich af te wenden.

Ze waste zich bij het fonteintje met haar rechterhand, drukte het washandje tegen de zijkant uit, haalde de kam door haar haar. Ze maakte haar blouse dicht door de knopen tegen haar borstkas te drukken, maar kon haar panty niet goed aan krijgen en liet die scheef zitten. Ze wrong haar voeten in haar schoenen zonder de veters los te maken, met behulp van een potlood dat ze aan de achterkant hield, pakte haar spullen in, sloot af en vertrok.

De pijn in haar hoofd werd iets minder toen ze door de kruisgang liep. Ze had haar linkerhand in de zak van haar regenjas gestopt. In Hall was het licht dat door de hoge ramen viel een fysieke druk op haar ogen; ze werd misselijk van de geur van worstjes en champignons en roerei. Het rumoer uit de keuken, het gekletter van bestek en het geroezemoes besprongen haar, ook al waren er vandaag weinig ontbijtende studenten en oogden degenen die er wel waren als veroordeelden; het kon nu niet lang meer duren voor de tentamens voorbij waren.

Ze ontdekte dat ze nu weer een klein beetje greep had met haar linkerhand, maar ze durfde geen dienblad aan en nam alleen een bord. Ze ging aan het uiteinde van een van de lange banken zitten en begon haar gekookte ei te rollen. Ondanks de bewolking was het licht scherp en haar nek klam van het transpireren. Ze kreeg het ei niet door haar keel. Ze probeerde een appel, maar ook dat ging niet. Ook goed, dacht ze, hoe eerder ik in de bibliotheek zit, hoe beter; maar ze voelde zich naakt, onbeschut, op deze laatste ochtend in de stad, en hoe ongemakkelijk ze hier ook op deze bank zat, ze wilde er niet weg.

Ze voelde zich vreemd, alsof ze aan de vooravond van een of andere eenzame expeditie stond, maar met niemand om haar uit te wuiven of succes te wensen, en zonder dat ze wist waar ze heen ging, alleen maar een donkere horizon aan de rand van de wereld met daarachter het oneindige, onafwendbare onbekende dat ze in zou varen. Ineens wist ze hoe haar voorouders zich gevoeld moesten hebben toen ze in hun Vikingschepen uitvoeren; het licht dat door de hoge ramen viel deed haar op de een of andere manier aan die mannen in vroeger tijden denken. De Angelsaksen hadden een woord voor vrees: '*morgenseoc*', wat 'ochtendvrees' betekende. Als kind voelde ze die, wanneer ze naar haar moeder keek en zich afvroeg wat voor soort dag het zou worden, maar vanochtend voorspelde de misselijkheid iets definitiefs, alsof de dag verschrikkingen in petto had die ze nog niet kon vaststellen; het bos was naar Dunsinane gekomen, het orakel had gesproken; er was geloot.

Ze probeerde dergelijke gedachten van zich af te zetten, maar ze gleed alleen maar verder weg en de pijn in haar borst, die de hele morgen al gezeurd had, was nu zo hevig geworden dat ze haar ogen dichtdeed en zich aan de tafelrand vasthield. Wat is het? vroeg ze. Deze pijn die de kop opsteekt en me sprakeloos maakt? Het was voor haar gewoon om zichzelf zo te ondervragen. Wat is er aan de hand? vroeg ze. Wat wil ik? Het meest voor de hand liggende antwoord – het leven zelf – kwam niet bij haar op. Ze dacht: ik wil dat mijn boek een succes wordt; dat wil ik meer dan het leven, en ofschoon ze deze gedachte nooit voor zichzelf verwoord had, joeg die haar geen angst aan.

Maar toen ze het antwoord aan de pijn in haar borst toetste, besefte ze dat het niet het goede antwoord was; het was niet wat ze nu wilde; wat ze precies op dit moment wilde, in dit aloude gelambriseerde vertrek met het geluid van borden en stemmen en langslopende voeten, met de rijen van de toekomst op de banken en de dromen van het verleden aan de muren, was iets heel anders. Het antwoord diende zich aan toen een Poolse serveerster die zich vooroverboog om haar bord weg te halen haar per ongeluk aanstootte en haar arm even aanraakte bij wijze van verontschuldiging, met daarbij zo'n lieve glimlach dat er vloeibare warmte door het hele lichaam van de professor stroomde: liever dan wat dan ook wilde ze aangeraakt worden. Kon het zo eenvoudig zijn? Dat wat ze het liefst van alles wilde? Tot haar schrik ontdekte ze dat het zo eenvoudig kon zijn. 'Only connect,' dacht ze, en ze moest om zichzelf lachen; E.M. Forster; modernistische flauwekul. Ze stond op en liep naar buiten onder de gekke bekken van de waterspuwers, stak het binnenplein over. De hemel was dreigend. Bij de portiersloge leverde ze haar sleutels in. Toen ze het hek door liep, begonnen de klokken te galmen: 'Eerst een waarschuwing, van muzikale aard; dan het uur, onherroepelijk.'

De straat was uitgestorven. Her en der op de kasseien lagen fluorescerend schuimrubber, glittertjes, neon hoefijzerboogjes en klaverblaadjes. Op het muurtje naast het hek om de kapel stond een lege champagnefles die een vleugje verschaalde joligheid uitwasemde, met om de hals een slap hangende ballon die wel iets obsceens had. Kijkend naar deze restanten van feestviering besefte ze dat ze op deze dag zou voltooien waaraan ze hier jaren geleden was begonnen. 'Het is je gelukt, Elizabeth,' zei ze. 'Het heeft lang geduurd, maar nu is het voorbij. Het is af.' Ze zei deze dingen terwijl ze op de stoeprand stond te wachten om de hoofdstraat over te steken, alsof ze tegelijkertijd een hardloper in een wedstrijd was en een toeschouwer die haar aanmoedigde, want ze voelde zich vreemder dan vreemd deze bewolkte morgen, alsof ze door een droom liep, al voelden en smaakten en klonken de dingen echter dan ze ooit hadden gedaan; ze zei deze dingen omdat een versplintering in haar maag, een gewichtloosheid in haar ledematen en de pijn in haar borst een soort totale ontmanteling dreigden te veroorzaken; en omdat ze om de een of andere reden – ondanks alles –, misschien juist omdat ze zo lang gewacht had, sterk het gevoel had dat haar taak er nog niet op zat, maar dat ze op het moment dat het zover was zou merken dat haar grote werk nog moest komen, dat ze niet op weg moest naar eer maar naar problemen, en zoals in een droom steeds weer hetzelfde moest doen.

Ze liep langs de kerk, de Round Room onder zijn blauwe koepel. Het plein was schuw vandaag en weigerde zich door haar te laten bezichtigen. Zo nu en dan balde ze haar linkerhand in de zak van haar regenjas tot een vuist en merkte tot haar opluchting dat het gevoel erin terugkwam, al was haar linkeroog nog steeds troebel. Ze liep door de poort in de muur van de grote bibliotheek en stak de binnenplaats over. Ze was hier nog niet eens terug geweest, zozeer had het archief haar in beslag genomen, maar er was niets veranderd. De muren waren nog steeds bruin, nog steeds pokdalig; de vensters met vele ruiten toonden nog steeds de taferelen uit de geschiedenis. Daar was de stichter, met de wereld ondersteboven weerspiegeld op zijn voorhoofd. Toen ze de glazen deuren van de hal door liep, bedacht ze voor het eerst dat ze geen afscheid nam van de stad maar van zichzelf, want hier was ze begonnen, werkelijk begonnen. Ging je deel uitmaken van een plek die je liefhad toen je er nog niet weg was? vroeg ze zich af. Lieten je handpalmen een spoor achter op de muur waartegen je had staan leunen? Bleven je schaduwen in portieken of ramen achter, waarden ze nog rond in de klokkentoren, dreven ze met wolken over muren doorvlochten met klimop? Ging een fractie van je in de smaak van de regen op smeedijzeren hekwerk zitten of in de klank van hakken op oude stenen, of de rivier in hartje zomer met overhangende elzen, duikende mensen, bevist, omhelsd, exploderend in stukjes water en licht? Zwaaiden de magische paardenkastanjes op het ritme van jouw ademhaling of jouw zuchten als het sap binnen in ze stroomde, armen uitgestrekt in takken, vingers in twijgen, tenen omlaaggekronkeld naar uiteinden van wortels die naar aarde geurden? Konden straten zich je naam en het geluid van je voetstappen herinneren, de plek waar je viel toen je die avond door de regen stampte, het steegje waar je leunde om op adem te komen? Als dat kon, dan zou ze zichzelf hier achterlaten, tussen de ruïnes en de gevels en de verre, lege, kilometers lange uitzichten die al eeuwen onveranderd waren en dat nog eeuwen zouden blijven; hier, daar, of elders; waar haar oorsprong lag.

Ze liet haar pasje aan de bewaker zien en het hekje (niet meer van hout maar van plexiglas) zwaaide open. 'Geen tassen, mevrouw,' zei een stem, en een bewaker ging haar voor naar een klein wit vertrek, links van de liftkoker, met een hoog plafond en allemaal kluisjes; ook dat was nieuw. Ze borg haar regenjas en tas weg, nam de laptop mee en liep de krakende trap naar de toren op.

Hetzelfde! wilde ze tegen de trapleuning roepen, tegen de stenen treden, de door voeten weggesleten halve cirkels; de geur van stof en van papier, van huid en van tijd. Het was des te waardevoller gezien de vele dingen die wel veranderd waren, en zo vreemd om hier weer te zijn dat het even als een heilige plek voelde. Ze reikhalsde om naar boven te kijken; de klim naar de Upper Room had wel iets verhevens, bedacht ze. Ze kreeg ineens het gevoel dat de Hemel er misschien wel zo uitzag – als er een hemel was; gelovigen zouden hun pasje door de gleuf halen, het hekje zou opengaan en ze zouden een wenteltrap op lopen naar een verlichte kamer waar ze de eeuwigheid zouden doorbrengen te midden van andere verlichte zielen met het lezen van boeken bij het licht van rode en goudkleurige lampen, een keatsiaanse extase van stilte en trage tijd, eindeloze uren aangegeven door wijzerloze klokken die slechts het eeuwige Nu sloegen. En daar beneden zou de Hel zijn, dacht ze terwijl ze in de liftkoker tuurde; het souterrain had ontegenzeglijk iets van een onderwereld; daar zouden zouteloze zielen de eeuwigheid doorbrengen met het ordenen van een stapel boeken die 's nachts weer overhoop werd gehaald.

Ze bleef even staan op de overloop onder de Upper Room en keek nog eens door het diepliggende raam naar buiten. Haar ademhaling was hoorbaar, haar armen hingen langs haar zij. 'Ik zal je missen,' zei ze. Toen liep ze de laatste trap op en deed de deur open.

Witte boekenkasten, grote ramen, parketvloer, maanklok; de omzoming van illustere 'auctoriteiten' niet erger verbleekt of gebarsten dan in haar herinnering (afgezet tegen eeuwen waren tweeëndertig jaar natuurlijk een druppel in een emmer); alles was hetzelfde gebleven, op nieuwe stoelen en schrijftafels na: geen vergelend vurenhout meer, maar glanzend esdoornhout met groene matjes en leren stoelen. Ze deed haar ogen dicht en ademde in, liep toen het middenpad op.

De zaal was leeg op een handjevol mensen na, van wie er maar twee studenten leken. De lucht achter de ramen was donker genoeg om het licht aan te doen, maar dat had niemand nog gedaan en daardoor, of misschien omdat de zaal zo leeg was – of misschien wel gewoon omdat niets ooit zo indrukwekkend is als in onze herinnering – leek hij huiselijker dan vroeger, eerder een zitkamer of een studeerkamer dan een openbaar vertrek, en de naamloze auctoriteiten aan de muren leken slechts vermoeide oude mannen, en het kwam haar voor dat als het vertrek inderdaad goden herbergde, vele goden met vele stemmen, zij zich er eindelijk niet voor hoefde te schamen om haar stem eraan toe te voegen.

Maar het was wel een merkwaardige triomf, want door haar zo te begroeten, zo naakt en beroofd van zijn vaste aanbidders, was haar tegenstander verzwakt. Het was alsof ze op een onbewaakt ogenblik een glimp van een lang vereerd persoon had mogen zien en na het moment van euforie kwam er een moment van geringschatting. Toen ze langs een van de ramen liep die uitkeken op de binnenplaats wierp ze weer even een blik op de kamer aan de overkant. Het leek er stil te zijn, donker en onbewoond; als ze op enige vorm van verheldering had gehoopt, werd ze teleurgesteld: het ooglid bleef toe.

Ze vond een schrijftafel vlak bij de computers en sloeg haar laptop open. Het citaat dat ze zocht was uit een boek op een van de open planken; ze haalde het en vond de bladzijde. Daar stond het, Brémond die schreef dat we 'in wereldlijke gemoedstoestanden... de grote lijnen kunnen onderscheiden... het beeld en de ruwe schets van de mystieke staten van de ziel kunnen onderscheiden, want bij het luisteren "verslapt de inspanning om te begrijpen".' 'Verslapt de inspanning om te begrijpen' waren toch de woorden van Père de Grandmaison; ze had het correct overgeschreven. Ze ademde in en wilde het boek dichtslaan toen haar aandacht werd getrokken door een voetnoot die ze zich niet kon herinneren.

We hoeven hier verder niets te zeggen over dit facet van Miltons genialiteit, maar wijzen er alleen op dat een terrein van kritisch onderzoek dat vaak over het hoofd wordt gezien

nu de wetenschappelijke aandacht krijgt die het verdient.
Veelbelovend werk, met verstrekkende implicaties voor
ons begrip van klank als voertuig van poëtische expressie,
is in volle gang. Zie Burr, Jonathan, *The Sound of Sense: An
Enquiry into the Margins of Knowledge*...

Haar maag zat in haar keel en ze voelde een duidelijke aan-
drang om te plassen. 'Veelbelovend werk', 'verstrekkende implicaties', 'klank als voertuig'. Kon het zijn dat ze een andere
studie had gemist die zoveel op die van haar leek? Kon het
zijn dat ze, na jarenlang studenten op het hart gedrukt te
hebben dat uitgebreide achtergrondresearch noodzaak was,
dat ze altijd – altijd – voetnoten moesten lezen, dat zij zich
nu zelf aan juist die fouten bezondigd had? Nee, dat kon
niet. Ze had elk mogelijk boek, elk artikel, elke recensie over
de kennisleer van klank gelezen; als het boek waar Roth naar
verwees echt zo relevant was voor haar eigen onderwerp was
ze het wel tegengekomen toen ze de zoekmachines afviste.
Tenzij, zei een stem, en een handje greep haar hart beet, tenzij deze voetnoot helemaal niet verwijst naar een werk dat
gepubliceerd is maar naar een theorie zoals die van jou, die
nog gepubliceerd moet worden.

Ze deed haar ogen dicht, toen weer open, en bladerde
naar de literatuurlijst. Haar handen trilden zo erg dat ze de
bladzijden niet van elkaar kreeg, maar ten slotte vond ze de
B. Daar stond het: 'Burr, Jonathan: *The Sound of Sense: An
Enquiry into the Margins of Knowledge*, proefschrift, 20--'.
Een wit licht slikte haar in haar geheel op en even was ze
nergens. Ze zat in de gladde stoel van esdoornhout met de
zitting van groen leer en voelde de wereld zoals ze die kende
wegvallen. Toen dwong ze zichzelf om weer na te denken,
helder na te denken. Wie zei dat deze Burr dezelfde insteek

had als zij? Wie wist wat hij met 'the sound of sense' bedoelde? Bedoelde hij wat zij, de auteur van het nieuwe theoretische model 'De poëtica van de klank', ook bedoelde – of iets heel anders? En zelfs als zijn betoog vergelijkbaar was met dat van haar, was het dan net zo radicaal, net zo diepgaand?

Ze keek op haar horloge: te laat om het proefschrift die ochtend nog op te vragen. Bij de informatiebalie vroeg ze of het mogelijk was dat ze het die dag nog kon inzien. 'U hoeft het niet op te vragen,' zei de vrouw. 'U kunt het zelf bekijken. We hebben de proefschriften tegenwoordig in het souterrain.' Ze bedankte de vrouw, ging voor de computer zitten, vond weer een signatuur, vulde weer een roze aanvraagstrookje in. Haar hoofdpijn was weg, haar linkerhand bewoog makkelijk; zelfs het zicht in haar oog was weer helder. Een schok, dacht ze. Doet altijd wonderen. Haar knieën hielden het minder goed: ze moest langzaam de trap af en de leuning stevig vasthouden.

Beneden ging ze niet de hal in maar rechtsaf, nog een trap af, deze keer een moderne, van beton en met harde randen, waar de lucht tastbaar was en de muren koud. Ze vond de signatuur, draaide aan een deurkruk als een stuurrad en schuifelde de opening door. Enkele minuten later zat ze onder een spaarlamp aan een klein formicatafeltje te staren naar een grijze doos met elastiekjes eromheen. Toen ze die weghaalde zag ze dat het proefschrift dat erin lag blauw was en met zwarte tape bij elkaar werd gehouden. Ook daar staarde ze naar alvorens de inleiding op te slaan.

De rol van klank in onze beoordeling van literatuur in het algemeen en poëzie in het bijzonder is onderbelicht gebleven. Pioniers in spe op dit gebied zijn vastgelopen nog voordat ze begonnen waren door niet in te zien dat klank een niet-linguïstisch terrein is en als zodanig dient te worden bestudeerd. T.S. Eliot, die de theorie van de auditieve verbeelding opperde en een belangrijk pleitbezorger was van het belang van de 'muziek' in de poëzie, schreef in 'The Music of Poetry' (1942) over 'grenzen van het bewustzijn waarachter woorden tekortschieten maar betekenis blijft bestaan'. Deze studie beschrijft een poëtische traditie, een heimelijke maar krachtige tegenstroom die van de Oud-Engelse minstreel doorloopt tot in de twintigste eeuw, een traditie waarin betekenis door het zintuiglijke van het cognitieve wordt teruggevorderd...

Ze staarde. En daarna, omdat er niets anders op zat, las ze verder.

... de auditieve eigenschappen van poëzie werken niet op het niveau van het bewuste denken. Het menselijk brein reageert op een anticiperende manier op klank en ritme – zelfs bij zuigelingen, alsof het die op een bepaald niveau altijd al kende. Het is verwant aan religieuze gnosis, de ervaring van déjà vu, voorgevoel, liefde op het eerste gezicht, door Michelangelo beschreven als *'La dove io t'amai prima'*, herkenning uit een eerdere bestaanstoestand...
    ... De implicaties van deze ogenschijnlijk triviale bewering zijn verstrekkend. De sluizen gaan open voor nieuwe interpretaties van momenteel 'gesloten' werk. Een poëtica van ruimte heeft het aanzicht van de literaire kritiek veranderd; een poëtica van klank zou niet minder moeten doen.

Ze duwde het proefschrift van zich af als iemand die zojuist iets te weten is gekomen wat hij niet hoefde te weten en bleef in het luchtledige zitten staren.

De wind ruiste door de espen in de besloten tuin onder de Upper Room. De hemel was donkerder. 'Hebt u gevonden wat u zocht?' vroeg de bibliothecaresse. Ze verzekerde haar dat dit het geval was.

De ogen der goden volgden haar terwijl ze terugliep naar haar plaats. Ze had zich vergist. Er was toch niets veranderd, ze had niet getriomfeerd, en de goden hadden dat al die tijd geweten; vriendelijk klinkende oudsten die slechts een bonnetje van bedrog nalieten. 'Timing,' zei ze toen ze de Upper Room verliet. De trap aflopend had ze de indruk dat er bij haar vanbinnen iets gesprongen was; een niet-onbelangrijk orgaan lag nu open. Eerst sijpelde het langzaam, amper merkbaar, maar met elke stap stroomde het vrijer, en bij de laatste treden spoelde ze mee op een stroom, een vette laag puin, woorden, papieren, knipsels, scherven, jaren, die zich over donker wordende wateren verspreidde, onder een donkerder wordende hemel, tot alleen de klank van het klotsende water en een groeiende afwezigheid van licht nog over waren.

Het standbeeld, het plein, het daglicht waren nog net zoals ze die had achtergelaten, alleen rook de lucht naar zwavel en vormden de wolken, die al laag stonden, een gewelf dat weinig goeds beloofde. Naast een afvalbak haalde ze de cd uit haar tas, maar na een ogenblik stopte ze die weer terug; het kon geen kwaad om hem die te laten zien, dat kon geen kwaad. Ze liep door de overdekte passage het plein op en de lopende mensen, ronddraaiende fietswielen, het langsrijdende verkeer waar ze een glimp van opving verbijsterden haar. Ze zag een wereld die ze kende maar die voor het eerst in zijn totale, absolute onverschilligheid werd verlicht.

Ze ging op een bankje tegenover de koepel zitten. Bewegingen, geluiden, taferelen leken zich kilometers boven haar te bevinden. Haar ledematen waren zwaar, alsof ze volliepen met zand. Ze was zich bewust van een soort gedreun zoals je dat hoorde, stelde ze zich voor, als je bedwelmd was, in het ruim van een schip of in een droom. Ze stelde zichzelf de vraag wat ze nu zou doen en ze wist het niet. Ze dacht: deze keer gebeurt er geen wonder. Maar ze voelde geen angst, alleen de belofte van iets als slaap.

Haar handen lagen op haar schoot en ze bekeek ze, de aderen en de sproeten, de plooien en de richels. Ze zei: 'Het spijt me, handen, dat ik niet goed voor jullie ben geweest terwijl jullie me zo goed hebben gediend.' Haar blik ging naar de benen die voor haar uitstaken, de dunne schenen en lichtbruine panty. Ze zei: 'En het spijt me, benen, dat jullie je hele leven aan een bureau hebben gezeten en op de zitting van harde stoelen hebben geschoven.' Ze beschouwde de mouwen van haar blauwe regenjas. Ze zei: 'En het spijt me, armen, dat jullie nooit armbanden hebben gedragen en nooit hebben omhelsd en nooit veel van de zon hebben gezien.' Haar hoofd deed veel pijn op dat moment en ze deed haar ogen dicht en zei: 'En het spijt me, hoofd, dat je zo lang hebt gewerkt zonder dat ik je ooit heb beloond, dat ik je alleen maar harder heb laten werken.' Toen waren haar ogen warm en de pijn in haar borst was enorm en voor het eerst kwam de gedachte bij haar op dat die pijn uit haar hart afkomstig was. Ze zei: 'En het spijt me, hart, dat je veel vaker uit angst dan uit blijdschap snel geklopt hebt, en nooit uit liefde.' Toen deed ze haar ogen open en zei: 'Wat is er gebeurd?' En antwoordde: 'Ik heb een fout gemaakt.' Ze dacht: Wat moet ik zeggen? En het antwoord was: niets. Misschien was er altijd niets geweest.

Ze voelde zich vreemd, onwerkelijk. Als alle dingen waaruit je bestond, dacht ze, die als kralen aan een draad zaten, uit elkaar vlogen en over de grond wegstuiterden, viel je dan zelf ook uit elkaar? Wat was een mens eigenlijk? Waaruit bestond een mens? Waren we beperkt houdbaar of van iets heel anders gemaakt? Waren we elk moment weer nieuw, en daardoor – in zekere zin – niets? Of ieder moment – en dus 'alles'? Als, zoals Eliot schreef, *all is always now*? Als 'alles' altijd nu was, bestond haar grote idee – het idee dat haar loopbaan zou hebben afgesloten zoals het had gemoeten; dat briljant was, dat dapper was, dat helemaal van haar was – bestond dat dan in een soort absolute zin zelfs nog voordat zij het had opgevat, in een rijk van eeuwige wezenlijkheden? Maakte het uit dat iemand anders het eerder had bedacht? Of misschien tegelijkertijd? Maakte het uit dat zijn werk werd gepubliceerd en bejubeld terwijl dat van haar op een stoffige plank verkommerde? Maakte het uit of het daadwerkelijk werd geschreven, of alleen maar bedacht? Waar begon het bestaan van de dingen? Waar hield het op? Maakte het uit dat ze haar leven lang had gedacht dat ze iets moois deed terwijl dat eigenlijk niet zo was? Niet zo geweest was? Dat ze gedacht had dat ze elk moment ten volle geleefd had terwijl het er eigenlijk niet meer dan een handjevol waren geweest?

Ze staarde in een afgrond die angstaanjagend was in zijn oneindigheid – maar ze keek nog eens en het was een prachtige dag; een kind holde achter een ander kind aan en hield zijn jas vast; een Chinees gezin ging op de foto voor de ingang van een college met twee identieke torentjes; een zeemeeuw die door een plotselinge windvlaag opzij werd geblazen, krijste en steeg op. Ze had een fout gemaakt. Maar de kinderen speelden nog, het gezin lachte nog, de meeuw vloog nog – steeds hoger.

De pijn in haar hoofd was heel erg nu en ze boog zich voorover. Een portier van de bibliotheek, die vlak bij de muur stond te roken, sloeg haar gade; even leek het of hij naar haar toe wilde komen, maar dat deed hij niet, en even later trapte hij de peuk uit en liep de binnenplaats weer op. De donder kletterde. De eerste regenspatjes bevochtigden de kasseien. Ze stond op.

Professor Stone liep het plein op en de regen maakte haar nat en de wind vulde haar jas als een zeil. Bijna in het midden boog ze af naar de reling rond de koepel; het leek of ze stil zou blijven staan, maar dat deed ze niet; ze liep verder het plein over en het smalle straatje naast de kerk in. Toen ze bij de hoofdstraat kwam, klonk er klokgelui, en ineens herinnerde ze zich hoe ze de stad had ervaren op de allereerste dag dat ze hier was aangekomen, in haar zeventiende jaar, het aparte licht dat er schuin overheen viel; het bedwelmende naamloze verlangen dat een was met die koude, loodzware luchten. Ze voelde zo'n tederheid nu voor haar jeugdige wanhoop. Ze dacht: ik zie deze stad niet meer terug, die ik zo heb liefgehad.

DE ACHTSTE DAG: MIDDAG

'Nu al weg, Miss Elizabeth?' vroeg de portier.

'Ja, Albert. Ik was eerder klaar dan ik dacht.'

'Professor Hunt zal u met lede ogen zien vertrekken. En ik ook. Ik dacht dat we u nog minstens een week bij ons mochten hebben.'

'De zaak kon eerder worden afgerond dan ik had verwacht.' Ze glimlachte naar hem.

'Gaat het wel, Miss Elizabeth? U ziet er een beetje pips uit, als ik het zeggen mag, een beetje bleekjes.'

'Dank je, Albert, maar ik voel me prima,' zei ze.

'Wanneer komt u ons weer opzoeken?'

'Dat duurt misschien wel een tijdje.'

'Wat jammer. Zo vaak zien we mensen als u hier niet terug.' Ze lachte een beetje. 'Hoe bedoel je, mensen als ik?'

'Nou, iemand van uw kaliber, weet u. U bent nu toch een van de grote namen, met uw eerbewijzen en onderscheidingen en wat al niet?' Ze kon zijn ogen niet goed zien door zijn in glimlachen gehulde gelaat.

Ze zei: 'Jij bent zelf een instituut, Albert. Het college zou niet zonder je kunnen.'

Hij ademde in. 'Nou, ik bekijk het zo, Miss Elizabeth: alle hout is geen timmerhout. Zelfs al kon ik wat u kan, en dat zou ik in nog geen miljoen jaar kunnen, dan nog zou ik het niet willen en dat meen ik. Al dat nadenken!' Alleen al om het idee moest hij lachen. Hij vervolgde: 'Nee, ieder draagt zijn eigen steentje bij. We krijgen allemaal een talent; er kan een groot verschil zitten in wat het is, maar we hebben het niet verspild. Snapt u?'

Op het voorhoofd van de professor waren zweetdruppeltjes verschenen. 'Ik snap het, Albert,' zei ze. Ze glimlachte naar de plavuizen. 'Ik snap het.'

'Begrijp me goed. Ik heb geen grote wapenfeiten achter mijn naam, alleen mijn gezin. Maar zij zijn mijn lust en mijn leven. En ik heb mijn baan hier bij het college. En u,' zei hij, en hij liet zijn hand zwaar op haar schouder rusten, 'u hebt uw boeken.'

'Ja,' zei ze. 'Je hebt gelijk. Zoals je zegt, we hebben elk ons eigen talent meegekregen. Jij hebt je gezin. En ik, ik heb mijn boeken.'

Hij fronste zijn wenkbrauwen en bekeek haar nog beter. 'Als ik het zeggen mag, Miss Elizabeth, u ziet er echt niet gezond uit. Wilt u niet even zitten? Wilt u een glaasje water?'

'Nee, dank je.' Ze ging wat meer rechtop staan. 'Maar ik moet verder: ik moet professor Hunt nog spreken en daarna moet ik mijn trein halen.'

'Natuurlijk. Zal ik een taxi bellen als u hier straks weer langskomt?'

'Ja, dat is misschien een idee. Dank je, Albert.'

'Doen we.'

'O, Albert – de professor is er toch wel?'

De portier ging naar de andere kant van de balie. 'Hij is er tot een uur of zes,' riep hij, waarna hij naar de deur liep en die voor haar opendeed.

Ze hield de leuning vast toen ze de trap afliep. Hij keek hoe ze onder de boog door ging. Toen ze de hoek omging naar het binnenplein riep hij: 'Miss Elizabeth, wilt u misschien een paraplu?'

'Nee, dank je, Albert.'

Hij bleef nog even naar haar kijken. 'Weet u zeker dat er niets aan scheelt?'

'Ja hoor, Albert, heel zeker.'

Nog steeds bleef hij haar nakijken, haar haar plat op haar hoofd, één uiteinde van de ceintuur van de regenjas over de grond slepend, totdat de hoek van de tunnel haar aan het zicht onttrok.

*

Ze klopte aan. Haar ogen waren dicht en ze ademde langzaam. Toen de deur openging, deed hij een stap terug. Ze zei: 'Ik ga naar huis.'

Het bleef even stil, toen zei hij: 'Ik dacht dat je nog een week bleef.'

'Dat was ook zo, maar het heeft geen zin om nog langer te blijven. Je had gelijk wat betreft de Hyland Bequest. Ik had er niet zoveel aan.' Ze sloeg de ogen neer en zei: 'Het spijt me, ik weet dat je me niet meer wilde zien, maar over een uur gaat mijn trein en ik wou persoonlijk afscheid nemen. Ik weet niet of ik je nog een keer zie.'

Hij liep de kamer weer in en zei met een stem waarin ergernis doorklonk: 'Kom binnen, Elizabeth, kom binnen.'

Ze aarzelde, maar hij hield de deur wijd open.

Ze trok de regenjas niet uit en hij bood niet aan om die aan te pakken, maar ze ging op de rand van de bank zitten en het was zo heerlijk om te zitten en het warm te hebben en rustig te zijn, al was het maar even, dat ze tranen voelde opkomen en haar ogen sloot zodat hij het niet zou zien. Ze wilde niets liever dan gaan liggen om te slapen en het duurde ook niet lang meer voor dat kon, zei ze bij zichzelf: zodra ze thuiskwam. Meer hoefde ze nu niet te doen. Toen zei hij op scherpe toon: 'Je ziet bleek,' en ze deed haar ogen open en zei: 'Het is gewoon hoofdpijn. Ik heb er iets voor genomen. Het wordt zo wel minder.'

'Koffie?' vroeg hij. Hij keek haar nog steeds boos aan.

'Nee, dank je.'

'Ik wou toch net maken.'

'O, goed dan.'

Toen hij zich omdraaide en melk uit de koelkast ging halen deed ze haar ogen weer dicht. Het voelde alsof ze een beetje heen en weer ging, maar ze wist niet of dat te zien was. Ze leunde achterover.

Hij vulde de waterkoker bij het gootsteentje en keek naar haar over zijn schouder heen. Hij zei: 'Je ziet echt heel bleek, weet je,' alsof ze zich daarvoor moest schamen.

Ze glimlachte flauw. 'Ik zie altijd bleek.'

Daar kon hij niets op zeggen.

De elementen begonnen te bruisen en ze luisterde ernaar in de donkere kamer en naar het vallen van de regen buiten op de bladeren en de paden en de daken. Hij schraapte zijn keel en zei op iets vriendschappelijker toon: 'Dus het magnum opus is voltooid. Hoe voelt dat?'

'Goed, goed...'

'Meer niet?'

Ze haalde haar schouders op en glimlachte, en toen, omdat ze plotseling bang werd dat ze weer zou gaan huilen, fronste ze haar voorhoofd en zocht in haar tas naar de cd. 'Hier is het,' zei ze zonder hem aan te kijken, en legde de cd op de tafel. 'Ik heb vannacht de inleiding geschreven.'

Hij pakte hem aan en schoof hem aan de zijkant in zijn computer.

'Nee,' zei ze geschrokken. 'Niet nu. Het is de bedoeling dat je het leest als ik weg ben...'

Maar hij opende het bestand al, het beeldscherm gaf aan dat het geladen werd, de titelpagina verscheen. Ze hoorde hem omlaagscrollen, en nog eens. Toen bleef het stil en wist ze dat hij zat te lezen.

Buiten viel de regen ineens harder, alsof er een groot zeildoek werd uitgeschud. Het was nu zo donker in de kamer dat het wel avond leek. Er kwam een windvlaag door het raam die naar regen en zwavel en net nat geworden aarde rook, naar dingen die net aangebroken en lang gekoesterd waren, en ze liet haar hoofd tegen de rug van de bank rusten en wendde het hoofd naar het raam, waarin ze zichzelf en Edward Hunt zag en het witte beeldscherm waar de woorden overheen schoven. De waterkoker ging vanzelf uit, maar hij bleef zitten.

Ten slotte zei hij: 'Dit is mooi.'

Ze keek hem aan. Hier had ze niet op gerekend: 'goed' misschien; 'briljant' had ze misschien gehoopt. Niet 'mooi'.

Zijn gezicht straalde. 'Het doet me denken aan de essays bij je toelatingsgesprek. Het heeft die prachtige directheid, die spontaniteit waar ik zo van genoot.' Toen zei hij: 'Elizabeth, weet je zeker dat er niets met je is?'

Ze knikte, ook al was de pijn heel erg. Ze zei: 'Ik heb hier vaak last van.'

'Je zou naar de dokter moeten voor een recept.'

Hij herinnerde zich de koffie, wat ze jammer vond, en schonk heet water in bekers. 'Hoe dan ook,' zei hij, 'de inleiding ziet er subliem uit. Ik verheug me erop om het helemaal te lezen.' Hij gaf haar een beker, wierp zich in de fauteuil en stak een sigaret op.

Ze staarde in de dampende diepten. Toen, omdat ze niet precies wist hoeveel tijd ze had, zei ze: 'Edward, het spijt me dat het zo gegaan is laatst. Ik zie wel in dat ik in het verleden misschien "afstandelijk" ben geweest, zoals je zei, misschien zelfs wel achteloos. Dat is nooit mijn bedoeling geweest.'

Zijn schoen zwaaide. Hij knipperde een paar keer snel met zijn ogen en zei: 'Ik verheug me erop om dit te lezen. Volgens mij heb je hier echt iets.'

Hij wilde er dus niet over praten. Nou ja, dat was ook goed.

Ze glimlachte en zei: 'Maar je weet het in feite nooit, toch? Tot iets af is. En dan is het vaak te laat.'

'Ja,' zei hij. 'Soms is dat zo. Maar niet in jouw geval, denk ik.'

Ze liet een lachje horen, meer een snikje eigenlijk, en wendde zich naar het raam. Ze leek het tafereel achter de ruit af te speuren naar iets wat ze was verloren, maar er was niets te zien, alleen de regen. Ze schudde het hoofd met een vreemd rukje, alsof er een insect in haar haar was gevlogen, en hij sloeg haar gade. Ze zei: 'Het ziet...' Ze lachte en keek omlaag naar haar handen. Ze zei: 'Het ziet...' Weer kwam dat halve snikje. Ze keek weer naar de tuin en zei: 'Het ziet ernaar uit...'

Toen zei hij: 'Wat is er, Elizabeth?' op een toon die zo zachtaardig was dat ze er bang van werd, en ze ging zo vlug mogelijk verder uit angst dat ze zou bezwijken en keek hem aan met een woeste blik; en hoewel ze niet van plan was geweest om het te vertellen, zei ze: 'Het ziet ernaar uit dat iemand mijn theorie al heeft beschreven.'

Het bleef even stil. Toen zei hij langzaam: 'Hoe bedoel je?'

Ze wendde zich weer naar het raam, snel ademend, haar ogen heel groot, haar wenkbrauwen opgetrokken. 'Precies wat ik zeg. Iemand heeft een theorie beschreven die vrijwel identiek is aan die van mij.'

'Klopt dat?'

'Ik kwam er vanmorgen achter. In een voetnoot die ik over het hoofd had gezien in een boek dat ik maanden geleden heb gelezen. Deze jongeman heeft net zijn master gehaald. Het is een zeer veelbelovend werkje; ik was echt erg onder de indruk.' Ze lachte opnieuw. 'Misschien is het maar goed ook. Ik heb het zo druk met andere projecten dat ik niet eens meer weet waarom ik hier eigenlijk aan ben begonnen. Ik bedoel, T.S. Eliot. Ik lijk wel gek!'

Rustig zei hij: 'Weet je zeker dat het hetzelfde is? Heb je het gelezen?'

'Ja. Hij neemt de auditieve verbeelding als uitgangspunt. Hij volgt dezelfde lijn, kiest dezelfde schrijvers die ik wilde behandelen, hij maakt van de prosodie een apart onderzoeksgebied; citeert Michelangelo's definitie van liefde op het eerste gezicht.' Ze keek hem aan. 'Ongelooflijk, hè?'

'Ja,' zei hij.

Ze zwegen een tijdje en achter het raam regende het zo hard dat haar hand nat werd van de kleine druppeltjes die van de brede klimopbladeren rond de vensterbank af spatten, en in de kamer hoorde je de regen en haar ademhaling.

Hij zei: 'Ik vind het vreselijk voor je, Elizabeth. Ik weet wat het voor je betekende.'

'Ja!' zei ze. Weer lachte ze. 'Niet zoveel als sommige andere dingen natuurlijk. Er zijn veel ergere dingen.' Ze bleef vertwijfeld uit het raam turen, alsof ze overdreven veel belangstelling voor de heesters had, maar in werkelijkheid zag ze daar steeds minder van; inmiddels alleen nog de vage omtrek van de paardenkastanje en zelfs die eigenlijk niet meer.

Hij haalde diep adem, gevolgd door een zucht. 'Je schrijft vast wel weer iets nieuws, Elizabeth.'

'Nee.' Ze schudde heftig het hoofd.

'Je hebt nog vele creatieve jaren voor de boeg.'

'Nee.'

'Elizabeth, dit is een klap, dat is duidelijk, maar je hebt nog meer in je. Ik heb er nooit aan getwijfeld dat je iets uitzonderlijks zou schrijven. Ik heb daar nooit aan getwijfeld vanaf het allereerste moment dat ik je zag. Niets heeft me daar ooit aan doen twijfelen, en dat geldt ook hiervoor.'

'Dan vergis je je.' Er kwam een golf in haar naar boven die dreigde te breken. Ze zei: 'Ik schrijf niets meer. Geen woord.'

Hij fronste zijn voorhoofd. 'Elizabeth, je bent een gerespecteerd academica. Ik zie niet in...' en toen veranderde zijn toon en zei hij: 'Er is iets anders, hè? Dit gaat niet over dat boek.'

Er schoot een wit licht door haar·hersenen en even werd de wereld zwart. Hij stond op en zei: 'Wat gebeurde daar net?'

Ze zat achterover tegen de rugleuning van de bank, en toen ze antwoord gaf was haar stem bijna weg, alsof hij was uitgeblazen. 'Hoofdpijn, dat zei ik.'

Hij liep naar het gootsteentje. Hij draaide de kraan in één keer hard open, liet een glas vollopen en kwam terug met twee paracetamol. Hij stond over haar heen gebogen terwijl ze die innam en ging toen terug naar zijn stoel. Hij sloeg op een pakje sigaretten en nam er een in zijn mond. Hij zei: 'Mag ik weten wat er aan de hand is?'

'Er is niets aan de hand.'

'Ik ken je, weet je nog?' Hij zeilde het pakje op tafel. 'Je bent overstuur; dat was je al toen je hier aankwam. Wat is er? Waarom ben je ongelukkig?'

'Wat?'

'Ben je gelukkig dan?'

Ze haalde haar hand weg van haar gezicht en keek hem aan. Ze zei: 'Ben jij gelukkig?'

Hij staarde haar een ogenblik aan, haalde toen diep adem en wendde zich naar het raam. 'Geluk is een groot woord,' zei hij. 'Ik hou mezelf bezig. Ik red me. Maar gelukkig? Nee.'

Ze zwegen en ze deed haar ogen dicht, had spijt dat ze nog niet was weggegaan. Hij zei: 'Deze stad, dit college – ik zou me nu niet kunnen voorstellen dat ik ergens anders was, maar er zijn nog steeds dagen die heel leeg zijn.'

Ze wilde net gaan zeggen dat ze weg moest, al weg had moeten zijn, de trein had gemist die ze had willen nemen en de volgende ook zou missen als ze zo doorging toen ze hem hoorde zeggen: 'En er zijn dagen dat ik alleen maar aan jou denk.'

Ze hoorde de woorden duidelijk, maar ze lagen zo ver buiten het domein van de normale conversatie dat ze even op de rand van het bevattingsvermogen balanceerde en de interpretaties in een onstuimige jacht door haar hoofd denderden, maar voordat ze een bevredigende conclusie kon trekken, tipte hij zijn sigaret af en vervolgde: 'En nu ben je hier; nu ben je hier al een week. Het is een beetje overweldigend.'

Ze legde haar hand op haar ogen. Ze zei: 'Ik moet...'

'Denk jij aan mij?'

'Wat?' zei ze zwakjes.

'Je verstaat me wel.'

Ze staarde hem aan, toen verslapte haar lichaam en staarde ze voor zich uit. 'Ja,' zei ze. 'Soms. Vaak. Denk ik aan je.'

Hij zei: 'Waarom ben je teruggekomen, Elizabeth?' en hij klonk ruw en woedend, zoals eerder.

Maar ze zat nog altijd voor zich uit te staren, en dacht: wat is het leven toch vreemd. Want als hij dit toen had gezegd, was mijn leven anders gelopen. Maar hij zegt het nu. En ik moet weg; toen hoefde dat niet, maar ging ik toch. Nu moet het en nu wil ik niet. Toen dacht ze: ik wil niet meer leven, want leven is te moeilijk. Hardop zei ze: 'Ik ben teruggekomen voor de stukken van Eliot', en ze stond op. 'Ik moet echt weg.'

Ze zwaaide de reistas over haar schouder en wankelde daarbij, zodat ze een hand uitstak om steun te zoeken.

Hij ging ook staan, met een blik vol gitzwart vuur, en zei: 'Volgens mij ben je niet in staat om waar dan ook heen te gaan.'

'Nou,' zei ze, 'dat ben ik wel.' En ze begon de eindeloze afstand tussen de bank en de deur over te steken.

Hij leek zowel woedend als ongelovig. Hij sloeg haar gade en toen ze bij de deur was aangekomen, zei hij: 'Weet je dat ik nooit heb ingezien hoe egoïstisch je bent? Maar dat ben je – verschrikkelijk! Alles moet gebeuren zoals jij het wil. Je bent te trots om toe te geven dat het ook anders kan – jij weet het allemaal. Maar dat is niet zo, Elizabeth. Je zit er helemaal naast. Je wilt niet dat iemand je helpt, je moet alles alleen doen. Nou, misschien verdien je dat ook wel.'

'Dat zou heel goed kunnen,' zei ze. Er lag een dun laagje zweet op haar hoofd. Ze kreeg de deurkruk niet naar beneden.

'Heb je eigenlijk wel gevoelens?' vroeg hij. 'Is er leven daarbinnen?'

Ze vervloekte de deurknop, deed haar ogen dicht en zei: 'Gevoelens of geen gevoelens, Edward, over een halfuur gaat er een trein en daar wil ik in zitten.'

Hij leek verbluft, zei toen: 'Laat me dan ten minste een taxi voor je bellen.'

Ze zei: 'Bedankt, maar dat hoeft niet.'

'Jezus, neem dan een paraplu mee!'

'Nee, dank je.'

Hij beende naar de kapstok, greep een grote gele paraplu en priemde haar die toe. Ze pakte haar tas en de paraplu, de deur ging open; ze maakte aanstalten om naar buiten te lopen, maar bleef toen staan. Ik zie hem niet meer, bedacht ze, en ze dwong zichzelf om naar hem te kijken. Haar dat zich zestig jaar niet had laten temmen. Slobbertrui. Spijkerbroek met knikken in de knieën. Versleten schoenen. Donkere, donkere ogen. Vrouwenhanden. Het meest vertrouwde en meest onkenbare gezicht. Onthoud, zei ze bij zichzelf, onthoud dit alles. Hardop zei ze, met grote warmte: 'Het was heel fijn om je weer te zien, Edward. Pas goed op jezelf alsjeblieft.'

Hij stond er even verbolgen als hulpeloos bij te kijken, en terwijl ze de deur dichtdeed hoorde ze hem zeggen: 'Godverdomme, Elizabeth.'

Ze liep door de portiersloge heen zonder dat ze Albert zag en liep huilend over straat, zonder soelaas van tissues of zakdoek of de andere accessoires waartoe volwassenen hun toevlucht nemen; ze meende zich te herinneren dat ze eerder hier op straat had lopen huilen, zij het onder gunstiger omstandigheden. Als ze zich niet vergiste regende het toen ook. Haar armen en benen leken niet van haar te zijn, haar hoofd deed pijn, ze strompelde een beetje, haar hart sloeg smartelijk langzaam.

Het begon te rommelen boven de stad, een vreemd gekletter: de druppels werden zwaarder. Ze wist de kerk op het plein te halen en ging naar binnen. Ze schoof een van de achterste banken in en legde haar hoofd op haar armen. De gele paraplu gleed op de grond. Ze zou de trein missen; ze nam wel een volgende. Er was niets meer te denken of te vrezen. Was dit nu onthechting, vroeg ze zich af. Het voelde wel een beetje zo.

Haar aandacht werd getrokken door een aantal piepjes, gevolgd door een lange noot die leek te zweven en te kloppen, die zakte en steeg alvorens op dezelfde hoogte te blijven. Ze verschoof haar hoofd op haar armen en zag voor in de kerk een man bij het orgel. Hij draaide aan een knop van een elektrisch apparaat en liet zo een rood licht in langzame kringen rondgaan. Hoe sneller de kring ging, hoe hoger de noot werd. Ze keek hoe het licht langzamer, toen sneller ronddraaide, hoorde de noot pieken en weer dalen, tot er uiteindelijk een rode cirkel overbleef en een zuivere noot die in de koude kerk weergalmde.

Het was een onwezenlijk geluid en het trillen kwam overeen met haar gevoel van onwerkelijkheid op dat moment. Het cirkelen deed haar denken aan iets wat ze lang geleden had gezien. Het draaiende licht leek krom te trekken, alsof er hitte onder zat, hitte die het amper kon verdragen, alsof het wilde opstijgen uit het medium waarin het zich bewoog en niet vrij was. Het licht werd slomer, trager en kwam toen tot stilstand. De man stelde het orgel bij en de piepjes begonnen weer. De professor deed haar ogen dicht.

Een hand op haar schouder deed haar opkijken. Hij stond

voor haar, zijn haar op zijn voorhoofd geplakt, zijn ogen gitzwart. Hij zei: 'Je hebt gehuild.'

'Nee,' zei ze, 'eigenlijk niet.'

Hij kwam naast haar zitten en streek met zijn hand over
zijn haar. 'Ik wist wel dat er iets mis was. Ik besefte het pas
toen je weg was. Je bent ziek, hè? Vertel het alsjeblieft.'

Ze deed haar ogen dicht en vroeg zich weer af hoe het
kwam dat hij haar zo goed kende, altijd al.

'Wat is het?' vroeg hij.

En omdat er deze keer geen ontkennen mogelijk leek, zei
ze: 'Kanker.'

Onmiddellijk had ze er spijt van, want ze zag nu dat hij,
hoe goed hij haar ook begreep, dit niet had verwacht; hij
keek haar aan met een soort gebrokenheid, het verdriet zo
duidelijk zichtbaar dat ze ineens een beeld van hem als kind
had, ontroostbaar; en ook zij was weer een kind en keek toe
bij wat ze gedaan had.

Hij zei: 'De hoofdpijn, het haar, het afvallen.'

Ze was doodmoe. Ze knikte.

Hij knipperde met zijn ogen, zijn mond hing een beetje
open. Hij vroeg: 'Word je behandeld?'

'Dat werd ik. Het is teruggekomen. Sinds ik hier ben, eigenlijk. Ik ben er vrij zeker van…' Ze keek naar de voorkant
van de kerk waar de stemmer tot de centrale c was gevor-
derd. Het licht begon weer rond te gaan.

Hij ging met zijn handen over zijn gezicht en zijn haar.
Hij leek te bedenken wat hij moest zeggen. 'Waarom heb je
niets gezegd?'

Ze hield haar blik gericht op de cirkel.

'Elizabeth…'

Het is hopeloos, dacht ze, dus ze keek hem aan en zag
het dagen in zijn ogen en het besef bezit van hem nemen, en

toen het zijn gezicht had overspoeld veegde ze haar eigen gezicht droog en sloeg haar ogen op naar het plafond en zag iets verbluffends; glashelder zag ze de schildering die ze als meisje had willen zien en die ze tot dit ogenblik was vergeten; en ze zag dat de kunst om iets onzegbaars te zeggen was dat je het niet moest proberen, want de schilder had de hemel opvallend eenvoudig geschilderd, met tinten paars en groen en blauw; de sferen gonsden, de grootse planeten hingen in al hun weergaloze glorie; er was diepte, verlichting – maar het was toch heel duidelijk gewoon verf.

Ze hoorde hem zeggen: 'Hou je van me?' en ze keek hem aan. 'Sinds wanneer?'

Ze haalde haar schouders op. 'Altijd al.'

Hij boog zich naar voren en sloeg zijn handen voor zijn gezicht en ze keek weer naar de schildering.

Toen hij weer naar haar keek was zijn blik dof en zijn gezicht leek wel uitgewrongen en weer zag ze met verwondering dat hij haar liefhad. Ze zei: 'Ik dacht dat ik je herkende toen we elkaar ontmoetten. Ik dacht dat ik je eerder had gezien.' Toen kwam de pijn in haar hoofd weer op en ze boog voorover. Hij pakte haar schouders vast en zei: 'Waar zit het?' Ze bleef even roerloos staan, raakte toen heel licht de linkerkant van haar hoofd aan, en hij legde zijn hand daar, en dat voelde zo fijn dat het pijn deed.

Hij zei: 'Ik zal een dokter bellen.'

'Nee.'

'Elizabeth...'

Ze zei: 'Wat heb ik daaraan? Ik moet naar huis. Ik moet naar de specialist. Maar ik kan nu niets doen. Ik wil alleen maar stil blijven zitten... alsjeblieft.'

Ze veranderde weer van houding en probeerde haar hoofd op haar armen te laten rusten en hij zei: 'Laten we hier dan niet blijven. Laten we je dan ten minste wat comfort geven.'

Het was inmiddels stil in de kerk. De orgelstemmer was weg. Hij stond op, gaf haar met één arm steun, nam de tas en de bespottelijk gele paraplu en ze liepen de deur uit, de straat in. Regen sloeg hen in het gezicht, wind schudde zijn vuist, de hemel was zo laag dat het net leek of ze erin liepen, dacht ze. Hij maakte haar regenjas verwijtend dicht en ze vond het verschrikkelijk lief van hem.

Het was druk met toeristen op straat, bussen die langs denderden, een gids die zei: 'Hier ziet u een gebouw waarin een drukpers staat die volgens een plaatselijke legende behekst is, en daar hebt u de oudste bibliotheek ter wereld.'

Hij stak met haar de straat over. Ze ontweken mensen en afvalbakken, paraplu's en fietsen, maar al vrij snel zei ze: 'Sorry, ik moet even gaan zitten,' en hij keek om zich heen, duwde een deur open, en er rinkelde een belletje.

Het was er donker en druk en er loeiden koffiemachines. De inrichting was rustiek, met lange tafels, gepleisterde muren en in een hoek een grote open haard. Hij nam haar mee naar het uiteinde van een tafel bij het raam naast een gezin met jonge kinderen en een hond. 'Neem me niet kwalijk, maar deze mevrouw voelt zich niet lekker.' Hij duwde haar regenjas van haar schouders en hurkte voor haar neer. Hij vroeg of ze iets wilde drinken, leek te aarzelen of hij haar alleen zou laten en ging toen zenuwachtig in de rij staan, achteromkijkend om te zien hoe het met haar ging.

Het was een nieuwe wereld. Maar hij gedroeg zich nog steeds min of meer zoals ze zich herinnerde. En zij ook. Ze waren blijkbaar allebei goed in veinzen. Zo is het dus wanneer het onmogelijke gebeurt, dacht ze. Het is onmogelijk, en het blijft maar gebeuren. Het was onmogelijk te geloven dat Edward Hunt elk moment naar de tafel kon terugkomen en op die nieuwe manier naar haar zou kijken, met die typische mengeling van heftigheid en tederheid. Het was onmogelijk te geloven dat hij haar misschien zou aanraken en dat zij opnieuw zou ontdekken dat hij haar liefhad. Toch zou het gebeuren: daar was hij, deze vreemdeling, zijn gezicht donker, ruikend naar regen, een beetje strompelend; hij zette twee bekers neer, morste uit een, zei 'Fuck', ging servetjes halen. Ze kon een glimlach niet bedwingen.

Hij zag haar gezicht en de angst verdween van het zijne. De plotselinge vreugde was zo onverbloemd dat het pijnlijk was om te zien, en weer bedacht ze dat hij er zo als kind moest hebben uitgezien, en richtte haar blik op haar warme chocolademelk. Hij scheurde een suikerzakje open en roerde terwijl hij haar aankeek. Hij nam wat hij gemorst had op met een servet en keek weer naar haar. Hij keek naar haar terwijl ze dronk en terwijl ze zich gegeneerd naar het raam wendde, en hij keek naar haar toen ze zich weer terugdraaide naar het vertrek en ergens halverwege zijn blik opving.

Ze zit in de koffiebar en om haar heen gebeuren ontelbaar veel dingen. Apparaten zoemen, bussen sissen, fietsers glijden langs onder kleine plastic tentjes. Er zijn kinderen die over milkshakes kibbelen, een jankende baby die van de borst van zijn vader probeert te abseilen. Een hond die zich krabt bonkt met zijn poot op de vloer. Het begint weer harder te regenen en de bel klingelt omdat er meer mensen binnenkomen, die paraplu's uitschudden en snuiven; er zit een groep studenten bij die hun laatste tentamens erop hebben zitten, die blozen van de vrijheid, doorweekte toga's van hun lichaam af trekken en baretten uitschudden die voor de verandering eens enig nut hebben gehad. Hij zegt: 'Vertel wanneer het begon.'

Dus ze vertelt over de vermoeidheid, over *The Dissident*

Corpus: John Milton and the Poetics of Difference, over dat het niet werkte en dat het niet uitmaakte wat ze ook deed. Ze vertelde over Wordsworth en *The Prelude* en dat ze van het podium kieperde in de grote collegezaal, toen de zwakte in haar arm, de tijdelijke blindheid, de uitputting, de aanvallen van razernij, huilen bij een werkgroep. Ze vertelde over dokter Wright, de onderzoeken, de therapie; het besef dat haar boek niet lukte; de haaruitval, de lege stoel, de overtuiging dat ze doodging, het denken aan hem en aan de stad. Dan komt ze bij de droom over de drukte rond de keukentafel en de vreemdeling, en ze kijkt om zich heen en ze kijkt naar de tafel en ze kijkt naar Edward Hunt en haar ogen schieten vol.

Hij vraagt: 'Wat is er?'

Maar ze kan het niet uitleggen, want ze weet het niet, ze weet niet precies wat er gebeurt; of moet dat zijn: wat er is gebeurd? Ze schudt het hoofd, kijkt nog eens rond, en als ze haar tranen heeft gedroogd gaat ze door met haar verhaal, met verbazing nu; over de uitkomst die duidelijk was, over Eliot die ze op zijn paraplu zag leunen, het bewijs in 'Burnt Norton' en het idee voor 'De poëtica van de klank', over haar pogingen om professioneel over te komen toen ze hem schreef, en de vreselijke eerste twee dagen toen ze dacht dat ze elkaar niet zouden ontmoeten. En dan vertelt ze over de lange jaren daarvoor toen ze aan weinig anders dacht, iets wat ze nog nooit tegen iemand heeft gezegd – zelfs niet tegen zichzelf.

Hij schuift zijn stoel naar haar toe en trekt haar hoofd op zijn schouder. Hij houdt haar vast zoals je een kind of een jong diertje vasthoudt en ze hoort zijn ademhaling en voelt zijn gezicht in haar haar en merkt hoe fijn hij het vindt, diep inademt en geniet van het moment. De heftigheid van zijn omhelzing heeft iets grappigs, het feit dat hij de ontvanger lijkt te zijn vergeten. Ze voelt hoe mager zijn lichaam is en hoe warm zijn schedel en ze ruikt de regen in zijn haar. Er wordt naar hen gekeken, maar dat kan haar nu eens niet schelen en ze leunt op hem en het voelt volkomen natuurlijk, alsof ze het altijd gedaan heeft of altijd zou gaan doen, en er misschien zelfs een beetje genoeg van heeft.

Een tijdje is ze nergens en is alles stil. Ze hoort de kinderen niet of de hond of de koffiemachine of het gedruis, voelt niets dan de uitzonderlijke warmte waar hij haar aanraakt – deze lading; zodat wanneer hij zich losmaakt haar haar overeind gaat staan en ze in brand staat en het amper uithoudt.

Even later vraagt hij of ze zich beter voelt en ze zegt: 'Ja.'

Weer iets later vraagt hij: 'Kun je lopen?' en ze knikt weer, al doet het pijn om zo'n intens genot te onderbreken.

Ze lopen de deur uit, en wind en regen slaan hen in het gezicht, maar ze steken de gele paraplu op en houden elkaar vast en het is alsof ze de zee in lopen.

DE ACHTSTE DAG: AVOND

'Waar gaan we heen?' vroeg ze, en hij antwoordde: 'Naar huis.' Ze wist niet wat hij bedoelde maar vond het al fijn om naast hem te lopen; ze struikelde zelfs omdat ze voor het eerst zo dicht bij hem was. Ze liepen door een smal straatje en achter de stenen muren aan weerszijden hoorden ze de collegetuinen, smaragdgroen en druipend, en overal, overal het geluid van de regen. Toen ze een steegje insloegen kuste hij haar. De lippen waren zachter dan ze had gedacht, iets aarzelender, iets vochtiger. Ze voelde vaag de vormen van tanden en tandvlees erachter, de rechthoekige botten van de kaak en de adem uit de neusgaten. Haar knieën knikten een beetje toen hij haar losliet en ze bleef even staan met de ogen dicht.

Hij kuste haar nog eens voor ze doorliepen en weer op de volgende hoek. Ze kusten elkaar onder een boog en voor een snoepwinkel en op de hoek bij de Horse and Groom. Toen sloegen ze een kasseienstraatje in, bleven staan voor een wit huisje met zwarte balken en bukten zich om een lage deur door te gaan.

Hij hielp haar uit haar regenjas en frommelde aan een knop om een gashaard aan te zetten. Zijn gezicht was rood van de wind en de regen. Hij zei: 'Ik wil een dokter bellen, maar ik moet doen wat jij zegt. Wil je slapen, wil je eten, wil je dat ik iets bij de apotheek haal?'

Ze schudde het hoofd. Ze zei: 'Ik heb daar een paar pijnstillers in zitten.' Hij knielde en ritste de tas open en ze keek vol ongeloof toe hoe deze man haar nachthemd en tandenborstel, haar laptop en boeken uit haar tas trok; ze had zelf wel willen zoeken maar wilde hem niet onderbreken. Toen er ten slotte niet veel meer uit te trekken viel, zei ze verontschuldigend: 'Ik denk dat ze in het zijvakje zitten.'

Hij rommelde er wild in, gaf haar toen een doosje tabletten en liep naar de keuken. Hij kwam terug met een groot glas water en keek toe hoe ze dronk. Toen zei hij: 'Ik pak droge kleren voor je en dan bedenken we wat we daarna gaan doen.'

Ze hoorde hem de smalle trap in de hoek op gaan en leunde naar achteren op de bank, staarde naar het lage plafond, de doorbuigende planken, de potplanten, de cd's en de enorme tafel. Toen liet ze haar hoofd achteroverzakken en sloot haar ogen die volliepen en deed erg haar best om haar trillende kin tot rust te brengen.

Hij kwam terug met een handdoek en een ochtendjas, joggingbroek, trui en sokken. Hij zei: 'Dit is alles wat ik heb, maar je blijft er in elk geval warm in. Ik ga wat soep opwarmen.' Hij liep het kleine keukentje in en ze hoorde kastdeurtjes dichtslaan, een blik dat werd geopend, het klikken van een kookplaat. Haar vingers waren stijf. Ze trok haar panty uit en droogde haar haren en benen met de handdoek. Ze trok de joggingbroek en de sokken aan en de trui over haar blouse. Ze had hem eerst achterstevoren en moest hem weer uitdoen. Toen ging ze zitten met haar armen langs haar zij en probeerde rustig adem te halen.

'Hoe voel je je?' Hij kwam naast haar zitten.

Ze rechtte haar rug en deed haar ogen open. 'Het gaat wel,' zei ze, en dat was waar, al wist ze niet of de pijn in haar hoofd op afstand werd gehouden door hevige angst, grote vreugde, of de pijnstillers die werkelijk deden wat er op het doosje werd beweerd.

'Echt waar?'

'Ja.'

Hij keek haar een lang moment aan, zei toen zachtjes: 'Wil je iets eten? De soep is klaar.'

Ze haalde haar schouders op. Ze hief haar handen op, liet ze weer vallen en ze kwamen op haar dijen terecht. Ze lachte. Toen bleef ze stil zitten, ademhalend. Al deze dingen deed ze, maar ze keek hem niet aan. En toen besloot Elizabeth Stone eindelijk om eens dapper te zijn, dus ze keek toch, en ze glimlachte, zij het in panische angst.

De glimlach deed het hem: als ze niet had geglimlacht was de avond misschien heel anders verlopen. Maar ze glimlachte wel en hij glimlachte terug – en toen verdween de glimlach en keek hij haar aan met een blik die voelde alsof ze geen huid had maar alleen inwendige organen, en toen hij haar een tijdje zo had aangekeken pakte hij haar hand.

Ze deed haar ogen dicht en zat doodstil. Toen deed ze haar ogen open en leunde naar achteren en haar borstkas ging op en neer. Ze legde haar arm boven op de rugleuning van de bank en toen weer in haar schoot. Toen tilde ze haar hoofd op een vreemde manier op, als een verdrinkend kind, en haar hart ging zo tekeer dat ze misselijk werd. Hij zei: 'Hoe staat het met de pijn?'

Ze fronste haar wenkbrauwen, knipperde toen met haar ogen. 'Weg,' zei ze. 'Vooralsnog.'

Hij hield zijn hand onder haar kin. 'Ben je moe?'

Ze dacht hierover na. 'Moe' was het woord niet, niet meer; 'onwerkelijk' misschien, 'verbijsterd'; en ook opvallend alert, tegenwoordig. 'Niet moe,' zei ze. 'Alleen... aanwezig.'

Zijn blik ging over haar gezicht en ze voelde hoe zijn adem haar aanraakte. Hij zuchtte diep. Toen zei hij: 'Kom met me mee,' en stak zijn hand uit. Haar lichaam volgde hem.

Boven aan de smalle trap was een overloop, amper breed genoeg voor twee mensen om te staan, en een deurtje. Hij tilde de klink op en ze liepen een kamer vol boeken in. De geur maakte haar blij; zou haar blij hebben gemaakt als ze niet zo bang was geweest. Hij nam haar mee naar het bed en zei: 'Ga zitten.'

Haar ademhaling was hoorbaar. Hij maakte de veters van haar schoenen los, tilde haar voeten eruit en zette ze naast elkaar op het kleed. 'Goed?' vroeg hij, en ze knikte met opgetrokken wenkbrauwen. Ze reikhalsde om uit het raam te kijken, alsof ze daar zojuist een glimp van iets had gezien, maar hij zei: 'Kijk me eens aan,' en toen ze dat deed zag ze zijn gezicht volstromen met iets wat het maar net in bedwang kon houden.

Hij trok zijn eigen schoenen uit en ze sloot haar ogen en begon de knoopjes van haar blouse los te maken. Ze dacht dat ze misschien wel zou flauwvallen. Het voelde alsof ze bad of een rozenkrans door haar vingers liet gaan, al had ze geen van beide ooit in haar leven gedaan en dat zou wel duidelijk zijn, want ze schoot niet erg op met de knoopjes. Toen voelde ze zijn handen op de hare en zakten die van haar in haar schoot.

Hij knoopte de voorkant van haar blouse los, toen beide manchetten, en liet hem van haar schouders glijden. Hij kuste haar opnieuw, krachtiger, met zijn hand om haar kin, en begon toen zijn overhemd los te knopen.

Haar blik was strak en haar ogen waren groot, de pupillen zo donker dat ze peilloos leken. Hij zei: 'Ga maar achteroverliggen,' dus dat deed ze. Ze vouwde haar armen over haar beha en concentreerde zich op langzaam ademhalen. Ze staarde naar een papieren lampenkamp. Ze dacht: zo een heb ik er thuis ook. Hij trok haar joggingbroek uit en haar voeten vielen plop, plop, tegen het bed.

Hij trok zijn trui uit. Ze hoorde zijn haar knetteren toen de trui over zijn hoofd ging. Ze hoorde hem zijn spijkerbroek openritsen en ze hoorde hem een beetje struikelen toen hij eruit stapte. Ze probeerde het niet te horen. Ze deed haar beha af en legde haar armen weer over haar borstkas. Ze besefte dat haar borsten elk aan één kant van haar lichaam hingen. Ze besefte ook dat niemand haar borsten ooit had gezien. Ze besefte dat haar onderbroek wit was geweest maar nu een minder eenduidige kleur had, en besefte dat niemand ook dat deel van haar ooit had gezien. Toen kwam de gedachte bij haar op dat ze zijn lichaam ook zo dadelijk zou zien, en ze deed haar ogen dicht en wist niet hoe ze die weer moest opendoen.

Was dit wat alle stervelingen nastreven? Was dit de grote daad, de gebeurtenis waar ze zich zo goed mogelijk voor had 'trachten toe te rusten'? Ze had zich op iets heel anders voorbereid: ze was hopeloos onvoorbereid; de bruidegom zou haar niet wachtend aantreffen; haar talenten waren verspild; haar lampenkousje was niet afgeknipt, haar vlam geheel uitgedoofd. Een spier in haar kuit trok heftig samen. Ze overwoog haar benen over elkaar te slaan, maar dacht dat het er belachelijk uit zou zien. Ze bedacht dat ze haar sokken nog aanhad.

Hij kwam naast haar liggen. Hij was witter, dunner, jonger dan ze had gedacht. Bij zijn hals zat een randje waarboven hij bruiner was. Ze probeerde te glimlachen maar haar mond beefde vreselijk en het leek haar beter om haar blik weer op de lampenkap te richten. Hij raakte haar aan en zuchtte van genot en haar hart klopte grillig. Hij trok de dekens om haar heen en kuste haar gezicht, kuste haar handen, kuste haar haren, en toen hij het ruwe litteken daaronder voelde kuste hij dat ook, zo teder dat ze het wilde uitschreeuwen. Hij zei: 'Ik heb dit zo lang willen doen.'

Er dreven stukjes duisternis aan de randen van haar gezichtsveld. Haar armen bleven op haar borstkas geklemd; ze wist niet of dat kwam doordat haar borsten haar meer ontstelden dan haar schaamstreek of doordat ze niet in staat was haar armen te bewegen. Hij zei: 'Elizabeth.'

Ze kon niet langer glimlachen, of hem aankijken, maar na een ogenblik lukte het haar wel om haar armen van haar borstkas af te halen en liet ze die aan weerszijden zakken, alsof ze in een doodkist ging liggen. Hij pakte haar pols en gespte haar horloge los en legde dat op het nachtkastje en ging liggen en ze voelde zijn warmte en zijn hardheid en zijn hart.

Hij vroeg: 'Waarom hebben we dit ook alweer niet eerder gedaan?' en ze zei: 'Ik weet het niet.' Hij pakte weer haar handen beet en kuste die. Toen zuchtte hij diep en zei: 'Kon ik je maar laten inzien hoeveel ik van je hou.'

Ze deed haar ogen dicht. Ze deed ze open. Ze probeerde te praten, maar haar keel maakte een raar geluid en ze deed ze weer dicht. Ze ademde in. Ze ademde nog eens in. Ze zei: 'Ik moet je wat zeggen.'

'Goed,' zei hij. Hij lag op zijn arm geleund en keek haar aan. Hij leek maar niet genoeg te krijgen van het kijken.

Ze zei: 'Ik.'

Ze zei: 'Ik...'

Ze zei: 'Ik...!'

Ze zei: 'Ik ben maagd.' En toen ze het gezegd had slokte duisternis haar op.

Hij zweeg even, zei toen zachtjes: 'Is dat zo?

Ze knikte maar hield haar ogen dicht. Ze hoorde haar eigen ademhaling raspen. Ze vond het vreselijk, maar kon er niets aan veranderen. Met een enorme krachtsinspanning keek ze hem aan.

Het was nog angstaanjagender dan ze verwacht had. Zijn ogen waren zwart en straalden ondraaglijk en er sprak zo'n verschrikkelijke genegenheid uit. Haar blik gleed weer naar de lampenkap. Ze zei: 'Ik vond dat je dat moest weten.'

'Goed,' zei hij. 'Dank je wel.'

Abrupt vroeg ze: 'Neem je me in de maling?'

'Nee.'

De spier in haar kuit ging wild tekeer. Ze zei: 'Ik heb je vandaag twee keer teleurgesteld. Het boek dat ik je had beloofd is er ook niet gekomen.'

Hij legde zijn hand op de hare en zei: 'Ik vind het jammer voor je van "De poëtica van de klank", maar ik kan nu wel bekennen dat ik altijd eigenlijk alleen maar om de schrijfster heb gegeven. En die heeft me helemaal niet teleurgesteld. Bovendien had ik al zo'n vermoeden.'

Ze keek hem bijna aan, maar bedacht net op tijd dat ze dat niet moest doen. 'Hoe dan?' vroeg ze, met niet meer dan een fluisterstem.

Hij zei: 'Noem het intuïtie.'

*

Toen legde hij zijn hand op haar hart, of waar ze dacht dat haar hart zou kunnen zitten, en Elizabeth Stone dacht dat ze eindelijk al die gedichten over harten en over liefde begreep, want als dit liefde was dan werd het haar dood en als dit een hart was dan brak het, en als dit geluk was kon ze het amper verdragen – en toen bedacht ze: maar ik verdraag het wel, en dat klopte. Hij verschoof zijn hand en ze voelde een lont ontbranden en begon te beseffen dat dit een wonder was: dat ze zonder het te weten van papier en woorden en ijle lucht had geleefd. Hij begon haar lichaam tot leven te strelen of tot dood en ze werd wakker in lichterlaaie, met vlammen op haar kruin en de wortel van haar tong en de punten van haar borsten en de toppen van haar vingers en de zolen van haar voeten – en ze bedacht dat ze haar conclusie dat een dunne huid een probleem was misschien wel moest herzien want er was hier geen probleem, behalve dat ze niet op adem kon komen, behalve dat het zou kunnen ophouden.

Toen begon hij haar te kussen, rustig, onderzoekend, lokte haar om mee te gaan naar waar hij heen ging; dus ging ze, naar de donkere streken voorbij de rand van de wereld, het onbekende terrein dat slechts de dappersten betreden, de plek die niet voor haar bedoeld was en voor haar alleen bedoeld was, en de pijn in haar borst die haar levenslange metgezel was geweest verschoof naar haar schouders, toen naar haar keel, toen naar haar kaak, en kroop in haar ogen en gleed langs de zijkant van haar wangen en liep als olie haar haren in, en hij zei: 'Wat heb ik je liefgehad.'

De boeken keken toe. Zij zouden manieren moeten vinden om deze mond te beschrijven, dit gewicht, dit duister, deze pijn; ze zouden metaforen moeten vinden voor dit gevoel dat haar hart snel deed slaan en daarna langzaam, klanken om huid tegen huid na te bootsen, ritmes om de golven te benaderen die langs haar hals, borsten en knieën omhoogtrokken. Ze vermoedde dat ze droomde, maar niet zoals ze dat kende; ze droomde wakker, en alle weefsels en kleuren en vormen van deze wereld die zich tegen haar ogen vlijden en de geluiden van de stad achter het raam droomde ze tot leven – want had ze niet heel vaak van dit huis en deze daken en deze stad en deze man gedroomd? – en wou dat zeggen dat deze dingen echt waren of denkbeeldig, in de toekomst, het verleden, of het eeuwigdurende heden?

Alles was onbekend en toch een herinnering met dat merkwaardig specifieke karakter van dromen, en terwijl hij haar haar van haar voorhoofd duwde herkende ze dit nu ook, euforisch als Odysseus bij een glimp van de rotsen van Ithaca, en toch was alles zonder twijfel echt; op een bepaald moment dat hij haar aankeek ondraaglijk echt zelfs.

Daarna werden de kussen wat kalmer, en daarna werden ze wat trager, en niet lang daarna maakten ze helemaal geen geluid meer maar vlogen het open raam uit en fladderden over de daken en torentjes en alle tuinen achter afgesloten hekken, en gingen op in grote lichtpaleizen, zoals ze die zich als kind had voorgesteld als de plaats waar engelen woonden maar nooit zo duidelijk voor zich had gezien als op dit ogenblik toen het wolkendek openbrak boven de schoongespoelde stad en ze zag dat de wereld vreemd en verrassend was, dat op elk moment kon worden en waarschijnlijk altijd was geweest.

Er klonk een kerkklok, luid en helder in de stille kamer; hij stond op en sloeg het raam open en er kwam een koele wind naar binnen. Ze wendde zich naar hem toe en de duisternis kwam terug, maar de klokken bleven luiden. Niet-gehoorde muziek was mooier, maar nu was er echte muziek, al wist ze dat niet helemaal zeker, zo makkelijk vervlocht die zich met het groeiende grijs. Ze vroeg: 'Hoor je dat?' en hij zei: 'Ja, dat is het koor in de Music Room.'

De klokken verstomden, maar het zingen hield aan terwijl de avondschemer, duifgrijs en kalm, de kamer in dreef met daarbij, door een scheur bij de horizon, een reepje zilveren licht. De schemer hulde het vertrek in slaap, maar het laatste licht viel op de letters op de ruggen van de boeken en glinsterde daar alsof het iets wilde zeggen.

Maar tussen de twee gedaantes waren er geen woorden meer, al was er wel muziek, ritmes die ze zelf maakten, nadrukkelijker zij het tijdelijker dan die in gedichten en aria's. Nog eens, zei de muziek; nog eens. Nu, en nu, en nu. Een aaneenschakeling van tijdloze momenten.

DANKWOORD

Bedankt Robert Dinsdale, die deze roman als eerste heeft gelezen en waardevol redactiewerk heeft verricht in alle fasen van het manuscript. Bedankt Carole Welch, mijn redacteur, die slordige fouten heeft verwijderd en de roman veel lezersvriendelijker heeft gemaakt, en bedankt Hazel Orme, mijn bureauredacteur. Bedankt Faber and Faber voor toestemming om T.S. Eliot te citeren, en Oxford University Press voor toestemming om uit Frank Kermodes artikel 'Milton's Hero' te citeren. Citaten van Virginia Woolf komen uit *Mrs Dalloway*, citaten van Ted Hughes uit zijn gedicht 'The Thought Fox', en van Geoffrey Chaucer uit Boek v van *Troilus and Criseyde*.

VERANTWOORDING VAN DE VERTALER

Voor fragmenten uit *Four Quartets* van T.S. Eliot is meestal
de vertaling van Herman Servotte (Ambo, 1996) gebruikt.

De vertaling van Shakespeares sonnet 14 is van L.A.J.
Burgersdijk.

Bij de productie van dit boek is gebruikgemaakt van papier dat het keurmerk Forest Stewardship Council® (FSC®) draagt. Bij dit papier is het zeker dat de productie niet tot bosvernietiging heeft geleid. Ook is het papier 100% chloor- en zwavelvrij gebleekt.

MIX
Papier van
verantwoorde herkomst
FSC
www.fsc.org
FSC® C110751